PROSPECTIVE
ET
STRATÉGIE

PROSPECTIVE ET STRATÉGIE

Revue publiée par l'Association pour la Prospective et la Stratégie
88 bd Lahitolle – 18020 Bourges Cedex
www.strategie-prospective.fr   revueRPS@strategie-prospective.fr

Directeur de la publication : Fabrice ROUBELAT

éditée par
l'Association pour la Prospective et la Stratégie et
l'Institut de Stratégie Comparée (ISC), www.institut-strategie.fr

COMITÉ ÉDITORIAL

Jérôme de Lespinois (Institut de Stratégie Comparée), Anne Marchais-Roubelat (Conservatoire National des Arts et Métiers), Erick Mengual (Association pour la Prospective et la Stratégie), Fabrice Roubelat (Université de Poitiers).

COMITÉ SCIENTIFIQUE

Bruno Colson (Facultés Universitaires Notre-Dame de la Paix de Namur) ; Hervé Coutau-Bégarie (†) (École Pratique des hautes Études) ; Silvia Gherardi (Université de Trente) ; Jean-Fabrice Lebraty (Université de Lyon 3) ; Yvon Pesqueux (Conservatoire National des Arts et Métiers) ; Riel Miller (Unesco) ; Rafael Ramirez (Université d'Oxford) ; Georges-Henri Soutou (Membre de Institut, et président de l'Institut de Stratégie Comparée) ; Jacques Thépot (Université de Strasbourg).

Secrétaire de rédaction : Isabelle REDON

Les articles publiés dans Prospective et Stratégie ne représentent pas une opinion de l'Association pour la Prospective et la Stratégie et n'engagent que la responsabilité de leurs auteurs. Sauf indication contraire, ceux-ci s'expriment à titre personnel.

Toute reproduction ou traduction, totale ou partielle, de ces articles est interdite sans l'accord préalable de l'Association pour la Prospective et la Stratégie.

Les règles typographiques sont celles en usage à l'imprimerie nationale.

Les manuscrits non insérés ne sont pas rendus.

© APORS Éditions – 2014

NOUVEAUX TERRITOIRES
4–5

Ont collaboré à ce numéro

Sophie AGULHON est doctorante au Centre de recherche sur les Risques et les Crises (CRC) de MINES ParisTech et prépare sa thèse au sein de la Direction Sûreté Santé Sécurité Qualité Environnement (DSQE) auprès de l'Inspection Générale du groupe AREVA.

Jean-Marc BÉLOT, ingénieur UTC, est chargé de veilles technologiques et d'études prospectives au pôle VTS (Veille Technologique et Stratégique) du Centre technique des industries mécaniques (CETIM).

Jean-Pierre BRIFFAUT, docteur-ès-sciences physiques, est chercheur associé à l'Institut Charles Delaunay de l'Université de Technologie de Troyes et administrateur de l'Institut Frederik R. Bull.

Olivier COUSSI est maître de conférences associé à l'Université de Poitiers, chercheur au CEREGE EA 1722.

Antoine DUBREUIL est doctorant en science politique à l'Université Paris II Panthéon-Assas et chargé de valorisation de la recherche à l'Institut des hautes études de défense nationale (IHEDN).

Rosaire GOB, docteur en sciences de gestion, est chercheur associé au Cnam-LIRSA EA 4603.

Franck GUARNIERI est directeur du Centre de recherche sur les Risques et les Crises (CRC) de MINES ParisTech.

Jérôme JOY est professeur à l'Ecole nationale supérieure d'arts (ENSA) de Bourges, membre de Locus Sonus – audio in art, laboratoire de recherche en art audio, *phd candidate* en art audio et musique expérimentale, Université Laval Québec.

Anne MARCHAIS-ROUBELAT est maître de conférences habilité à diriger des recherches au Conservatoire national des arts et métiers, chercheur au LIRSA EA 4603.

Arnaud MARTY est chargé de mission des Conseils généraux Allier, Cher, Creuse, Nièvre.

Daniel MONTES DE OCA est doctorant en sciences agricoles et développement rural à la Faculté de Sciences Agricoles à l'Université Autonome de l'État de Morelos – Mexique.

Yvon PESQUEUX est professeur titulaire de la chaire "Développement des Systèmes d'Organisation" du Conservatoire National des Arts et Métiers (Paris), membre du LIRSA (EA 4603).

Benoît PIGÉ est professeur des universités en sciences de gestion, auteur de nombreux ouvrages sur la gouvernance des organisations et sur les outils d'audit et de contrôle.

Jean-Pierre ROGER, géographe de formation, a travaillé pendant 25 ans sur la "politique de la ville" du site de Bourges, il est actuellement responsable du pôle "observation, études, prospective" de Bourges Plus.

Fabrice ROUBELAT est maître de conférences habilité à diriger des recherches à l'Université de Poitiers, chercheur au CEREGE EA 1722.

Jean-Pierre SAULNIER est docteur en sciences de gestion, maître de conférences à l'Université d'Orléans.

Souchinda SANGKHAVONGS est doctorante au Cnam-LIRSA EA 4603.

Olivier ZAJEC est maître de conférences à l'université Jean Moulin (Lyon III), membre du Centre Lyonnais d'Études de Sécurité Intérieure et de Défense (CLESID).

PROSPECTIVE ET STRATÉGIE

Revue publiée par
l'Association pour la Prospective et la Stratégie
www.strategie-prospective.fr / revueRPS@strategie-prospective.fr

Bulletin d'abonnement à renvoyer à :
Institut de Stratégie Comparée
B.P. 30447 – 75327 Paris Cédex 07

✂ ....

Abonnement pour deux numéros

JE M'ABONNE À LA REVUE PROSPECTIVE ET STRATÉGIE :

☐ Abonnement individuel .... 40 €

☐ Abonnement institutionnel........ 90 €

Nom et prénom ou Raison sociale : ---

Adresse : ---

Code postal : -------------- Ville : --

Mail : ---

Fonction : --

Chèque à établir à l'ordre de l'Association pour la Prospective et la Stratégie.

L'abonnement individuel donne droit à un exemplaire de chaque numéro.

L'abonnement institutionnel donne droit à deux exemplaires de chaque numéro.

PROSPECTIVE ET STRATÉGIE

www.strategie-prospective.fr / revueRPS@strategie-prospective.fr

Anciens numéros - Offre spéciale d'abonnement

Numéro 1 - La souveraineté
Numéro 2/3 – L'expertise
Numéro 4/5 – Nouveaux territoires

Bulletin d'abonnement à renvoyer à
Institut de Stratégie Comparée
B.P. 30447 – 75327 Paris Cédex 07

JE M'ABONNE À LA REVUE PROSPECTIVE ET STRATÉGIE

Abonnement Numéros 1 – 2/3 – 4/5   **60 Euros**   au lieu de 75 Euros   ☐

Abonnement Numéros 1 – 2-3   **40 Euros**   au lieu de 50 Euros   ☐

Abonnement Numéros 2-3 – 4/5   **40 Euros**   au lieu de 50 Euros   ☐

Frais de port France Métropolitaine offerts
Autres destinations : contacter apors.commandes@gmail.com
Les numéros à l'unité sont à commander chez votre libraire ou sur Amazon

Nom et prénom ou Raison sociale : --

Adresse : --

Code postal : ------------- Ville : ---

Mail : --Tel --------------------------------

Fonction : ---

Chèque à établir à l'ordre de APORS

Éditorial
Les nouveaux territoires en action

Dans quels espaces les groupes humains – nations, communautés, collectivités, organisations – seront-ils conduits à agir et à interagir ? Et quels nouveaux territoires peuvent émerger des transformations de ces espaces et de ces processus d'action ? La réflexion sur les nouveaux territoires apparaît comme une réflexion portant autant sur l'action organisée que sur les espaces que les processus d'action permettent de former, de déformer, de transformer, ainsi que sur les nouvelles frontières et problématiques que dessinent ces processus d'action.

Organisé en collaboration avec l'École nationale supérieure d'art de Bourges, avec le soutien du Conseil général du Cher et de l'agglomération Bourges Plus, le projet "Nouveaux territoires" présenté dans ce volume 4-5 de *Prospective et Stratégie* propose d'explorer ces nouveaux espaces, ces nouvelles frontières, ces nouvelles problématiques en vue d'évaluer les stratégies développées dans et autour de ces territoires.

Les premiers articles questionnent le concept même de territoire, au prisme des connexions et des transformations qu'il opère dans l'espace et le temps. Ainsi Benoît Pigé développe-t-il la problématique des "frontières de l'organisation" tandis que Jérôme Joy explore les concepts d'"auditoriums étendus et d'espaces raccordés", nous invitant à construire de nouveaux dispositifs d'écoute, et qu'Yvon Pesqueux critique "la notion de territoire". Dans le premier "regards d'acteurs" – une des innovations de ce volume 4-5 –, Jean-Pierre Roger interroge la "fortune" qu'a connue le concept de territoire depuis quelques décennies à partir des "territoires pluriels et espaces supports" que relie l'agglomération Bourges Plus.

Opérant un saut dans l'espace et le temps, reliant l'évangélisation des nouveaux territoires américains et l'accident de Fukushima, Sophie Aguhlon et Franck Guarnieri discutent l'intérêt du concept d'injonction – "dispositif de conquête de territoires organisationnels" –, l'injonction à la sécurité en constituant un cas spécifique particulièrement intéressant. Dans "enjeux gestionnaires et politiques des projets territoriaux", Rosaire Gob nous livre une analyse critique des projets de territoires et de leurs enjeux démocratiques, fondée sur une étude approfondie du cas du projet guadeloupéen de société.

Les deux articles suivants nous invitent à nous intéresser au rôle de la technologie dans la formation et la transformation de nouveaux territoires. Voire la déformation, serait-on tenté de dire, à partir de la réflexion de Jean-Pierre Briffaut sur les "nouveaux territoires du mensonge" que constituent les univers virtuels. Dans le deuxième "regards d'acteurs", Jean-Marc Bélot nous fait découvrir les "nouveaux territoires de la technologie" que constituent les multiples alliances qui se nouent tant à un niveau local qu'au niveau mondial.

Les trois articles suivants explorent la problématique de la relation entre les nouveaux territoires, les traditions et la modernité, en nous invitant à un voyage sur plusieurs continents. Dans "la construction de territoires identitaires régionaux et locaux en Arctique", Antoine Dubreuil montre la variété des modèles de gouvernance développés pour préserver mais aussi faire évoluer l'identité des peuples autochtones de l'Arctique. Dans sa note de recherche – deuxième innovation de ce volume 4-5 –, Souchinda Sangkhavongs nous présente ses premiers travaux sur "les diasporas et la création de nouveaux espaces d'innovation", en s'appuyant sur une recherche sur la diaspora laotienne. Dans "Quand la tradition fait une place à la modernité", Daniel Montes de Oca questionne quant à lui la tension entre la tradition et la modernité dans la transformation des territoires ruraux à partir du cas d'Amatlán de Quetzalcóatl au Mexique.

La question de la modernité, et les tensions qu'elle porte, se retrouve dans le troisième "Regards d'acteurs" d'Arnaud Marty à travers le projet "Nouvelles ruralités" marqué par le "volontarisme" de l'Assemblée des départements de France. La conquête de l'espace est également porteuse de volontarisme et de stratégies, ainsi que d'enjeux politiques et organisationnels comme en témoigne l'article d'Olivier Zajec sur "la surveillance des nouveaux territoires spatiaux" et son partage entre civils et militaires. Anne Marchais-Roubelat, Fabrice Roubelat et Jean-Pierre Saulnier interrogent quant à eux l'interaction entre "décision politique, prospective et territoire", la transformation des territoires et les stratégies des parties prenantes étant combinées dans la construction de scénarios d'action stratégique.

Les chroniques prennent part à cette exploration de l'avenir, et tout d'abord *Decidere* qui propose de suivre les fils d'Ariane de la prospective. Dans sa note de lecture sur *Approches de la Géopolitique. De l'Antiquité au XXIe siècle,* dirigé par Hervé Coutau-Bégarie et Martin Motte, Olivier Coussi rend hommage au projet des auteurs et à leur contribution à la compréhension du monde – des nouveaux territoires serait-on tenté de dire –. Enfin le collectif *Innover par les usages*, sous la direction de Pascale Pizelle, Jonas Hoffmann, Céline Verchère et Miguel Aubouy, invite à changer le regard que portent les acteurs sur l'innovation, à former et à transformer des scénarios d'usage, à mettre l'usager au cœur du processus d'innovation. Innover, n'est-ce pas le projet de *Prospective et Stratégie* ?

Le comité éditorial

Les frontières des Organisations.
Enjeux et représentation

Benoît PIGÉ

La globalisation économique des échanges, qui prétend effacer les frontières, suscite en retour des phénomènes de repli identitaire et la reconstitution de territoires aux frontières plus ou moins étanches. Il existe donc des mouvements complexes qui oscillent entre repli sur son identité et négation des différences. La théorie des organisations ne peut pas rester insensible à ces questions de frontières. Ces dernières sont d'ailleurs déjà abordées dans les problématiques de normalisation comptable internationale, sans pour autant qu'il existe une réelle réflexion théorique permettant de fonder les choix techniques qui sont faits.

Cet article se propose de repenser les frontières des Organisations à travers leur temporalité, les conflits de pouvoir qui les animent et leur rôle comme limite à l'opportunisme individuel. Ces réflexions ne sont pas seulement théoriques, elles s'ancrent dans des questions très concrètes comme celles qui se traduisent dans les normes comptables internationales. Ce sont aussi la place et le rôle des parties prenantes des organisations qui sont dessinés, à partir de considérations sur l'exposition au risque que les frontières peuvent générer ou au contraire apaiser.

LES FRONTIÈRES DES ORGANISATIONS

Apparemment, la question théorique des frontières des Organisations ne se pose pas, elle est un fait. Toute organisation se définit par ses frontières. Si une organisation est d'abord un fait juridique, l'acte de création de l'organisation entraîne également la définition de ses frontières. De même dans le jeu économique, l'organisation est appréhendée comme étant un acteur. Pour l'analyse du fonctionnement des marchés et l'équilibre de l'offre et de la demande, les personnes physiques et les personnes morales (les organisations) ne sont pas nécessairement appréhendées comme des acteurs radicalement distincts. Très souvent la différence essentielle entre un individu et une organisation est passée sous silence. L'entreprise n'est qu'une extension du concept d'entrepreneur.

Si la question théorique ne se pose pas, les questions pratiques abondent néanmoins. En effet, c'est dans les détails que les problèmes de frontières vont émerger. Une organisation peut avoir des frontières juridiques qui sont en contradiction avec les frontières d'autres organisations. Dès lors, le droit aura pour fonction de définir le tracé exact de ces frontières et de se prononcer sur les éventuels conflits limitrophes que toute frontière peut entraîner.

La théorie contractuelle des organisations[1] a remis en cause la conception des organisations en tant qu'entités ayant une identité propre et clairement délimitée. En effet, si l'organisation n'est qu'un nœud de contrats, alors la signature d'un nouveau contrat ou la rupture d'un contrat existant conduisent à modifier les frontières de l'organisation. Les frontières deviennent une enveloppe malléable qui s'adapte en permanence aux entrées et aux sorties. Les frontières ne sont plus tracées, elles ne sont que le résultat de mouvements qui leur échappent.

---

[1]   Armen A. Alchian et Harold Demsetz, "Production, information costs, and economic organization", *American Economic Review*, n° 62, 1972, pp. 777-795.
Armen A. Alchian et Harold Demsetz, "The property right paradigm", *Journal of Economic History*, n° 33, 1973, pp. 16-27.

De même, la théorie de l'agence[2] appréhende l'organisation comme un simple outil de propriété dont il convient de maximiser l'efficience dans la gestion des ressources. L'organisation n'est plus un lieu d'intérêt, ce sont les individus qui composent l'organisation qui deviennent objets d'étude. Mais paradoxalement, cette négation de l'organisation en tant qu'entité autonome n'est pas l'expression d'une idéologie qui nierait les frontières ; les frontières sont déplacées. Au lieu de servir à définir l'organisation, elles servent à définir la place des acteurs qui sont parties prenantes à la vie de l'organisation. En effet, si la théorie de l'agence ne s'intéresse que marginalement au concept d'entité, elle oppose très clairement les acteurs propriétaires à ceux qui ne le sont pas[3]. Parce que l'organisation doit être gérée de façon à maximiser les intérêts de ses propriétaires, l'accent n'est plus mis sur les frontières de l'organisation mais sur les frontières des propriétaires. On assiste alors à des développements théoriques assez originaux où les employés ne sont pas reconnus comme ayant droit à participer à la gouvernance de leur entreprise (ils ne sont pas reconnus comme existant à l'intérieur des frontières qui définissent les propriétaires) mais où, s'ils détiennent une action de leur entreprise (y compris à travers un fonds de placement réservé aux employés), ils peuvent légitimement réclamer une place au sein du conseil d'administration. Parce que la frontière de la propriété est définie par la détention d'actions, seule l'acquisition d'une fraction du capital financier est considérée comme recevable pour participer à la gouvernance de l'organisation.

La temporalité de la frontière

La frontière permet de réguler un espace, s'assurer que les personnes à l'intérieur de cet espace poursuivront leurs intérêts personnels en intégrant les contraintes propres à l'espace défini. La frontière définit aussi une exclusion. Il y a ceux qui sont à

---

[2]   Eugène F. Fama, "Agency Problems and the Theory of the Firm", *Journal of Political Economy*, n° 88(2), 1980, pp. 288-307.
Eugène F. Fama et Michael C. Jensen, "Agency Problems and Residual Claims", *Journal of Law and Economics*, n° 26, 1983, pp. 327-350.

[3]   Gérard Charreaux (éditeur), *Le Gouvernement des entreprises, Corporate Governance, Théories et faits*, Paris, Economica, 1997, pp. 17-54.

l'intérieur et ceux qui sont à l'extérieur. La frontière peut être plus ou moins perméable, dans un sens ou dans les deux sens, mais elle doit toujours conserver une forme d'imperméabilité pour exister. À partir de l'instant où l'on accepte l'idée d'association entre individus, on accepte le concept de frontières car une association ne peut avoir de consistance que si, simultanément, elle met en œuvre des frontières.

Une question fondamentale est néanmoins l'émergence de la frontière. Celle-ci s'impose-t-elle d'un seul coup, ou émerge-t-elle à la suite d'un long processus ? La frontière est un construit, c'est-à-dire qu'à un moment donné elle existe telle qu'elle est, mais, en même temps, il ne s'agit pas d'un objet intemporel. Cependant la représentation de la frontière peut s'inscrire dans une forme de permanence temporelle, auquel cas la construction de la légitimité de la frontière peut justifier une reconstruction idéologique de son processus de construction. Pour ne rester que sur le domaine des Organisations, toutes les grandes entreprises internationales mettent en avant une certaine vision de leur fondateur. Par exemple, le musée Peugeot à Sochaux suggère que la saga de l'entreprise Peugeot résulte d'une dynamique interne qui était présente dès sa création comme entreprise de moulins à café et de fonderie d'acier. Dans le même temps, on oublie que des entreprises similaires qui ne se sont pas développées (du fait d'événements parfois en dehors des compétences managériales de leurs dirigeants) ont été passées aux oubliettes de l'histoire.

La frontière d'une organisation à un instant donné est une construction, mais cette construction se légitime par le recours à l'histoire. Ceci est montré de façon particulièrement claire par Daniel Boyarin[4] dans son analyse de l'orthodoxie du Judaïsme et du Christianisme dans les premiers siècles de notre ère. L'orthodoxie légitime son propre discours en s'appuyant sur une histoire, que non seulement elle a façonnée, mais qu'elle a aussi en partie écrite.

Dans le cas des grandes entreprises internationales, cette légitimation justifie la place de l'entreprise dans l'économie internationale. L'idée sous-jacente est que l'existence de l'organisation ne résulte pas d'un hasard, d'une conjonction de phéno-

---

4   Daniel Boyarin, *Border Lines*, Philadelphia, University of Pennsylvania Press, 2004, pp. 37-73.

mènes qui échappent aux visées humaines, mais qu'au contraire elle s'explique par une saga (familiale dans le cas du groupe Peugeot).

Cette focalisation sur la recherche d'une légitimité temporelle est sans doute fondamentale dans toute société humaine où tout individu s'inscrit dans une histoire qu'il n'a pas choisie. Mais, en même temps, une trop forte légitimation temporelle peut faire oublier l'importance des frontières à un instant présent et la question de ces frontières pour les acteurs concernés par ces frontières. En effet, si la légitimité des frontières est essentielle, la question à laquelle elles renvoient est toujours celle du *maintenant*. Les frontières s'expliquent et se justifient par un long processus mais, aujourd'hui, que fait-on de ces frontières ?

L'enjeu de pouvoir des frontières

Dans la vision contractuelle classique, les frontières émergent par consensus ou par adhésion. Que le contrat initial de société soit le fait d'un entrepreneur, auquel se sont ensuite rajoutés des associés qui acceptaient les principes initiaux, ou que le contrat de société ait été discuté entre plusieurs associés initiaux avant d'être signé, le résultat est à peu près identique. Par contre, les frontières ne sont pas immuables. Non seulement elles peuvent évoluer selon les mécanismes complexes de gouvernance que l'organisation a mis en place, mais elles peuvent également évoluer sous l'effet de l'environnement externe (par exemple, les régulations imposées par une organisation qui a un pouvoir supérieur à celui de l'organisation considérée, ou la concurrence imposée par des organisations similaires).

Si les individus poursuivent leurs intérêts personnels, et si des frontières permettent de favoriser cette recherche des intérêts personnels en imposant des règles du jeu spécifiques à une organisation, alors il paraît évident que la délimitation des frontières devient un enjeu de pouvoir pour favoriser son propre intérêt personnel. Tout comme les contrats, les frontières ne peuvent pas nécessairement prévoir tous les cas de figure. Par exemple, dans le domaine de la propriété incorporelle, les organisations sont confrontées à la nécessité de définir de nouvelles frontières. Où s'arrête le capital humain social, à qui appartiennent les réseaux relationnels créés par des employés, ou les articles écrits, etc. Dès lors, des membres d'une Organisation peuvent considérer que l'évolution des frontières ne va pas dans le sens de leurs intérêts personnels, ou ne va pas suffisamment dans le sens de ces intérêts. Si les frontières sont mouvantes, des conflits vont nécessairement surgir entre les différents acteurs pour maximiser leurs propres intérêts. On pourrait ainsi redéfinir la gouvernance des Organisations comme, non seulement l'ensemble des mécanismes qui fixent les règles du jeu au sein de l'Organisation, mais également comme les mécanismes qui permettent de faire évoluer les frontières de l'Organisation.

Il est possible d'opposer la théorie actionnariale (*sharehol-ders*) à la théorie partenariale (*stakeholders*). Mais il n'est pas évident que cette opposition soit si pertinente. En effet, de nombreux travaux académiques[5] visent à reconnaître l'importance des parties prenantes tout en conservant l'efficience de l'organisation comme critère quasi-unique de mesure de la performance. La frontière apparaît floue parce que l'objet de la frontière est ailleurs, entre une vision où le profit permet de mesurer la réalité de la contribution d'une entreprise au bien commun de la société et une vision où la contribution de l'entreprise est nécessairement le résultat d'un compromis complexe entre des acteurs ayant des attentes distinctes[6]. En effet, dans la vision financière de l'entreprise, l'efficience étant la mesure de la performance de l'entreprise, la frontière permettra de distinguer ceux qui peuvent jouer sur cette efficience de ceux qui n'en sont que les rouages. De façon caricaturale, une augmentation de salaire ou une réduction du temps de travail apparaîtront comme des pertes d'efficience (puisque le profit en sera négativement impacté), alors que la délocalisation d'une usine dans un pays à coûts salariaux plus faibles pourra apparaître comme un gain d'efficience.

---

5   À commencer par Edward R. Freeman, *Strategic Management : A Stakeholder Approach*, New York, Cambridge University Press, 1984, ed. 2010, pp. 22-27. Mais aussi Gérard Charreaux et Philippe Desbrières, "Gouvernance des entreprises : valeur partenariale contre-valeur actionnariale", *Finance Contrôle Stratégie*, n° 1(2), 1998, pp. 57-88. Et Michael C. Jensen, "Value maximization, stakeholder theory, and the corporate objective function", *Journal of Applied Corporate Finance*, Morgan Stanley, n° 14(3), 2001, pp. 8-21.

6   Maria Bonnafous-Boucher et Yvon Pesqueux, *Décider avec les parties prenantes*, Paris, La Découverte, 2006, pp. 19-40. Benoît Pigé, *Gouvernance Contrôle et Audit des Organisations*, Paris, Economica, 2008, pp. 24-39.

À l'inverse, dans une vision parties prenantes, l'objet de la performance est non seulement flou mais surtout il n'est pas donné *a priori*, il ne peut que résulter d'une confrontation, d'une discussion entre les différents acteurs pour parvenir à un accord qui garantisse la permanence (la durabilité) de l'Organisation. Dès lors, la frontière se retrouve placée comme limite permettant de définir la partie prenante, celle qui est autorisée (ou qui a acquis le pouvoir) de participer au jeu organisationnel et collectif.

Dans les deux cas, il existe donc un concept de frontières mais ce concept n'est pas le même. Dans la conception financière des Organisations, le concept de frontière vise à supprimer toute discussion. L'objectif est donné à l'avance et il s'impose aux acteurs. C'est ainsi que le choix des projets (des investissements) qui conditionnent la pérennité et le développement de l'Organisation ne sont plus des objets de discussion mais des objets de modélisation. Les relations de pouvoir et les recherches des intérêts personnels ne sont plus ouvertes à la discussion, elles ne se traduisent que dans les tentatives de modifier les modes de modélisation de la performance. L'enjeu n'est plus d'obtenir l'acquiescement des autres parties, mais de modifier le modèle de valorisation utilisé de manière à maximiser et à imposer son intérêt personnel. Celui-ci disparaît, effacé sous une apparente technicité des calculs et des données.

Dans la conception *parties prenantes* des Organisations, le concept de frontières vise à déterminer qui est dedans et qui est en-dehors. Ce choix comporte nécessairement une part de violence, et il n'est pas nécessairement synonyme d'optimisation des intérêts des acteurs, mais ce choix doit s'extérioriser, se matérialiser. Si une partie prenante s'estime injustement exclue d'une Organisation, elle peut exiger sa réintégration ou la reconnaissance de son apport essentiel à l'Organisation. Autrement dit, la discussion peut être conflictuelle, parfois la prise de parole peut être difficile, mais la discussion ne peut pas être totalement supprimée[7].

---

7   Jürgen Habermas, *De l'éthique de la discussion*, Paris, Flammarion, 1991 éd. 1999, pp. 16-32.

Une limite à l'opportunisme

Si, du point de vue d'un acteur donné, la fixation des frontières peut être un moyen de maximiser son intérêt personnel, du point de vue de l'Organisation, c'est-à-dire de la réunion d'un ensemble d'intérêts divers et partiellement conflictuels, la fixation des frontières doit permettre de générer un jeu à somme positive, avec la contrainte que chaque acteur perçoive a minima une rétribution égale à sa contribution. Autrement dit, la fixation des frontières doit permettre à chaque acteur de générer un gain net. Par rapport à une logique financière où seuls les actionnaires sont supposés avoir accès au gain net (en contrepartie de l'hypothèse qu'ils supportent la totalité du risque résiduel de l'entreprise), l'approche proposée ouvre le jeu à l'ensemble des acteurs.

Le cas des coopératives permettra de préciser cet enjeu des frontières. Dans de nombreux secteurs d'activité, les coopératives sont en concurrence avec des entreprises commerciales classiques. La loi du marché voudrait que chaque coopérateur puisse à tout instant décider de passer par la coopérative ou par une entreprise privée classique pour réaliser ses transactions. Le jeu concurrentiel du marché repose donc sur la maximisation individuelle de son intérêt, autrement dit sur le concept d'opportunisme : choisir la meilleure solution possible à un moment donné sans tenir compte de ses choix antérieurs.

Une telle attitude conduit fatalement à la disparition des coopératives. En effet, la performance d'une coopérative ne peut pas être captée par un acteur ou par un groupe d'acteurs. Si l'excédent d'un exercice peut être réparti entre les coopérateurs ayant contribué à l'activité de l'exercice, les effets à long terme des décisions, des investissements et donc du renoncement à certains bénéfices immédiats ne peuvent pas être attribués à ces mêmes coopérateurs. Par conséquent, l'incitation à s'investir à long terme disparaît nécessairement si chacun se contente de maximiser son intérêt immédiat. Pour lutter contre ce phénomène, de nombreuses coopératives prévoient une obligation d'exclusivité. Le coopérateur doit s'engager à réaliser l'intégralité de ses transactions (ou tout au moins une partie clairement délimitée *ex ante*) sur une période de temps fixée. Autrement dit, la coopérative fixe des frontières aux possibilités d'entrées et de sorties. Ces frontières restreignent la concurrence, le libre mouvement.

Cet élément a sans doute été en grande partie ignoré par la conception des organisations qu'a proposée Ronald Coase en 1937[8]. En effet, la théorie des coûts de transaction[9] considère que c'est l'autorité hiérarchique (la main visible du dirigeant) par opposition à la liberté contractuelle (la main invisible des marchés) qui justifie la différence de coûts de transaction entre les Organisations et les marchés.

La théorie que nous proposons ici est que cette autorité hiérarchique n'est qu'un élément constitutif d'un phénomène de frontières. Ce qui distingue une Organisation d'un marché ce sont d'abord les frontières. Un marché qui restreint son accès à des participants choisis n'est plus un marché, c'est une forme d'Organisation où les modalités de transaction s'inspirent des mécanismes de marché. Les réels enjeux sont dans l'organisation de ces mécanismes : qui décide de l'accès aux transactions, qui résout les conflits, etc. Autrement dit, la question des frontières met au premier plan la question de la gouvernance des Organisations.

LA FRONTIÈRE DE LA GOUVERNANCE

Qui est autorisé à participer à la gouvernance d'une Organisation ? Cette question n'est pas posée mais elle a sa réponse dans la théorie contractuelle des Organisations. Ce sont les propriétaires qui sont supposés participer à cette gouvernance. Pourtant cette fiction des actionnaires-propriétaires avait déjà été dénoncée très clairement en 1932 par Berle et Means[10]. Ces derniers observaient que l'évolution naturelle des grandes entreprises conduisait naturellement à une dispersion de l'actionnariat et que les actionnaires se voyaient ainsi dépossédés (non par la force mais par le simple phénomène de la dilution) de leur pouvoir de direction et de contrôle. Pour ces auteurs, la solution

---

[8]   Ronald H. Coase, "The nature of the Firm", Economica, n° 4, 1937, pp. 331-351.

[9]   Oliver E. Williamson, *The Economic Institutions of Capitalism*, New York, The Free Press, 1985, pp. 1-12.
Oliver E. Williamson, *The Mechanisms of Governance*, New York, Oxford University Press, 1996, pp. 54-87.

[10]   Adolf A. Berle et Gardiner C. Means, *The Modern Corporation and Private Property*, New York, Transaction Publishers, 1932, éd. 1991, pp. 311-313.

naturelle était l'émergence d'un dirigeant représentant de l'intérêt général. Bien que la thèse ne soit pas énoncée ainsi (car les concepts utilisés par ces auteurs ne le permettaient pas), on peut considérer que la description proposée considérait l'entreprise comme une Organisation (une entité collective aux buts nécessairement complexes) et non comme un outil de propriété entrepreneurial.

L'ouvrage de Berle et Means a été réapproprié par la théorie de l'agence pour en faire le précurseur de l'importance de la relation entre propriétaires et dirigeants. Ce faisant, les auteurs de la théorie de l'agence, notamment Jensen et Meckling[11], ont passé sous silence la thèse initiale de Berle et Means. Ces derniers ont acquis le rang de fondateurs ou de précurseurs d'une approche théorique qui leur était étrangère.

Si, au lieu de donner une réponse *a priori* à notre question initiale, nous acceptons que cette question soit en réalité une question ontologique fondamentale, alors un champ de réflexion s'ouvre devant nous. Sur quoi fondons-nous le droit humain essentiel à participer à la gouvernance d'une Organisation ?

Un petit détour par le domaine du religieux est assez instructif. On s'aperçoit que la tendance naturelle des Organisations religieuses est de créer des frontières qui favorise la reproduction du même, de l'identité. Le rôle des dogmes, de l'orthodoxie, peut ainsi être perçu comme l'érection de frontières[12]. Cette situation est d'autant plus visible que le livre mondial de référence sur ce sujet (la Bible) est également un cri pour la différence, à la fois identité et complémentarité (Genèse 1, 27 : *"Dieu créa l'homme à son image, à l'image de Dieu il le créa, homme et femme il les créa*"[13]). Il existe une identité humaine qui transcende les frontières mais cette identité intègre la différence.

---

11   Michael C. Jensen et William H. Meckling, "Theory of the Firm : Managerial Behavior, Agency Costs and Ownership Structure", *Journal of Financial Economics*, n° 3, 1976, pp. 305-360.

12   Daniel Boyarin, 2004, pp. 1-33.

13   *Bible de Jérusalem*, Cerf, 1981.

La représentation comptable des frontières

En 2008, dans le cadre d'un projet de rapprochement et d'harmonisation des normes comptables internationales entre l'IASB (International Accounting Standards Board, le principal normalisateur comptable international) et le FASB (Financial Accounting Standards Board, le normalisateur comptable des États-Unis), un document de discussion a été rédigé sur l'entité qui rend des comptes (*The Reporting Entity*). En 2010, l'IASB a présenté un second document[14] qui prenait en compte les réponses préliminaires reçues.

La définition proposée était (§RE2) : *L'entité comptable est un ensemble circonscrit d'activités économiques dont l'information financière est susceptible d'être utile aux investisseurs en capitaux propres, aux prêteurs et aux autres créanciers actuels et potentiels qui ne peuvent obtenir directement l'information dont ils ont besoin pour prendre des décisions sur la fourniture de ressources à l'entité et pour évaluer si la direction et le conseil d'administration de cette entité ont utilisé avec efficience et efficacité les ressources fournies.*

Comme on peut le lire, l'entité comptable est d'abord définie par rapport à la vision des investisseurs et des créanciers. C'est parce qu'une information financière est utile pour eux que l'entité comptable existe. Si l'on se place uniquement du point de vue des régulateurs des marchés financiers, une telle position peut se comprendre. Il n'empêche qu'elle traduit une myopie et une absence de prise en compte de la réalité d'un monde où des êtres humains vivent et existent. Par l'absurde, on peut se demander si une entité comptable existerait si l'organisation avait simplement pour but de coordonner les activités de petits producteurs vivant en autarcie[15]. Une telle vision est de surcroît en contradiction avec la volonté de l'IASB d'étendre sa normalisation aux PME et d'influencer significativement la normalisation comptable des autres formes d'organisations (notamment les collectivités publiques).

---

14   IASB, *Exposé sondage – Cadre conceptuel de l'information comptable : L'entité comptable*, ES/2010/2.

15   Par exemple, les coopératives de production ou de distribution en Afrique ou en Amérique du Sud.

Trois caractéristiques étaient mentionnées pour faciliter cette identification d'une entité comptable (§RE3) : *L'entité comptable comporte trois caractéristiques : (a) elle exerce, a exercé ou exercera des activités économiques ; (b) il est possible de distinguer objectivement ces activités économiques de celles d'autres entités et de l'environnement économique de l'entité ; (c) l'information financière sur les activités économiques de cette entité est susceptible d'être utile pour prendre des décisions sur la fourniture de ressources à l'entité et pour évaluer si la direction et le conseil d'administration ont utilisé avec efficience et efficacité les ressources fournies.*

La première caractéristique mentionnée focalise l'attention sur la dimension économique. Une entité qui aurait pour objet de créer du lien social, de défendre une catégorie de parties prenantes, ou de protéger l'environnement, ne serait donc pas considérée comme une entité qui doit rendre des comptes. On retrouve un parti pris sur la primauté de l'économique sur toutes les autres dimensions de la vie en société. Pourtant, on pourrait considérer que l'économie est importante, sans pour autant exclure de l'obligation de rendre compte les entités qui n'ont pas d'impact économique direct.

La seconde caractéristique renvoie aux questions de porosité des frontières (abordées dans la section précédente). Une entité existe parce qu'elle se différencie des autres entités et parce qu'il est possible de tracer une séparation entre elle et ses concurrentes ou voisines, ainsi qu'entre elle et le milieu où elle baigne. Cette seconde caractéristique est sans doute la plus intéressante, car elle souligne en creux la difficulté qui peut exister à assigner une activité économique précise à telle ou telle entité. En matière comptable, on pense immédiatement au problème du contrôle conjoint ou à la question d'une participation minoritaire dans une activité.

La troisième caractéristique porte sur l'utilité. La position de l'IASB sur l'utilité de l'information pour ceux qui l'utilisent est intéressante, car cette position renverse la vision courante : le but de l'information n'est pas de se faire plaisir en communiquant sur ce qui semble important à l'entité, mais de donner l'information que les parties prenantes attendent. Pourtant, considérer l'utilité comme une caractéristique de l'appréhension d'une entité comptable est surprenante. Cette focalisation est d'autant plus surprenante que l'utilité est réduite aux seuls investisseurs et créanciers. On pourrait penser qu'une entité comptable existe aussi si l'information qu'elle communique est utile aux employés, aux clients, aux fournisseurs, aux collectivités publiques, etc.

En dehors des questions légitimes que soulève la définition proposée par l'IASB, deux points très positifs peuvent être mis en avant :

- Une entité ne se définit pas par elle-même mais par rapport aux autres. Autrement dit, les frontières n'ont de sens que parce qu'il existe autrui. La frontière est nécessairement une reconnaissance de l'altérité, même si celle-ci est tenue à distance.

- Pour pouvoir rendre compte, il est nécessaire de définir son périmètre, ses frontières, nulle entité (et par voie de conséquence nul dirigeant) n'est responsable de la totalité des événements qui se produisent. Délimiter ses frontières c'est aussi délimiter sa responsabilité à l'égard de ses parties prenantes.

La question de la citoyenneté, être partie prenante

Partir de la proposition de l'IASB pour l'élargir ensuite à la diversité des parties prenantes, c'est s'exposer à diluer la notion d'entité, puisqu'à l'extrême toute personne, tout acteur est partie prenante de toutes les entités. Une simple vision pragmatiste et réaliste des choses devrait suffire à adopter la vision réductrice de l'IASB. Comment donc concilier réalisme et réalité ?

Une proposition, suggérée par l'auteur de cet article[16], consiste à se focaliser sur le critère d'exposition au risque. Une partie prenante est définie comme un acteur qui détient une ressource qui est utilisée ou consommée par l'entité et cet acteur est exposé au risque de l'entité du fait même de la ressource qu'il détient. Une telle définition fait immédiatement référence à la notion d'institutions. En effet, les institutions interviennent à un double niveau : elles définissent la notion de propriété (de détention d'une ressource) et elles affectent l'exposition au risque des acteurs. Par exemple, si dans un pays ou un territoire une

---

16 Benoît Pigé, *Éthique et gouvernance des organisations*, Paris, Economica, 2010, pp. 70-71.

protection sociale généreuse existe, les employés seront moins soumis au risque de l'entreprise (risque de licenciement, de réduction de salaire, d'augmentation ou de diminution unilatérale des heures de travail, de réduction de la sécurité ou de la qualité de l'environnement de travail) que dans un autre territoire où ces mêmes protections sociales soit seront inexistantes soit ne seront pas contrôlées.

Retenir le critère de l'exposition au risque permet de dessiner des cercles concentriques autour d'une entité en fonction de l'exposition au risque de chaque groupe de parties prenantes. Définir les frontières de l'entité revient alors à fixer le seuil de prise en compte de cette exposition au risque. Une telle proposition n'est pas aussi saugrenue qu'elle pourrait en avoir l'air au premier abord. Dans le domaine politique et civil, c'est déjà ce qui existe. Un citoyen français est membre d'une commune, puis d'une communauté de communes ou d'agglomération, d'un département, d'une région, de la France, de l'Europe et enfin du monde. Il existe donc des réseaux concentriques de frontières qui délimitent l'identité de chacun.

En matière d'organisations, on pourrait ainsi considérer qu'il existe une pluralité de frontières et que la gouvernance de l'organisation vise à gérer ses frontières en bonne harmonie, favoriser des règles locales tout en permettant l'insertion au sein d'une communauté plus large.

CONCLUSION

Si le droit a parfois donné l'impression que les frontières d'une organisation peuvent être nettes et claires et qu'il n'existe pas de réel débat, l'objet de cet article a été au contraire de souligner que *parler de frontières* c'est nécessairement parler d'un objet flou, contesté, avec parfois l'existence de multiples frontières. L'actualité contemporaine, avec l'annexion de la Crimée par la Russie, souligne combien une frontière est une construction humaine qui dépend de l'histoire, de la culture, des rapports de force et pas seulement du droit international.

Il s'agit sans doute ici d'une des limites de l'analogie entre les organisations (et les sociétés) et les individus. Une organisation peut avoir une personnalité morale, mais son incarnation, son corps, n'est pas du même ordre que celui d'un individu. Toute organisation est composée et animée par des individus. Selon la porosité des frontières de l'organisation, les individus peuvent rentrer ou sortir de l'organisation. Et, à la différence de l'individu, cette porosité existe toujours.

Cette porosité des frontières dessine donc des territoires en mouvement. Si les entités ne sont pas strictement définies et stables dans le temps, les territoires qu'elles contribuent à dessiner ne le seront pas non plus. La difficulté du temps contemporain s'explique peut-être en partie par l'irruption des organisations dans le jeu sociétal. La société n'est plus seulement l'espace de jeu entre individus, elle est également un espace de jeu où se côtoient des individus et des organisations. La variabilité des frontières des Organisations, leur absence de définition claire (qu'est-ce que la frontière exacte d'un groupe comme Peugeot ?[17]), rendent encore plus complexe le jeu sociétal. De nouvelles règles, de nouvelles normes, sont à inventer pour faciliter un vivre ensemble qui ne se limite pas simplement à la production et à la consommation de nouvelles ressources économiques.

Les territoires bougent, ils évoluent, certains se rétrécissent, d'autres apparaissent, mais ils ne sont eux-mêmes que la résultante des actions des individus, que ce soit directement, ou indirectement par le jeu des organisations auxquelles les individus sont parties prenantes.

BIBLIOGRAPHIE

Alchian (Armen A.) et Demsetz (Harold), "Production, information costs, and economic organization", *American Economic Review*, n° 62, 1972, pp. 777-795.

Alchian (Armen A.) et Demsetz (Harold), "The property right paradigm", *Journal of Economic History*, n° 33, 1973, pp. 16-27.

Berle (Adolf A.) et Means (Gardiner C.), *The Modern Corporation and Private Property*, New York, Transaction Publishers, 1932, éd. 1991, 3xx p.

---

17 Les réponses que l'on peut tenter d'apporter conditionnent nécessairement la manière dont on interviendra pour soutenir ce groupe actuellement en difficulté économique et les diverses alliances que l'on cherchera à nouer pour soutenir ce groupe.

Bonnafous-Boucher (Maria) et Pesqueux (Yvon), *Décider avec les parties prenantes*, Paris, La Découverte, 2006, 268 p.

Boyarin (Daniel), *Border Lines*, Philadelphia, University of Pennsylvania Press, 2004, 374 p.

Charreaux (Gérard) et Desbrières (Philippe), "Gouvernance des entreprises : valeur partenariale contre-valeur actionnariale", *Finance Contrôle Stratégie*, n° 1(2), 1998, pp. 57-88.

Coase (Ronald H.), "The nature of the Firm", Economica, n° 4, 1937, pp. 331-351.

Fama (Eugène F.) et Jensen (Michael C.), "Agency Problems and Residual Claims", *Journal of Law and Economics*, n° 26, 1983, pp. 327-350.

Fama (Eugène F.), "Agency Problems and the Theory of the Firm", *Journal of Political Economy*, n° 88(2), 1980, pp. 288-307.

Freeman (Edward R.), *Strategic Management : A Stakeholder Approach*, New York, Cambridge University Press, 1984, ed. 2010, 276 p.

Gérard Charreaux (éditeur), *Le Gouvernement des Entreprises, Corporate Governance, Théories et faits*, Paris, Economica, 1997, 540 p.

Habermas (Jürgen), *De l'éthique de la discussion*, Paris, Flammarion, 1991 éd. 1999, 199 p.

Jensen (Michael C.) et Meckling (William H.), "Theory of the Firm : Managerial Behavior, Agency Costs and Ownership Structure", *Journal of Financial Economics*, n° 3, 1976, pp. 305-360.

Jensen (Michael C.), "Value maximization, stakeholder theory, and the corporate objective function", *Journal of Applied Corporate Finance*, Morgan Stanley, n° 14(3), 2001, pp. 8-21.

Pigé (Benoît), *Éthique et gouvernance des Organisations*, Paris, Economica, 2010, 112 p.

Pigé (Benoît), *Gouvernance contrôle et audit des Organisations*, Paris, Economica, 2008, 255 p.

Williamson (Oliver E.), *The Economic Institutions of Capitalism*, New York, The Free Press, 1985, 450 p.

Williamson (Oliver E.), *The Mechanisms of Governance*, New York, Oxford University Press, 1996, 429 p.

Auditoriums étendus et espaces raccordés

Jérôme JOY

L a succession des évolutions technologiques de ces dernières décennies et des transformations qu'elles induisent et génèrent dans nos pratiques, nos usages et nos perceptions, ainsi que la généralisation des réseaux électroniques (Internet), ne peuvent laisser indemne la notion d'auditorium. Elles l'exposent, comme tout dispositif, au débordement, à l'excès, à la digression et au désajustement, tout comme elles produisent en retour de nouvelles normes du son et manières de l'écouter et de le *consommer* (Thompson, 2002). Le contexte actuel électronique et télématique pose, entre autres, la question de la transformation de la perception et de la pratique des lieux, des espaces, des environnements et des dispositifs qui sont soit conçus, soit modifiés, soit appareillés pour l'écoute et pour des auditeurs. Il appelle également à une nouvelle distinction de ces espaces du fait que ces derniers sont certainement moins perçus en tant que tels puisqu'ils se trouvent aujourd'hui plus dématérialisés, dispersés et désynchronisés, et que les actions des auditeurs se sont modifiées en conséquence. Nous les nommons de manière générique *auditoriums*, d'une part, pour montrer leur filiation avec les lieux et les salles, et, d'autre part, pour indiquer qu'ils déterminent à la fois les espaces où sont situés et *saisis* des auditeurs, les espaces construits et aménagés pour l'écoute, ainsi que les espaces investis par les productions destinées à être écoutées.

Dans notre recherche sur les *Auditoriums Internet*, il s'agit
d'étudier ces espaces de l'écoute tels que nous considérons, dans
l'hypothèse que nous posons, qu'ils ont été modifiés, remodelés
ou renouvelés.

Sont convoquées des questions d'architecture :

1) l'aménagement de *lieux* d'écoute ou de structures
   architecturées, discernables, à la fois immatérielles et
   matérielles, et destinées à l'écoute ;

2) leur structuration, c'est-à-dire leur organisation, leur
   disposition et leur aménagement pour accueillir des
   audiences ;

3) leur hybridité et leur plasticité, etc. ;

ainsi que des questions liées à la création artistique sonore et
musicale :

1) l'arraisonnement de l'écoute dans de tels espaces dont
   les dimensions ne semblent pas saisissables tout en
   étant perçues et dont les aspects rassemblants (les
   écoutes collectives, les écoutes individuelles) et la
   particularité spectatorielle semblent conservés ;

2) la mobilisation des acoustiques des lieux puisque les
   trajets en réseau et les écoutes mobiles intiment le
   chaînage et l'inter-connexion d'espaces entre eux que
   les sons et les corps-auditeurs traversent ;

3) la construction de formes et de processus artistiques
   particuliers à ces environnements continuellement
   variables et animés de flux : distinguer comment ces
   espaces et dispositifs destinés à l'écoute sont travaillés
   par les œuvres (sonores et musicales : quelles musiques s'y produisent ?) et vice-versa ; et examiner
   comment des œuvres engagent des pratiques d'écoute
   dans des conditions spatiales et temporelles nouvelles
   (quels types d'écoute sont mobilisés ?), etc. Dans ce
   sens, les recherches sur la musique en réseau
   (*Networked Music Performance*) et sur la *musique
   étendue* (une musique qui s'étend dans les espaces et
   collabore avec eux) peuvent servir de pivots à l'exploration des nouvelles configurations d'auditoriums

(électroniques, Internet, appareillés, distribués, synto-
nisés, etc.).

Notre objectif est donc d'étudier, dans le cas particulier des
Auditoriums Internet, les pratiques de création (à la fois de
producteur et d'auditeur) et les expériences esthétiques des
environnements qui y sont liées et qui sans doute les constituent.
L'intérêt principal sera de discerner le potentiel de productions
idiomatiques (ce que nous nommons : la musique étendue, la
musique à délais, la musique à intensités, la musique par l'environnement) qui peuvent s'y affirmer et de repérer si ces structures
conservent des conditions qui nous permettraient de les identifier
en tant qu'auditoriums.

Sans restreindre ou enfermer la notion d'*auditorium* dans
une définition trop étroite, il s'agit de pouvoir identifier, analyser
et explorer les dimensions, les échelles et les particularités qui
semblent excéder et saturer aujourd'hui le dispositif historique de
l'auditorium (et du concert), en tant qu'il est à la fois une structure et un environnement physiques et une manière d'écouter cet
environnement et les événements qui s'y produisent (Kaltenecker,
2010 ; Thompson, 2002).

En effet la propagation des sons et les effets acoustiques
que celle-ci engendre pourraient opérer une modification et une
transformation de nos espaces d'écoute bien au-delà de nos murs,
dans des structures élargies et en expansion, et dans des dimensions et des échelles plus grandes que nous les entendons habituellement.

AMÉNAGER UN AUDITORIUM

Un auditorium est d'abord reconnu comme étant le lieu
architecturé et bâti d'un espace spectatoriel. Il organise, divise et
régit cet espace en deux aires réglant les positions des co-présents
dans ce lieu et les relations entre ces positions : l'aire des auditeurs (ou de l'assistance) et l'aire scénique. La construction d'un
tel lieu, édifice ou salle, a pour objectif d'aménager, 1) une simultanéité des présences dans une étendue spatiale, 2) une concomitance active des expériences et des interactions des co-présents
dans un temps donné, 3) et, finalement, une intrication coïnci-
dente entre un espace réel (le lieu) et l'espace d'une œuvre –
voire d'une situation dans laquelle des expériences esthétiques

s'opèrent en interaction avec l'environnement (Dewey, 1930). Finalement un auditorium est conçu pour maintenir les conditions spatiales nécessaires et optima pour l'audition, la compréhension et l'expérience d'une production sonore (ou musicale).

La tension qui réside entre la conception et la construction architecturale de lieux consacrés à l'écoute, réglés, mesurés, formulés et technicisés, et la nature éphémère, aérienne et vibratoire du son et de ses formes et énergies que l'on ne peut pas retenir, matérialiser, rendre visible et former définitivement dans l'espace, constitue certainement une aventure passionnante parmi celles des lieux et espaces de représentation artistique dans notre culture ainsi que dans celles extra-occidentales.

La création de l'espace spectatoriel a configuré la place de l'auditoire en fonction de l'oratoire. Cette configuration a évolué au fil de l'histoire en visant à ce que toute manifestation (artistique) devant des auditeurs réunis dans un lieu public devienne une expérience esthétique et sociale, orientée vers un succès (l'œuvre doit vaincre) (Sloterdijk, 2010) et fondée sur un "discours" inhérent à une construction (d'un lieu spécifique et technique pour un perfectionnement des sensations et des perceptions ; de comportements, attitudes et conventions ; de l'intelligibilité des œuvres) (Kaltenecker, 2010). Elle s'est stabilisée selon des critères de réglages du point de vue et de bonne écoute, et selon des règles d'accès (payant) et de maintien, en aménageant des conditions d'attention et de participation. Ces conditions permettent que le public contribue (individuellement et collectivement) à la construction (en direct) d'une œuvre qui ainsi n'existerait pas sans lui. Elles permettent également que se constitue peu à peu un nouveau type d'auditeur *disponible* et *maître de soi* : ce dernier devenant silencieux, immobilisé (pour favoriser l'évitement : les auditeurs ne sont plus en contact), en attente et attentif (Kaye, 2012) ; les salles ont été rendues obscures (assombries pour une meilleure focalisation optique accompagnant la concentration et la valorisation auditive et musicale) et les horaires des représentations plus tardifs au fil des époques (s'adaptant aux rythmes du travail) (Bödeker et al., 2002). Ce public est devenu l'inverse d'une foule : 1) une assistance fait d'une œuvre un événement esthétique et une production collective ; 2) l'action d'assister détermine l'existence d'une œuvre ; 3) pour assister et être témoin d'une production artistique événementielle il faut se rendre au rendez-vous annoncé au lieu indiqué ; 4) cette convocation sous forme de rendez-vous garantit la co-présence (la synchronisation et la coordination des présences).

Le dispositif de l'auditorium règle les distances physiques et spatiales entre chaque auditeur et entre les auditeurs et les acteurs, tous pris dans l'interaction du moment spectatoriel. Ce réglage des distances permet de comprendre :

- comment l'espace est organisé et administré (acoustiquement, visuellement, et du point de vue des interrelations) ;

- comment chacun s'approprie l'espace (ou consent aux contraintes et aux occasions de sa position) ;

- comment l'organisation de l'espace incite chacun à s'organiser et à participer ;

- et, finalement, comment cet espace est pratiqué.

Ces aménagements spatiaux (différenciés et relatifs selon les cultures) de la synchronie sociale de l'expérience esthétique sont, nous venons de le voir, à la fois dimensionnels et relationnels : un espace dédié et un espace pratiqué. De même, la durée du moment spectatoriel, durant lequel la co-présence est provisoire et organisée, est déterminée par celle de l'exécution de l'œuvre ou de l'agencement d'un programme d'œuvres. La notion d'*auditorium* concernerait ainsi tout espace dont la configuration et la construction font appel à un aménagement spécifique pour l'écoute de productions sonores et à une disposition repérable des auditeurs.

Les modèles historiques de l'architecture acoustique au service des salles de concert sont basés principalement sur un équilibre trouvé entre le volume de l'espace, la taille de l'audience, la réduction des distances et le temps de réverbération afin d'obtenir une configuration optimum et perfectionnée de l'écoute collective et individuelle. C'est moins dans l'exploration de nouvelles formes de concert que les salles en construction iront chercher l'innovation que dans la performance d'une configuration acoustique au service d'un accroissement de l'acuité auditive et dans le renforcement de la perception sociale d'un lieu d'écoute (en tant que pari architectural).

L'optimisation acoustique d'une salle est donc l'objectif recherché : chaque détail sonore produit sur la scène doit être perceptible par chaque membre de l'assistance. Ainsi chaque salle doit résoudre une équation acoustique et architecturale pour répondre aux objectifs suivants :

- assurer une intensité sonore suffisante jusqu'aux auditeurs les plus lointains, en garantissant la meilleure audition et la meilleure vision (raccourcir les distances entre émetteur et auditeur (balcons, étagements, configuration enveloppante), accroître la puissance sonore, utiliser des surfaces additionnelles réfléchissantes, raccourcir les *sound paths*, c'est-à-dire les trajectoires des sons) ;

- assurer que l'énergie sonore soit distribuée de manière homogène dans tout le volume de l'espace (utilisation et multiplication de surfaces irrégulières et variées, de matériaux absorbants, de diffuseurs acoustiques, afin d'affecter l'ensemble du spectre et des fréquences sonores) ;

- assurer une intelligibilité de tous les sons provenant de la scène en optimisant les caractéristiques de réverbération et en limitant les défauts des autres propriétés acoustiques (écho, masquage, résonance, etc.) et la présence de bruit de fond.

La définition de la qualité acoustique d'une salle reste un problème dépendant d'une multitude de facteurs vis-à-vis d'une attente spécifique et pose la question de savoir si nous pouvons parler, pour un *auditorium*, de *facture instrumentale* et de *lutherie d'auditeur* (voire d'une organologie : instrument d'auditeur).

Toutefois à l'encontre de ce que pourrait faire croire l'optimisation des systèmes techniques et technologiques acoustiques, les études sous forme d'enquêtes auprès d'auditeurs ont montré que la finalité, et donc l'impact sur l'expérience et l'appréciation esthétiques, ne serait pas de faire entendre le moindre son et le mieux possible, mais de *"réaliser une acoustique qui révèle le plus possible à l'auditeur l'espace qui l'entoure, sans néanmoins perdre une bonne intelligibilité"* (Kahle, 1995). Ainsi il s'agit de rechercher une immersion sonore par des sensations d'espace et non par un excès de localisation des sons (celui-ci étant par ailleurs renforcé par la sensation visuelle), pour donner à l'auditeur la perception d'une image sonore et musicale cohérente : écouter une musique est aussi écouter en même temps les résonances de l'espace dans lequel elle est jouée.

EXCÉDER L'AUDITORIUM

Les compositeurs de ces dernières décennies (parmi les plus chevronnés d'entre eux : Stockhausen, Xenakis, Nono, Boulez ; et les artistes et musiciens parmi les plus expérimentaux : Neuhaus, Oliveros, Mumma, Tudor, etc.) (Escal & Nicolas, 2000 ; Oliveros, 2010 ; Belgiojoso, 2010) n'ont cessé d'excéder de différentes manières le dispositif de l'*auditorium* pour renouveler et dynamiser les expériences esthétiques. Leurs œuvres effrangent celui-ci par la répartition spatiale des musiciens, la circulation ambulatoire et *en plein air*, la participation du public, la création architecturale physique et électronique à partir de configurations acousmatiques, l'utilisation de l'acoustique du lieu comme principe génératif, etc. Ces investigations prolongent en quelque sorte les exemples historiques de Richard Wagner et d'Alexandre Scriabine – sans oublier Charles Ives et son *Universe Symphony* (ca. 1911-1928). Le premier avec le Palais des Festivals de Bayreuth (1876) : l'aménagement de l'occultation des musiciens par la création de la fosse d'orchestre, la combinaison particulière de *timbres* entre propagations directes et réflexions indirectes des sons instrumentaux et vocaux, et finalement une préoccupation sociale par la répartition des auditeurs *en parterre* sans hiérarchie de privilèges. Le second avec *L'Acte préalable* (1915), prévu pour un lieu sphérique ouvert sur l'environnement et *dépourvu* de public, celui-ci étant incité à participer activement à l'œuvre. L'éclatement de l'auditorium conçu comme un lieu clos et une salle spécialisée se retrouve également dans ce qui a été décelé comme des nouvelles pratiques d'auditeur : Velimir Khlebnikov énonce la naissance des *radio-auditoriums* (et des publics différés) (Khlebnikov, 1921) en écho avec les propositions de Bertolt Brecht de rendre l'auditeur (radiophonique) acteur et interprète, dans son propre lieu et environnement, d'une œuvre musicale radio-diffusée (*Ozeanflug*, 1927), et Glenn Gould, par son abandon de la scène en tant qu'interprète, annonce à la fois la disparition du concert public et l'apparition du *nouvel auditeur* (Gould, 1966), artiste de nouvelles expériences musicales environnementales et ambiantales à l'aide des appareils d'écoute domestique, rejoignant ainsi les pratiques orphéoniques, mais ici désassemblées et délocalisées (chaque auditeur-artiste étant chez soi). De même, nous le verrons plus bas, le développement actuel de la musique en réseau impliquant la distribution spatiale et géographique, à la fois, des auditeurs et des musiciens, participe pleinement à ce questionnement des *auditoriums* actuels.

Cette évolution remarquable de ces dernières décennies des *lieux* de la musique jouée – de la salle gradinée vers les plateaux nivelés et modulaires, des constructions singulières architecturées (Xenakis, Stockhausen, Nono), vers des dispositifs embarqués dans le *plein air* et le *champ libre* (Fontana, Tudor, La Monte Young, Cardew, etc.), des dispositifs en réseau jusqu'à ceux liés la mobilité (Neuhaus, Amacher, Oliveros, Tanaka, Cardiff, etc.), etc. – reste encore à être étudier. À travers celle-ci il s'agit, à la fois, de mise en place de dispositions différentes des auditeurs et des *performeurs*, de passer de la frontalité à la spatialité puis à l'organicité dans l'espace, et finalement de combiner des rapports variés et variables entre les sources sonores et les acoustiques (pour jouer des pressions et des étendues, des filtrages, etc.). Loin de chercher à rétablir ou à ré-ajuster des normalisations (comme *tempérer* les espaces en quelque sorte), ces initiatives, pour les plus avancées d'entre elles (La Monte Young, Tudor, Mumma), cherchent des modulations sonores et musicales constitutives à la fois de l'espace, de la durée et de la musique elle-même. Dans ces cas, chaque situation *performée* amène une singularité (non reproductible ?), à partir de laquelle la distinction entre ces trois constituants n'est plus un principe opérant, puisque c'est leur synergie qui produit l'expérience du moment musical situé dans un présent commun : celui de l'écoute. Ainsi l'espace d'écoute est aussi l'espace de composition et de création (et vice-versa) dans le présent et l'expérience de celui-ci.

Ces initiatives et œuvres affirment la spatialisation des expériences musicales et d'écoute. Cette spatialisation se retrouve aujourd'hui augmentée et n'est plus seulement mobilisée dans un espace unique pour y faire circuler et propager les sons. Elle s'active par la superposition et l'intrication des lieux, par de nouvelles dimensions et distances modulables, par l'agencement de temporalités (désynchronisation/resynchronisation des auditeurs et des artistes), et par l'interconnexion d'espaces *médiés*. Il s'agit d'envisager les espaces et les lieux d'écoute (*auditoriums*) comme des espaces et des lieux de relations et d'inter-relations de co-présences de marques et de flux sonores, et de simultanéités d'expériences d'auditeurs et de créateurs.

Dans ce sens, notre hypothèse consiste à avancer la notion d'*auditorium* comme étant 1) l'espace continu à notre portée des étendues sonores (tel un *sensorium* constitué d'un auditorium technique ramenant vers nous les sons hors de notre portée), 2) l'espace de la co-présence d'auditeurs, et 3) celui du jeu de modulations permanentes et de re-configurations continuelles de nos écoutes et de notre sphère aurale dans ces flux et circuits – engageant des expériences environnementales ambiantales musi-cales, esthétiques et esthésiques, liées à la sensation, l'émotion et la perception d'espaces sonores qui requalifient notre champ de présence, de co-présence et d'action dans le monde (Berleant, 1992, 1997 ; Ingold, 2000).

LA MUSIQUE EN RÉSEAU – ESPACES EN RÉSEAU

Un *auditorium* n'est plus seulement aujourd'hui le lieu prescrit de la salle de concert mais peut aussi désigner la structuration continue, cohérente et homogène – quelle que soit sa nature – d'espaces de diffusion et de production sonores à la disposition de chaque auditeur et producteur/créateur, où qu'il soit et au moment qu'il choisit, à l'image des dispositifs téléma-tiques, ambulatoires et domestiques (*streaming*, *podcasting*, *cloud computing*, *peer-to-peer,* etc.).

Les réseaux électroniques (Internet) sont un des seuls environnements qui permettent à la fois, au-delà des échanges communicationnels, l'interaction sonore en temps réel et la connexion en direct entre des lieux acoustiques distants, tout en influençant immanquablement notre perception spatio-temporelle (Renaud, Rebelo et Carôt, 2007). Ainsi l'Internet est devenu un espace hypothétiquement composé et constitué d'*auditoriums* parmi tous les autres lieux sociaux et architecturaux de l'écoute.

Ces dispositifs, utilisés pour la propagation sonore, sont principalement constitués par des réticulations de répartitions et de distributions spatiales (géographiques), d'interconnexions et de corrélations entre des espaces disjoints et distants, et des modulations de synchronicités (synchronisation, dé-synchronisation, re-synchronisation) et de syntonisations (réglages et ajustements *ad-hoc*, locaux, occasionnels et intermittents).

Pour que de tels dispositifs restent et soient perçus comme des auditoriums (à l'instar des lieux et salles d'écoute que nous connaissons), il faut s'interroger sur la présence de certaines conditions et sur la nécessité de maintenir et de continuer à garantir celles-ci : les interactions régulées et les distances mesurées entre les auditeurs, la signalisation et les règles étagées de l'accessibilité à l'événement, la reproductibilité, l'influence sur l'exécution de l'œuvre, etc. Il serait essentiel d'explorer l'hypothèse selon laquelle tout dispositif permettant de mettre des sons et des étendues sonores à notre portée – et de fabriquer ainsi des écoutes –, ou de nous placer dans une position d'écoute, à partir du moment que notre position est interchangeable (avec un autre auditeur) et que cette situation est reproductible et partageable, peut ouvrir et définir potentiellement un *auditorium*.

Dans le cas de l'écoute en réseau (l'écoute à distance, ou écouter les espaces lointains avec des machines intelligentes, via les *clouds* et les dépôts accessibles à tout moment télématiquement), et aussi dans celui de l'écoute mobile, le corps appareillé gérant la porosité auditive plus ou moins fine avec l'environnement sonore traversé, l'auditorium devient de plus en plus un entrelacement multi-localisé d'acoustiques et de choix de situations d'écoute (chez soi, en marchant, en voiture, etc.) plutôt que le procès d'une œuvre dans un lieu et un espace *pré-fabriqués*, prescrits et collectifs. Aux œuvres écoutées s'adjoignent, comme parties nouvelles de ces dernières, leurs contextes d'écoute.

Ainsi aux déplacements dans des lieux d'écoute se sont ajoutées des connexions (il faut se connecter pour écouter) entre des espaces acoustiques et électroniques (par le biais des techniques de *streaming, podcasting, Skype™, baladodiffusion*, etc.), créant ainsi des *circuits* d'écoute – et certainement des productions idiomatiques qui y circulent, ce qui nous intéresse ici – dont la structuration n'est pas d'emblée apparente. L'expérience aujourd'hui acceptée de combinaisons et d'hybridations entre espaces physiques et espaces virtuels, et celle des accès et relais, en direct ou en différé, à distance, *hors de vue*, ou à proximité, *rapprochée* (téléphone, radio, *Skype™*) (Crepel, 2006), simultanés ou différenciés, reformulent ce que nous percevons et comprenons comme notre environnement sonore.

Aussi il nous semble nécessaire de nous re-situer dans un *plus grand* auditorium.

Ces opérations, à la fois techniques, perceptives et esthétiques, et dans lesquelles nous sommes déjà engagés et immergés, permettent d'envisager des aspects futurs de l'écoute musicale de sons hors de notre portée, ramenés et transportés vers nous. Les concerts de musique en réseau animent, et ceci depuis quelques décennies, tout un pan de l'expérimentation musicale et une série d'événements musicaux qui se continue aujourd'hui au XXIe siècle (Renaud et al., 2007). Parmi les exemples les plus notoires nous pouvons citer : *Paroxysmes* de Pierre Henry, jouée en direct et en réseau entre son studio à Paris et Hobart en Tasmanie pour le Mona Foma Festival en janvier 2012 (Medici TV, 2012) ; la neuvième symphonie de Beethoven dirigée par Seiji Ozawa et interprétée en direct par des chœurs distribués et synchronisés par connexion satellitaire sur les cinq continents lors de la cérémonie d'ouverture des Jeux Olympiques de Nagano en 1998 (Longman, 1998) ; les télé- et visio-concerts du groupe anglais FSOL (Future Sound of London) jouant à distance depuis leur studio dans des festivals à grande audience (ISDN live, Transmission 2, et à The Kitchen à New York, les 11 mai et 4/5 novembre 1994) ; et pour les événements plus expérimentaux : les œuvres musicales en réseau de Pauline Oliveros comprenant musiciens et auditeurs distribués, ou utilisant l'espace entre la Terre et la Lune comme espace résonant et acoustique (*Echoes from the Moon*), ou encore ses performances avec *the Avatar Metaverse Orchestra* dans des espaces virtuels tel Second Life ; ainsi que les œuvres de Pedro Rebelo (*Nethalls*, *Netrooms the Long Feedback*), de Max Neuhaus (*Public Supply*, *RadioNet*), de Bill Fontana, d'Atau Tanaka, de The Hub, de The User (*Silophone*), de Maryanne Amacher (*City Links*), etc. (Joy, 2009, 2012).

Nous n'avons jamais cessé d'augmenter nos espaces et périmètres d'écoute grâce aux architectures et aux constructions dédiées à l'écoute (les salles de concert et l'acoustique architecturale), aux développements de différentes techniques et des moyens de transporter les sons (par l'enregistrement par exemple), de les transmettre sur de grandes distances, et afin de *joindre* un auditoire (c'est le principe de la radiophonie et de la téléphonie ; en passant par les applications du théâtrophone de

Clément Ader et du Telharmonium de Thaddeus Cahill) (Joy, 2009, 2012).

De même, il est à noter qu'avant la construction des salles de concert, les œuvres cherchaient à capter les auditeurs dans le brouhaha du parterre et des esplanades, et à partir du XIXe siècle (Beethoven), l'auditeur doit réaliser l'effort de régler et d'ajuster son écoute sur des œuvres se présentant comme des expériences d'écoute (Kaltenecker, 2010). De même, le perfectionnement des salles par les effets de spatialisation et de construction acoustique permet de soustraire à la vue des auditeurs les sources sonores (Wagner ; et après les *cori spezzati* de la Renaissance) visant à une intensification de l'attention et de l'émotion face au son non relayé par la vue. Elle permet aussi d'exploiter ainsi les effets et les sensations du son lointain (et de tous les degrés entre la proximité et l'éloignement) – à l'image des registres du paysage sonore, puis des ambiances et des atmosphères sonores –, autant acoustiquement (reliefs et plans) que musicalement dans la combinaison des timbres et des dynamiques sonores musicales (Bruckner, Malher, Debussy, jusqu'aux évocations littéraires chez Thoreau et Proust). À la sophistication des salles et des effets moirés de spatialisation s'adjoignent les explorations de la finesse de la perception à la fois de l'espace et du son (de Webern, Feldman, Cage, à Lachenmann et Sciarrino) et de la puissance de la saturation de l'espace (de Varèse à Xenakis, pour les effets de masse orchestrale, et de Tudor, La Monte Young à Feiler, pour les dynamiques sonores qui pressurisent l'espace).

Toutefois les technologies récentes ont amené de nouvelles dimensions : celles de la simultanéité et de sa sensation (malgré les distances), de la plasticité et la ductilité des périmètres d'écoute, de la multiplication des auditeurs et des émetteurs (dans des lieux distribués), de l'audibilité de notre environnement (une des premières œuvres constituée de sons distants en direct est *Imaginary Landscape IV* de John Cage en 1951 avec l'utilisation de captations radio), etc. Ces développements et avancées changent profondément et durablement la notion et la conception même de ce que nous appelons un *espace* d'écoute, tout autant que nos pratiques et nos dispositions d'écoute ainsi que la forme et la structure de ces *lieux* (dans lesquels une écoute est proposée et *formée*).

Ainsi un auditorium est à la fois :

- une structure architecturale dans laquelle nous écoutons l'espace (et l'environnement) (c'est l'acte d'écouter qui détermine le statut de cet espace) ;

- et l'espace écouté, virtuel et ductile, activé par une production sonore (musique, voix, sons ambiants) proposée dans ce lieu (ce sont les propriétés de l'espace qui colorent et teintent les sons qui se propagent dans celui-ci provoquant ou déclenchant l'écoute).

À notre époque d'Internet, des réseaux communicants, des tissages permanents et des recombinaisons continuelles des sensations de lieux et de présences, la différence peut être subtile entre ce qui *produit* un auditorium (écouter l'espace) et ce qu'*est* un auditorium (l'espace écouté).

Ce que nous distinguons en tant qu'auditorium et en tant qu'espace d'écoute dépasse à présent, nous le voyons, les structures et les architectures physiques et dédiées (les salles de concert, les *salles* en général, les esplanades, etc.) pour des formes élargies enveloppantes sensitives combinant des espaces sensoriels entre eux. Ces structurations apparaissent dans l'hybridation des actions et des espaces impliquant des tactiques individuelles et collectives des présences et mobilités dans les espaces et les lieux, *en réseau* et en direct, dans notre quotidien. Ces processus et procédures opérants d'attachements et d'accroches synchrones et a-synchrones aux espaces, aux moments et au présent, dessinent ou *paysagent*, nous l'avons vu plus haut, un "sensorium" tout en conservant les caractéristiques d'un *auditorium*.

Un tel auditorium *élargi* ou *étendu*, spatialisé et transformable en plus d'être spatial, dispersant (Bardiot, 2013) et immergé dans l'espace social, reste pourtant un espace aménagé *rassemblant* des auditeurs, mais dont la nature devient démultipliée : matérielle, immatérielle, dématérialisée, fermée, ouverte, fixe, temporaire, rigide, transparente, évanescente, inter-connectable, etc. – étendant, à titre d'exemple, l'écoute domestique dans les espaces publics, et raccordant les environnements sonores *aux alentours* à l'espace individuel et domestique. Il persiste à rester malgré tout un espace sensoriel résultant d'une mise en tension entre des *effets* (acoustiques, interactionnels) et la réalité physique d'un dispositif.

Ceci est maintenu par nos espaces actuels de plus en plus télématiques ou télématisés, dont nous devrions envisager le fait qu'ils comportent une acoustique propre, aussi virtuelle soit-elle : lorsque des sons disparaissent d'un espace, émergent et se propagent dans un autre, viennent vers nous, presque simultanément ou avec la perception d'une connexion directe et en direct, en étant colorés par les espaces traversés.

Ces aspects nous permettent d'approcher les conditions émergentes :

- de la *musique étendue* (ou la musique pour des étendues sonores et des espaces en expansion, la musique par l'environnement), comprenant la musique en réseau, et de manière générale, la musique en plein air (au-delà des murs), délivrant des expériences sensorielles, esthésiques, esthétiques et musicales de la télépropagation sonore au-delà des aspects de l'écoute acousmatique (Peignot, 1955, 1960 ; Schaeffer, 1959, 1966 ; Bayle, 1993) que nous connaissons déjà et qui est largement étudiée ;

- de la *field spatialisation* sonore, c'est-à-dire une spatialisation constituée par les connexions et, conséquemment, par les ajustements continuels entre des espaces chaînés successifs de différentes natures et acoustiques (électronique, télématique, physique) dans lesquels le son se propage (amenant à étudier de plus près ce que seraient des musiques constituées sur des propriétés de la propagation sonore et des espaces acoustiques : la musique à délais, la musique à intensités).

Et d'étudier plus précisément ce qui semble caractériser ces structures *architecturées* et réticulaires destinées à l'écoute :

- leur *plasticité*, c'est-à-dire leur capacité de variabilité continue de forme, de nature, et d'accueil de pratiques et d'articulation de techniques ;

- leur *ductilité*, qui en supplément permet que ces structures ne soient pas exposées à des ruptures ou des cassures ;

ainsi :

1) elles peuvent être définies comme des *auditoriums* tout en offrant de nouvelles possibilités et potentiels ;

2) elles ne sont pas positionnées comme antagonistes aux salles et lieux d'écoute historiques et *pré-fabriqués* ;

3) et elles possèdent les capacités techniques à combiner des espaces physiques et virtuels sonores entre eux, à raccorder des ambiances et des environnements, et à s'étendre *hors de vue.*

Le maintien de continuités au sein de ces systèmes et dispositifs télématiques sonores est une nécessité pour assurer une homogénéité caractéristique des auditoriums. Si la faisabilité technique d'écouter des espaces sonores lointains avec des machines intelligentes est bien présente aujourd'hui, une question reste à être explorée : comment de tels systèmes créent-ils, préservent-ils et font-ils persister des continuums de situations, sensoriels, acoustiques, communicationnels, esthétiques ? La fragilité et l'instabilité des techniques et technologies encore naissantes des systèmes en réseau et communicants (télématiques) est un fait constaté. Ceux-ci peuvent être sujets à des discontinuités, des pliures et des ruptures occasionnelles jusqu'à *interrompre* et annihiler (momentanément) notre potentiel de réception, de participation et d'action (et ainsi altérer nos perceptions) au sein de ces aires collectives d'écoute envisagées en tant qu'*auditoriums.* Il reste à imaginer que nos futurs réseaux de connexion seront moins discontinus, quelles que soient leur nature et leur configuration.

De fait, dans les dispositifs actuels, nous voudrions prendre en compte les propriétés singulières de ces systèmes en réseau : celles pouvant se définir comme significatives d'une acoustique (virtuelle) propre à ceux-ci, et qui pourraient contribuer à une musique idiomatique (que nous avons nommée la *musique étendue*). À titre d'exemple, les effets temporels et les artéfacts de latence, de synchronisation et dé-synchronisation, et de retards (*delays*) (Chafe, *Network Delay & Internet Acoustics : studies*), sont vus aujourd'hui comme des perturbations, des interférences, des déficits et des limitations techniques de ces systèmes, et altèrent la continuité de la communication et la réception d'information (*Skype™, streaming*, etc.). De même ils influencent l'écoute individuelle et collective, ou, plus précisément, ils fragilisent une certaine solidarité entre les expériences individuelles dans une situation vécue et sentie comme collective. Pourtant ils produisent toute une variété et des trames de variations et de transformations *acoustiques* qui pourraient donner lieu à une exploitation musicale au-delà, toujours dans le cadre musical, des velléités de répliquer sur les réseaux des situations de concerts tels qu'ils sont vécus lorsqu'ils se déroulent dans une *salle*, scène et public face-à-face.

Si la musique devient *étendue*, c'est parce qu'elle s'ouvre indubitablement au mélange des ambiances et des lieux (Gallet, 2005), et qu'elle engage une situation artistique environnementale : il serait impossible de séparer les sons de la musique des résultantes acoustiques des lieux (ou des espaces qu'elles traversent lorsque ses sons se propagent). En ce sens, nous traversons et nous nous déplaçons au travers de ces étendues : nos déplacements, itinérances et traversées sont autant d'organisations et de modulations de durées et de filtrages de ces étendues sonores, engageant une expérience esthétique des ambiances et de l'environnement (Berleant, 1992, 1997 ; Seel, 1992 ; Augoyard, 2005 ; Thibaud, 2004, 2010, 2011, 2012 ; Böhme, 2000, 2012). En l'absence de point de vue *scénographié* régissant une écoute dirigée, tout point de vue et d'écoute au sein des étendues sonores est laissé à l'expérience de l'auditeur. Il s'agit d'une écoute qu'il nous faut conduire et moduler, qui restera, sans doute partielle et cheminante, tout en étant immersive.

La notion d'étendue est liée et se réfère directement à la propriété de propagation du son : ainsi il est vrai que toute musique utilise des étendues de sons, acoustiquement parlant. Toutefois le fait de la *musique étendue* réside justement dans le principe qu'elle se base sur cette propriété de propagation sonore pour se constituer. Une hypothèse sous-jacente de la *musique étendue* et donc de l'expérience de l'illimité musical et sonore est celle que jouer de la musique est *activer un espace*.

L'auditorium est essentiel pour donner la sensation et l'émotion que le monde est plus grand que ce qui est vu et que ce qui est perçu dans sa propre proximité. Il participe aux situations expérientielles esthétiques (créatives, participatives) et offre des expériences de spatialisations. Faire l'expérience d'un espace sonore et acoustique est caractérisé et évalué par la perception et la sensation d'une certaine homogénéité et intermédiarité (impermanence), et d'une co-présence à quelque chose ou à quelqu'un : ceci définit une action de syntonisation ou d'accordage avec ce qui rayonne et vient vers nous (Lefebvre, 1992 ; Bergson, 1938).

L'AUDITORIUM TERRE-MARS

Pour mettre à l'épreuve ce type d'hypothèse, nous l'avons agencé à une seconde : envisager un auditorium interplanétaire Terre-Mars. Ceci redimensionne l'horizon des *Auditoriums Internet* et nous permet d'aborder sous un nouvel angle les caractéristiques des espaces raccordés (et des systèmes musicaux en réseau).

Proposer de passer de l'écoute planétaire à l'écoute interplanétaire questionne encore davantage les notions de continuité et de simultanéité. Envisager un tel *auditorium* (il n'y a pas plus séparé et disjoint que deux planètes), c'est poser une anticipation, scientifique, technique et artistique, sur toutes les conditions (possibles, non encore possibles, extrapolées, et non encore perçues quoiqu'imaginées, etc.) de construction d'un espace d'écoute *expansé*.

La première opération prévue aux alentours de 2016-2018 par la mission ExoMars est la pose d'un microphone à la surface de Mars (Mimoun et al., 2014). Il s'agira dans un premier temps d'une extension de notre environnement sonore par une *jonction* acoustique télématique entre les deux planètes. Nous pourrons ainsi écouter Mars à partir de la Terre (et vice-versa). Agir dans un milieu extrême pose indubitablement la question de la présence humaine dans un environnement hostile (et ses accès à distance), celle de l'expérience directe ou médiée d'actions menées dans un tel environnement, ainsi que celle des moyens de perception qui sont mis en œuvre et à disposition, pour comprendre et interagir avec celui-ci. L'acoustique martienne est déjà examinée et analysée à partir des composants chimiques qui constituent son atmosphère (Bass et Chambers, 2001 ; Williams, 2001 ; Petculescu & Lueptow, 2007). Elle réagit de manière spécifique à la propagation et à l'excitation sonores. Il s'agit d'un milieu acoustique altéré qui propage les sons selon certaines conditions et qu'il est donc impossible de percevoir à l'oreille nue. L'extension de notre sensorium par le biais de ce (premier) microphone sur Mars semble fondée sur une discontinuité puisque nous nous trouverons face à un nouveau registre sensible (et sans doute à une nouvelle expérience esthétique) qui ne peut pas directement prolonger ou se prolonger dans nos ambiances sonores terriennes. Il s'agira sans aucun doute de trouver les moyens de *raccorder* les deux ambiances, terrienne et martienne ; c'est-à-dire de pouvoir adapter notre perception afin de nous permettre de comprendre et de *connaître* cet environnement sonore distant qui vient *se mixer* au nôtre. Même si les images captées et reçues depuis Mars nous semblent familières (et peuvent rappeler de manière surprenante certains paysages terriens similaires) (The Viking Lander Imaging Team, 1978), il en sera tout autre des sons et des ambiances sonores captées sur Mars : exceptés les sons de friction du vent (tornades, *dust devils* ou tourbillons de poussières, etc.) sur la membrane du microphone, le relief des *paysages sonores* martiens seront bien différents des nôtres (à cause de l'atténuation sonore due à la viscosité de l'atmosphère réduisant la perception des distances, et à une conductivité thermique déficiente).

Le second temps concernera la première mission humaine sur Mars – prévue à l'horizon 2025-2030 (NASA, 2009 ; Johnson 1977). De nombreux problèmes sont déjà identifiés : ils sont relatifs à l'expérience sonore des astronautes durant le voyage (trajets de six ou neuf mois) et le séjour de la mission sur Mars (dix-huit mois).

Ceux-ci sont liés :

- au confinement dans un habitacle restreint (*TransHab* et *SpaceHab*) créant des conditions psychologiques d'isolation sensorielle sur une durée longue (liées aux effets du syndrome de solipsisme ou de bulle psychologique, syndrome déjà remarqué dans le cas des nuits polaires et dans les périodes de séjour long dans un environnement artificiel) ;

- à la coupure et l'éloignement irréversibles avec la communauté humaine dus à la particularité des délais de transmission télématique et radio fragilisant le maintien des liens communicationnels (délai entre l'émission et la réception variant entre 6 et 44 minutes selon les écarts de distance entre les révolutions orbitales des deux planètes autour du soleil) ;

- à l'adaptation des astronautes à un environnement acoustique altéré (ou mal-acoustique) : ils ne pourront en faire l'expérience directe et devront l'interpréter et le comprendre pour assurer et préserver leur intégrité physique et psychologique, lors des premiers séjours en habitat et lors des futures colonies (Schlacht, 2012).

Envisager la résolution de ces problèmes dans le cas d'une spatialisation et d'un éloignement extrêmes (interplanétaires), autant du côté des terriens que des *martiens*, demande à résoudre les déficits de synchronisation-désynchronisation, de continuité et de co-présence, et à trouver des solutions de préservation de la cohérence et des continuums sensoriels et esthétiques (pour *faire auditorium*) : 1) lors du voyage : entre l'espace proprioceptif (où nous sommes), l'espace rétrospectif (d'où nous venons) et l'espace prospectif (où nous allons, ou où nous projetons d'aller) ; 2) lors du séjour sur Mars ou de la localisation sur Terre : entre l'environnement sonore proche (dans lequel nous sommes en immersion), et l'environnement lointain (auquel nous sommes connectés), en comptant les caractéristiques acoustiques de l'environnement intermédiaire (radio-électronique) – comprenant les effets de délai, de rugosité (artéfacts de communication), etc.

En résumé, la recherche autour des auditoriums Terre-Mars s'appuie sur ces premières hypothèses :

- assurer une continuité acoustique et esthétique entre un monde et un autre, entre un habitat et un environnement *hostile*, et entre un lieu de provenance et un lieu de destination dans un espace *anacoustique* (lors du voyage de la transition Terre/Mars) ; (composer des ambiances, partager des ambiances, sans couture et sans coupure sociale) ;

- interpréter et diagnostiquer un environnement hostile et y participer ; (débuter un patrimoine sonore d'un monde inconnu, assurer des modalités de perception sonore de l'environnement) ;

- garantir une expérience sonore partageable, sociale et commensale ; (environnement sonore *ambiantal* individuel et collectif, habitats, colonies) ;

- prévoir des *productions* sonores et musicales idiomatiques martiennes et *terremartiennes* (dédiées à des
auditoires répartis Terre/Mars ; dédiées à l'acoustique
martienne ; dédiées à l'acoustique martienne *terra-
formée*).

*
* *

Ce type d'investigation créent plus de problèmes qu'il n'en
résout mais donne le bénéfice de problématiser les questions de
continuité/discontinuité et de synchronisation/désynchronisation
(délais).

Puisque les configurations de la musique en réseau entrelacent des espaces et les propriétés de ces derniers, elles induisent
des effets et des réponses d'un tel environnement mixte (ou d'une
telle combinaison d'espaces) lorsqu'il est excité par les sons.
Ainsi une musique ou une réalisation sonore conçue pour des
espaces en réseau est donc environnementale ou une musique *par
l'environnement*, c'est-à-dire une musique qui collabore avec lui,
qui se constitue par les oscillations avec lui, et dont les éléments
et les conditions sont dépendants et inhérents aux interactions et
réponses de l'environnement. Ce qui apparaît comme un *problème* dans le cadre de l'auditorium Terre-Mars pour les échanges
communicationnels entre les deux planètes (le temps de délai
incompressible dû à la vitesse de la lumière), pourrait être un
potentiel illimité et imaginaire pour la création musicale – imaginer une musique *étendue* basée sur des *delays* de 6 à 44 mn –, en
amplifiant dans des dimensions exagérées ce dont nous faisons
déjà l'expérience dans les concerts en réseau quant à l'expérience
du "direct" (*bufférisé*) et quant aux synchronisations plus ou
moins fluctuantes entre participants, et en anticipant (avec nos
conditions technologiques actuelles) des créations sonores *terremartiennes* et *marsterriennes* dans des modes de simulation sur
Terre (*Mars-Analog*) (Zubrin, 2003 ; Clancey, 2012).

BIBLIOGRAPHIE

Augoyard (Jean-François), "Vers une esthétique des
ambiances", In *Ambiances en débats*, édité par Pascal Amphoux,

Jean-Paul Thibaud et Grégoire Chelkoff, Bernin, La Croisée, 2005, pp. 17-34.

Augoyard (Jean-Français) et Torgue (Henry), *À l'écoute de l'environnement. Répertoire interdisciplinaire des effets sonores*, Marseille, Éditions Parenthèses, 1995.

Avatar Metaverse Orchestra, "The Avatar Metaverse Orchestra", Accessed September 9, 2013. http ://avatarorchestra. blogspot.fr/.

Bardiot (Clarisse), *Les Basiques : Arts de la scène et technologies numériques : les digital performances,* ouvrage hypermedia, Coll. Les Basiques, dirigée par Annick Bureaud, Leonardo/Olats, 2013, consulté 16 septembre 2013, http ://www. olats.org/livresetudes/basiques/artstechnosnumerique/basiquesA TN.php

Bass (Henry E.) et Chambers (James P.), "Absorption of sound in the martian atmosphere", *The Journal of Acoustical Society of America* 109 (2001), pp. 3069–3071. http ://dx. doi.org/10. 1121/1.1365424

Bayle (Français), *Musique Acousmatique - propositions ... positions*, Paris, INA et Éditions Buchet/Chastel, 1993, pp. 51-54.

Belgiojoso (Riccardia), *Construire l'Espace Urbain avec les Sons*, Coll. "Questions Contemporaines, Série Questions Urbaines", Paris, L'Harmattan, 2010.

Bergson (Henri), *La Pensée et le Mouvant* (1938) (The Creative Mind), Paris, Quadrige/Presses Universitaires de France, 1998.

Berleant (Arnold), *The Aesthetics of Environment.* Philadelphia, Temple University Press, 1992.

Berleant (Arnold), *Living in the Landscape : Towards an Aesthetics of Environment*, Lawrence, KS, University Press of Kansas, 1997.

Berleant (Arnold), "Ideas for a Social Aesthetic", In *The Aesthetics of Everyday Life*, edited by Andrew Light and Jonathan Smith, New York, Columbia University Press, 2005, pp. 23-38.

Berleant (Arnold), "What Music Isn't and How to Teach It", *Action, Criticism, and Theory for Music Education* 8 (1) (2009), pp. 54-65.

Bödeker (Hans Erich), Veit (Patrice) et Werner (Michael) (dir.), *Le Concert et son public : mutations de la vie musicale en*

Europe de 1780 à 1914, (actes du colloque de Göttingen, juin 1996), Paris, Éditions de la Maison des sciences de l'homme, 2002.

Böhme (Gernot), "Acoustic Atmospheres : A Contribution to the Study of Ecological Aesthetics", *Soundscape : The Journal of Acoustic Ecology* 1 (1), 2000, p. 15.

Böhme (Gernot), "The art of the stage set as a paradigm for an aesthetics of atmospheres", Paper delivered at the international Conference Understanding Atmospheres – Culture, materiality and the texture of the in-between, University of Aarhus, Denmark, March 16-17, 2012, Accessed March 7, 2014. http ://conferences.au.dk/fileadmin/conferences/Understanding_Atmospheres/abstracts.pdf and http ://ambiances.revues.org/315.

Chafe (Chris), Network Delay Studies, and Internet Acoustics, series of papers. Accessed March 14, 2014. https ://ccrma.stanford.edu/~cc/shtml/research.shtml

Clancey (William J.), *Working on Mars : Voyages of Scientific Discovery with the Mars Exploration Rovers*, Cambridge MA, MIT Press, 2012.

Crepel (Maxime), *Diversité des usages de Skype chez les jeunes âgés de 20 à 30 ans : la VOIP comme nouveau dispositif de collaboration et de gestion des réseaux de sociabilité.* Mars 2006. pp. 54-56. Étude réalisée dans le cadre "Innovations Ascendantes", France Telecom R&D, VECAM, 2006.

Dewey (John), (1934), *L'Art comme Expérience (Art as Experience)*, coll. "Folio Essais", Paris, Gallimard, 2010.

Escal (Françoise), Nicolas (François) (dir.), *Le Concert – Enjeux, fonctions et modalités*, série "Musiques et Champs Social", Paris, L'Harmattan, 2000.

Gallet (Bastien), *Composer des Étendues – L'art de l'installation sonore*, Coll. "n'est-ce pas", n° 4, Genève, Éditions École Supérieure des Beaux-Arts de Genève, 2005.

Gould (Glenn), "The Prospects of Recording", *High Fidelity Magazine 16* (April 1966), pp. 43-63. Publié en français in Bruno Monsaingeon (trad.), *Le Dernier Puritain – Écrits I*, Paris, Fayard, 1983, pp. 54-99.

Ingold (Tim), *The Perception of the Environment : Essays on Livelihood, Dwelling and Skill*, Londres, Routledge, 2000.

Johnson (Richard D.), et Holbrow (Charles), (Eds), "*NASA SP-413 – Space Settlements, A Design Study*", Washington : Scientific and Technical Information Office, National Aeronautics and Space Administration, 1977. Accessed September 9, 2013. http ://www.nss.org/settlement/nasa/ 75Summer Study/ Design.html.

Joy (Jérôme), "Networked Music & Soundart Timeline (NMSAT) – Excerpts of Part One : Ancient and Modern History, Anticipatory Literature, and Technical Developments References", *Contemporary Music Review*, *Network Performance* 28 (4/5), 2009, pp. 449-490.

Joy (Jérôme), "Introduction à une Histoire de la Télémusique" (Introduction to a History of Networked Music Performance), Accessed September 9, 2013. http ://jeromejoy. org/w/ index.php ?page=PubliTelemusA2010.

Joy (Jérôme), and Locus Sonus, "NMSAT – Networked Music & SoundArt Timeline – A panoramic view of practices and techniques related to sound transmission and distance : Archeology, Genealogy, and Sound Anthropology of the Internet Auditoriums and Distance Listening", (version 7 jun. 2010, rev. 2012). Accessed September 9, 2013. http ://jeromejoy. org/w/ index.php ?page=NMSAT.

Joy (Jérôme) et Peter Sinclair, "Networked Music & Soundart Timeline (NMSAT) – A Panoramic View of Practices and Techniques Related to Sound Transmission and Distance Listening", *Contemporary Music Review, Network Performance* 28 (4/5), 2009, pp. 351-361.

Kahle (Eckhard), "Validation d'un modèle objectif de la perception de la qualité acoustique dans un ensemble de salles de concerts et d'opéras", PhD diss., Laboratoire d'Acoustique de l'Université du Maine, Le Mans / Ircam, Paris, 1995.

Kaltenecker (Martin), *L'Oreille Divisée – Les discours sur l'écoute musicale aux XVIIIe et XIXe siècles*, Coll. "Répercussions", Paris, Éditions Musica Falsa, 2010.

Kaye (Lewis), "The Silenced Listener : Architectural Acoustics, the Concert Hall and the Conditions of Audience", *Leonardo Music Journal*, 2012, pp. 22, 63–65.

Khlebnikov (Velimir), "The Radio of the Future", [1921], In *The Collected Works of Velimir Khlebnikov*, vol. I : *Letters and Theoretical Writings*, trad. Paul Schmidt, édité par Charlotte Douglas, Cambridge, MA, Harvard University Press, 1987, pp. 392-396.

Kitchen NYC, "Before and After Ambient - An Inaugural Event of Electronic Cafe International, Future Sound of London

Live from their studio", Accessed September 9, 2013, http ://
music.hyperreal.org/library/publicity/astralwerks/before_and_aft
er_ambient.

Lefebvre (Henri), *Éléments de rythmanalyse*, Paris,
Syllepse, 1992.

Longman (Jere), "The XVIII Winter Games ; A Display of
Culture and Hope Opens Games", New York Times, February 7,
1998, Accessed September 9, 2013, http ://www.nytimes.com/
1998/02/07/sports/the-xviii-winter-games-a-display-of-culture-
and-hope-opens-games.html.

Medici TV, "Pierre Henry, Paroxysms – World Premiere",
Last modified Jan 15, 2012, Accessed September 9, 2013,
http ://www.medici.tv/# !/event-pierre-henry-paroxysms.

Mimoun (David), Lebreton (Jean-Pierre) and the Mars
Microphone 2016 team, "The Mars Microphone 2016
Experiment", Accessed March 15, 2014, http ://www.
planetaryprobe.org/sessionfiles/Session5/Abstracts/a166.pdf ;
http ://personnel.   isae.fr/sites/personnel/IMG/pdf/EDM_AO_
NOI_Microphone_V2.pdf ; and also : http ://sprg.ssl.berkeley.
edu/marsmic/

NASA, "Human exploration of Mars Design Reference
Architecture 5.0, 2009", NASA-SP-2009-566, Accessed March
15, 2014, http ://www.nasa.gov/pdf/373665main_NASA-SP-
2009-566.pdf

Oliveros (Pauline), *Sounding the Margins : Collected
Writings 1992-2009*, Lawton Hall, ed. Kingston, New York,
Deep Listening, 2010.

Oliveros (Pauline), "Echoes from the Moon", Accessed
September 9, 2013, http ://www.orbit.zkm.de/ ?q=node/409.

Peignot (Jérôme), "De la musique concrète à l'acousmatique" (From musique concrète to acousmatic music), *Esprit,*
280, 1960, pp. 111-23.

Petculescu (Andi) and Lueptow (Richard M.),
"Atmospheric acoustics of Titan, Mars, Venus, and Earth",
Icarus, 186 (2), 2007, pp. 413-419, Accessed March 15, 2014.
doi :10.1016/ j.icarus.2006.09.014. http ://www.researchgate.
net/publication/ 222427781_Atmospheric_acoustics_of_Titan_
Mars_Venus_and_Earth/file/79e415093dcb5e52bb.pdf&ei=Kyw
kU8yAMYeS0QXb14CwDg&usg=AFQjCNEqEF6tCFPW_TcX
R4-

gG1N7uRFksQ&sig2=bQdZcTvBlPgLmokE8K5qWw&bvm=b
v.62922401,d.Yms&cad=rjt

Rebelo (Pedro), "Netrooms The Long Feedback, a partici-patory network piece", Accessed March 14, 2014, http :// netrooms.wordpress.com/

Rebelo (Pedro), "Nethalls", Accessed March 14, 2014, http ://pedrorebelo.wordpress.com/2009/11/25/performance-of-nethalls-hamburg/

Renaud (Alain), Rebelo (Pedro) and Carôt (Alexander), "Networked Music Performance : State of the Art", Paper presented at the AES 30th Conference on Intelligent Audio Environments, Saariselkå, Finland, March, 15-17, 2007.

Seel (Martin), "Aesthetic Arguments in the Ethics of Nature", *Thesis Eleven,* 32, 1992, pp. 76-89.

Schaeffer (Pierre), "Expériences Musicales", *Revue Musicale,* 244, 1959, p. 2.

Schaeffer (Pierre), *Traité des objets musicaux*, Paris, Seuil, 1966, pp. 91-99.

Schlacht (Irene Lia), "Space Habitability - Integrating Human Factors into the Design Process to Enhance Habitability in Long Duration Missions", PhD diss., Technischen Universität Berlin, 2012.

Sloterdjik (Peter), *Globes, Sphères II,* pp. 287-99. Olivier Mannoni (trad.), coll. Pluriel, Paris, Librairie Arthème Fayard, 2010.

Straus (Erwin), "The Forms of Spatiality" (1930), In Erwin W. Strauss, *Phenomenological Psychology : The Selected Papers of Erwin W. Straus,* translated, in part, by Erling Eng, 3-37, New York, Basic Books, 1966.

Tanaka (Atau) and Toeplitz (Kasper T.), "The Global String", Accessed March 14, 2014, http ://ataut.net/site/Global-String

Tanaka (Atau) and Bongers (Bert), "Global String – A Musical Instrument for Hybrid Space", Paper delivered at the international Conference cast01 // Living in Mixed Realities, Conference on artistic, cultural and scientific aspects of expe-rimental media spaces, Sankt Augustin (Bonn, Germany), September 21-22, 2001, Accessed March 14, 2014. http :// netzspannung.org/version1/cast01/index.html ;   and   also : Accessed March 14, 2014, http ://citeseerx.ist.psu.edu/viewdoc /download ?doi=10.1.1.5.9050&rep=rep1&type=pdf

Thibaud (Jean-Paul), "De la qualité diffuse aux ambiances situées", In *La Croyance de l'enquête : aux sources du prag-matisme,* edited by Bruno Karsenti et Louis Quéré, pp. 227-253, Coll. "Raisons Pratiques", Paris, Éd. de l'EHESS, 2004.

Thibaud (Jean-Paul), "La Ville à l'Épreuve des Sens", In *Écologies urbaines : états des savoirs et perspectives*, édité par Olivier Coutard et Jean-Pierre Lévy, Paris, Economica, Anthropos, 2010, pp. 198-213.

Thibaud (Jean-Paul), "The Sensory Fabric of Urban Ambiances", *The Senses & Society,* 6 :02, 2011, pp. 203-215.

Thibaud (Jean-Paul), "Petite Archéologie de la Notion d'Ambiance", (A little archaelogy on the notion of ambiance), *Communication,* 90, 2012, pp. 155-174.

Thompson (Emily), *The Soundscape of Modernity. Archi-tectural Acoustics and the Culture of Listening in America, 1900-1933*, Cambridge, Mass., MIT Press, 2002.

The Viking Lander Imaging Team, *The Martian Lands-cape,* NASA SP-425, Washington DC, Scientific and Technical Information Service, NASA National Aeronautics and Space Administration, 1978.

Williams (Jean-Pierre), "Acoustic environment of the martian surface", *Journal of Geophysical Research* 106 (E3), 2001, pp. 5033-5042, doi :10.1029/1999JE001174.

Zubrin (Robert), *Mars on Earth : The Adventures of Space Pioneers in the High Arctic,* New York, Tarcher/Penguin, 2003.

De la notion de territoire

Yvon PESQUEUX

La notion de territoire dont il est question ici prend corps à l'ère de la mondialisation au nom du tressage du global et du local (le *"glocal"*, en particulier celui des entreprises multinationales) et de la remise en cause de l'*"isolement"* institutionnel et organisationnel. Le territoire dont il est question est un infra-territoire de l'État-nation, c'est donc aussi un espace marqué par l'idée de proximité, de collaboration et de projet, un des lieux de la privatisation alors même que la notion moderne de frontière est avant tout celle de l'État nation. C'est en quelque sorte un avatar de la philosophie du soupçon. Comme le signale J. Rancière[1], *"l'art politique opère alors une autre coïncidence entre espace politique, espace social et espace territorial : la coïncidence des distances"*. Ce territoire est considéré comme un lieu de ressources au regard d'un tressage entre des facteurs naturels, des facteurs humains compte tenu d'un contexte social, institutionnel, politique et culturel voire ethnique (ou même infra-ethnique) dans une perspective plus ou moins déterministe (qu'il s'agisse de déterminisme géographique mais aussi social, etc., ou de probabilisme constitué par un *mix* des

---

[1]   Jacques Rancière, *Aux bords du politique*, folio, coll. "essais", Paris, 1998.

éléments du tressage). C'est ainsi que M. Godelier[2] indique qu'"*un territoire, c'est un ensemble d'éléments de la nature (des terres, des fleuves, des montagnes, des lacs, éventuellement une mer) qui offrent à des groupes humains un certain nombre de ressources pour vivre et se développer. Un territoire peut être conquis par la force ou hérité d'ancêtres qui l'avaient conquis ou se l'étaient approprié sans combattre, s'ils étaient venus à s'établir dans des régions vides d'autres groupes humains. Les frontières d'un territoire doivent être connues, sinon reconnues, des sociétés qui occupent et exploitent des espaces voisins. Dans tous les cas, un territoire doit toujours être défendu par la force, la force des armes matérielles et de la violence organisée, mais aussi la force des dieux et autres puissances invisibles dont les rites sollicitent l'aide pour affaiblir et anéantir les ennemis*". Ce tressage est considéré comme constitutif d'une dynamique endogène, celle d'un délimité face aux pressions à l'illimité et au dépaysement du "*techno-métissage*" (pour reprendre l'expression de G. Balandier[3]). Avec le territoire et son concept lié, la limite, on entre dans la nécessité (et la possibilité) de penser les contraintes, les barrières, les censures et tout ce qui va modifier, ce qui relève de l'ordre des significations. C'est en cela qu'il est possible de distinguer analytiquement deux acceptions duales de la notion : une acception "*passive*" faisant du territoire un lieu déterminé marqué par la connectivité qui y opère, une forme d'équilibre et une acception patrimonial (d'un patrimoine à conserver) et une acception "*active*" faisant du territoire le lieu de l'expression de la volonté d'"acteurs". C'est aussi ce qui permet de parler du territoire à la fois dans les logiques d'un marqueur identitaire et celles d'un espace de normes. Le territoire est ce qui autorise la dualité "*identité – altérité*" où c'est la frontière qui permet d'ouvrir ce jeu-là.

---

2   Maurice Godelier, *Au fondement des sociétés humaines – Ce que nous apprend l'anthropologie*, Flammarion, coll. "champs", n° 979, Paris, 2010.

3   Georges Balandier, *Le Dépaysement contemporain – l'immédiat et l'essentiel ; entretiens avec Joël Birman et Claudine Haroche*, PUF, Paris, 2009.

INTRODUCTION

L'argumentation de ce texte repose sur deux aspects : d'abord la mise en exergue de la proximité de la notion avec celle de privatisation puis ensuite un essai de définition dont on soulignera les innombrables références possibles.

TERRITOIRE ET PRIVATISATION

C'est d'ailleurs en cela que ce territoire est fondamentalement lié à la privatisation dont on rappellera qu'il s'agit d'un processus par lequel les normes privées sont rendues publiques indépendamment de leur représentativité. La privatisation se dispense, au nom de la légitimité, de la mise à l'épreuve de la démocratie représentative, d'où ses liens distendus avec la souveraineté. Elle procède par un double empiètement, celui de la sphère privée sur la sphère publique (une supra-privatisation en quelque sorte), processus qui se matérialise, par exemple, par la légitimité accordée à l'efficience dans la sphère publique et donc à un processus de privatisation de cette sphère publique, et celui de la sphère privée sur la vie intime (une infra-privatisation en quelque sorte que l'on retrouve à l'œuvre avec la référence au territoire), processus qui se matérialise aussi par l'intrusion des catégories économiques sur la vie privée. C'est donc un des lieux privilégiés de la désinstitutionnalisation.

Il profite, en ombre portée, d'une partie de la souveraineté de l'État-nation, ombre portée par différence de ce dont il s'agit quand on parle d'aménagement du territoire. Rappelons que c'est au travers de la DATAR (Délégation à l'aménagement du territoire et à l'action régionale) que l'on en a parlé, mais à partir d'un territoire qui était celui de l'État-nation. En France, il existe aussi une fonction publique territoriale qui justement se réfère à la notion de territoire mise en avant au regard de *"nouvelles"* politiques publiques construite sur l'appartenance à un territoire s'adressant à des espaces et non plus à des populations cibles (la masse et non la classe) et assorties des rhétoriques du *"nouveau"* : nouvelles ruralités, nouveaux modes de gestion, nouvelles conflictualités, etc. – rhétoriques ouvrant la porte à la notion de *"territoire négocié"* considéré comme un espace de normes. Ce discours politique apparaît au début de la décennie 1980. Le territoire dont il est question ici se situe en miroir d'une déterritorialisation de cet État-nation du fait de la déterritorialisation des activités économiques (en particulier des *footless activities* des entreprises multinationales). C'est d'ailleurs le moment de mettre en exergue la tension "*territoire – territorialisation / déterritorialisation*" c'est-à-dire la tension entre l'état et le processus, territorialisation / déterritorialisation ne débouchant pas comme cela sur du territoire. Qualifié de "*maille robuste*" en matière de prise en compte de la proximité, il sert également de point d'appui à des notions telles que celles de "*territoire vécu*" ou encore de "*territoire résidentiel*", notions qui, avec celle de "*maille robuste*" ouvre le champ indéfini des réflexions en matière de taille optimale. Il y est aussi question de territoires pluriels (ancrés dans des espaces supports de différentes essences). Alors, des territoires différents pour un seul territoire ? C'est ce qui conduit à mettre en avant des rhétoriques associées à celle de territoire (avec, par exemple des notions telles que celles de territoire innovant, durable, créatif, solidaire, attractif, etc.). Par ailleurs, le territoire ne prend sens que par rapport à un espace plus vaste. En effet, la source d'un problème local peut ne prendre sens que dans un territoire plus vaste par interrelation avec celui dont il est question ici. C'est ce qui conduit à discuter la notion de limite non pas par proximité avec des territoires voisins mais par emboitement avec d'autres d'où le retour à la question insoluble de la taille optimale au regard de l'extensivité indéfinie de la notion de territoire.

À ce titre, la référence au territoire indique l'existence d'un lieu de réunion de partenaires de substance sociale hétérogènes (aussi bien les "*parties prenantes*" issues du maillage de la société civile que celles qui ne prennent pas) en vue de vivre ensemble sur ce lieu-là dans une perspective de "*resserrement moral*", les uns y vivant sous les yeux des autres et réciproquement... C'est donc bien la proximité qui marque le territoire, la substance sociale hétérogène des partenaires conduisant à une sorte d'"*hétérarchie de proximité*", proximité qui conduit à deux conséquences : une conception du territoire comme "attracteur" (ouvrant en même temps la notion à l'idéologie de la compétition et des classements) et à l'idée d'"*objet mouvant*" du fait des croisements évolutifs entre les substances hétérogènes des partenaires. Au regard de cette proximité, il y est question de "*supporter*" les agents du territoire sur un lieu clairement localisé. C'est d'ailleurs la substance de cette proximité qui fonde la vitalité territoriale. On y retrouve ici l'idée d'agglomération (qui, rappelons-le, se différencie de la ville en y ajoutant l'idée de la difficulté à en marquer le début et la fin). C'est d'ailleurs ce qui vaut en référence aux noms de ville précédés du qualificatif *"grand"* (*"grand"* Londres, *"grand"* Paris, etc.). C'est donc un lieu de traduction entre ces partenaires, le territoire étant ce qu'ils ont en commun. C'est aussi le lieu de formulation d'un projet (les attentes) et de la réalisation de ces attentes en termes économique, social et politique avec la référence à des activités, des emplois et des liens sociaux.

C'est aujourd'hui à la fois le lieu de la désinstitutionnalisation de l'État-nation et de l'institutionnalisation de l'organisation, comme forme d'infra État-providence tout en bénéficiant des effets de traduction d'une double rhétorique, celle du discours étatique et celle du discours managérialiste. Mais soulignons que le territoire apparaît en dehors des circonscriptions administratives, établissant une forme de tension entre celles-ci et l'État-nation. Le territoire est le lieu de disjonction entre la société et la nation par réticulation. Cette réticulation entre en phase avec les logiques du libéralisme communautarien et du libéralisme libertaire, le territoire dont il est question pouvant être conçu tout aussi bien en extension de la communauté que de l'individu. C'est un lieu de con-fusion entre un champ de connaissances (mais *"qui"* traduit *"quoi"* et *"comment"* ?) et des connivences politiques (le mot *"connivence"* étant ici à comprendre au premier degré). Le territoire constitue à ce titre une forme d'espace plus familier et plus intime même s'il se heurte à la question de la *"taille optimale"* au regard des différents projets mis en œuvre sur tel ou tel territoire, en relation ou pas avec tel ou tel autre ou avec ceux de l'État-nation. Il pose donc un problème de coordination des activités, des emplois et des liens sociaux, coordination dont la référence est plutôt organisationnelle (ou inter-organisationnelle comme avec le *cluster*) avant d'être institutionnelle. En d'autres termes, le territoire s'inscrit dans les frontières et établit un maillage en son sein entre des acteurs sociaux de nature hétérogène, ce maillage venant en fonder la vitalité. Il est donc à la fois réseau et fragmentation.

Il trouve une résonance politique aujourd'hui autour de notions telles que celle de police de proximité. Une telle police de proximité serait différente de la police générale car elle *"connaît – reconnaît"* les proches pour mieux les défendre (et mieux les surveiller) car elle reconnaît immédiatement les "*autres*". La police de proximité offre une autre acception à la sécurité du territoire que celle qui se réfère au territoire de l'État-nation en ce qu'elle est plus personnalisée. D'un point de vue symbolique, par sa référence à un enracinement, la notion de territoire se situe en contre point de la référence au nomadisme issu d'une forme de déterminisme technologique. C'est le lieu sédentaire du certain et de la sécurité (rendus synonymes) face au reste du monde, territoire de l'incertain et de l'insécurité ou encore de la non territorialité du fait de la dématérialisation rendue possible par l'usage des technologies de l'information et de la communication. Le territoire est donc le lieu de la "*vraie*" proximité. C'est aussi le lieu du "*pays*", du paysage familier et de l'authentique face à l'inconnu et au dépaysement du voyage. La circulation y est réduite, compensée par l'épaisseur du lien social.

DÉFINITIONS DE LA NOTION DE TERRITOIRE

Paradoxalement, l'usage croissant de la notion de territoire s'accompagne d'un flou conceptuel majeur. Mais de quoi s'agit-il donc quand on parle de "*territoire*" ? Avec la notion de territoire, il est question de multiples références : géographique, historique, éthologique, politique, anthropologique, économique et organisationnelle. Le terme vient du latin *territorius* qui vient qualifier une zone conquise par l'armée romaine et gouvernée par une autorité militaire.

Avec le territoire, il est question de propriété, la propriété et de possession, notions qui prennent sens par rapport à celle de frontière ce qui suppose de définir qui possède le droit d'agir à l'intérieur de ces frontières. La possession est alors ce qui se situe à l'intérieur de la frontière qui autorise l'*usus* et le *fructus*. Mais il est également question d'interstices qui, sur le plan spatial, ouvre le champ, en gradation au provisoire (l'utilisation provisoire d'un espace comme avec le squat), à la colonisation (au sens premier du terme), le territoire étant alors représentatif de quelque chose qui est considéré comme étant vide (cf. les colonies israéliennes) puis à l'annexion. D'un point de vue temporel, il y sera question, toujours en gradation, d'éphémère, de temporaire, de transitoire avant de devenir durable et irréversible.

D'un point de vue géographique, le territoire indique l'existence d'un espace de référence situé à l'intérieur de frontières naturelles (géographie physique) et / ou permettant à un groupe humain d'y vivre (géographie humaine, d'où une forme de référence à l'ethnicité). Le territoire dont il est question peut être cartographié. Il conduit à des références telles que la notion de "*bassin*" aussi bien dans son acception géographique, écologique que dans son acception humaine (on parlera alors de "*bassin d'emploi*" et de "*bassin de vie*". C'est aussi ce territoire qui peut être considéré comme la référence de l'économie classique du raisonnement en dotations de facteurs (cf. D. Ricardo et la dotation de facteurs au regard de sa fameuse robinsonnade de l'échange du drap anglais contre du vin portugais).

D'un point de vue historique, notons la référence à la terre, celle de l'agriculture domaniale, domaine qui se transforma en fief durant la féodalité puis en propriété privée. C'est cette référence que l'on retrouve à la fois dans l'idéologie pragmatico-utilitariste de la référence au "*terrain*" et dans celle d'un propriétarisme communaliste que l'on retrouve aussi dans l'acception éthologique de la notion (le territoire de chasse d'un groupe de félins, par exemple).

C'est d'ailleurs cette acception éthologique qui a donné lieu aux développements importants au regard des deux notions de "*hiérarchie*" et de "*territorialité*". Ces deux arguments sont mis en avant pour justifier la convocation de la notion en éthologie pour les Vertébrés (c'est-à-dire l'espèce qui nous est la plus proche, sachant que l'on retrouve cette perspective pour d'autres espèces, ancrant la notion dans un fondement naturaliste). Le territoire est le lieu de la multiplication des contacts où chaque sujet maintient autour de lui un espace de sécurité qui marque l'espacement avec les autres au regard de la dualité "*rapprochement – distance*" mais aussi de la coopération entre individus d'une même espèce pour la recherche de nourriture, l'utilisation d'abris, la reproduction, l'élevage et la protection des jeunes. Cet espace de sécurité varie selon les lieux, les circonstances (présence d'un prédateur, période d'accouplement par exemple) et les saisons et conduit à la notion de "*distance critique*" qui est celle en deçà de laquelle il n'est pas "*permis*" de se rapprocher sauf à risquer de voir interpréter cela comme une menace. Cette notion est fondatrice de la dualité "*domination – subordination*" qui règle la vie sociale du groupe selon des modalités variables suivant les types de compétition (nourriture, procréation, etc.).

D'un point de vue politique, on la trouve dans la logique politique de la colonisation, aussi bien dans les *dominions* britanniques que dans les colonies françaises. La colonie, c'est d'abord "*le*" territoire miroir de la métropole dont la souveraineté s'y trouve appliquée sous la forme d'une occupation. Il en reste des stigmates avec les "*territoires d'outre-mer*" français. Dans les logiques fédérales, le territoire, c'est ce qui n'est pas encore (essentiellement pour des raisons de densité démographique nécessitant une infrastructure administrative dédiée) un État constitutif de la fédération. Il reste ainsi les *Northern territories* en Australie. Dans les logiques de l'indécision de souveraineté, on retrouve aussi des territoires comme avec les territoires palestiniens. Il en va pour les territoires de l'infra État-nation comme de toutes les collectivités locales. Le processus électoral qui conduit des élus à prendre la tête de ces territoires, à en définir les politiques et à les mettre en œuvre est le lieu de transformation "à la base", de la société civile en société politique. C'est aussi toute la difficulté de rattachement de la notion aux perspectives démocratiques de l'égalité. Il n'y a pas, à proprement parler, de citoyenneté territoriale sauf à raisonner en termes de dépolitisation de la citoyenneté pour un enracinement localiste. La technique démocratique laisserait alors la place à la négociation, ce qui conduit à souligner le statut politique du territoire comme étant un espace ordinaire venant rassembler l'inégalité des agents qui le composent en le fondant comme espace politique autonome légitimé par référence à la décentralisation de l'État-nation. Le territoire se trouve alors au cœur de la tension "*centralisation – décentralisation*" y compris pour ce qui concerne les logiques d'évitement / évasion fiscale. Mais, de façon plus large, on peut aussi concevoir le territoire comme une aire géographique de substance politique, c'est-à-dire un ensemble où les institutions sont suffisamment homogènes pour le qualifier comme tel. C'est à ce titre que l'Union Européenne est un territoire institutionnel en voie de construction, c'est-à-dire un territoire dont les États membres tendent à vouloir rendre sa substance institutionnelle homogène. D'une certaine manière, par "effet zoom", le territoire infra-territorial dont il est question dans ce texte constitue une forme de métonymie de ce territoire-là, principe de subsidiarité de l'Union Européenne oblige !

Comme le souligne M. Foucault[4] tout au long de son ouvrage, le territoire est le siège du gouvernement sachant que c'est le second aspect qui l'intéresse, le territoire lui servant de scène.

D'un point de vue à la fois historique et symbolique, le territoire comporte une dimension d'inconnu et une invitation à l'exploration dans une confusion entre le symbolique (ce qui rassemble sur le territoire) et le diabolique (ce qui sépare du reste). La notion fait référence à celle d'appartenance venant fonder un "*droit du sol*" ancré dans un référent à la fois historique et traditionnel.

D'UN POINT DE VUE SOCIOLOGIQUE, C'EST UNE UNITÉ D'ANALYSE

D'un point de vue symbolique et donc anthropologique, on y trouve une dimension émotive et identitaire (c'est mon terri-toire, tu n'y touches pas, indique un enfant à ses parents). De façon identitaire classique, c'est d'ailleurs le lieu de l'adresse du domicile, donc un lieu "*policé*" venant servir de repère à une position où l'on peut à la fois se retrouver et être retrouvé. C'est donc le lieu de la reconnaissance, connaissance au 2e degré qui indique celle de connaissance (au premier degré), la connaissance étant donc aussi ce qui va joindre la notion avec celle d'appren-tissage. Cette dimension opère sur la base de la trilogie "*loyauté – fidélité – attractivité*", trilogie venant finalement constituer l'enjeu du territoire. C'est le lieu symbolique de la convivialité du "*vivre ensemble*" sur la base d'une image valorisée par référence à la confiance définie comme étant de l'"*entre soi*". Il est conçu par rapport à un centre mais un centre "*mou*" dans la mesure où, avec le territoire, on pense toujours être "*au centre*". La notion bénéficie des connotations positives combinées de la familiarité et de l'aspect festif du tourisme (aujourd'hui, les territoires met-tent toujours l'accent sur ce second aspect) ou encore de l'aspect positif de la référence à la créativité (le "*territoire créatif*", de l'innovation ou de la dimension technologique du virtuel – le territoire "*virtuel*" rendu possible du fait de l'usage des techno-

---

4   Michel Foucault, *Sécurité, territoire, population*, Gallimard – le Seuil, coll. "Hautes études", Paris, 2004.

logies de l'information et de la communication), territoire virtuel qui vaut tout à la fois avec ses fictions et ses avatars. Avec le territoire, on est toujours dans le particulier au regard d'un particulier tel qu'il est en fait général. Tout comme la proximité, le particulier est donc un marqueur du territoire. Le territoire marque la distance entre le proche et le lointain compte tenu d'une rhétorique de la partialité par appel à une participation et par une sorte de réduction de la distance. Il construit donc une forme de socialisation au regard d'une distance "*réduite*" au point de construire un mythe de la proximité positive. À la trilogie précédente vient correspondre en miroir celle de la "*motivation – satisfaction – implication*" dans la perspective de justifier la dépendance physique et mentale liée à l'enracinement sur le territoire. Quand on sait combien la question de la parenté marque l'anthropologie, il est intéressant de souligner la dualité "*apparentement – attachement*". L'apparentement fonde l'identité de façon passive, dans la logique de la parentèle, car les apparentés n'ont pas choisi cette parentèle. L'attachement fonde l'identification en laissant plus de marge de choix par mobilisation volontaire.

La notion bénéficie de l'acception positive du nostalgisme des notions de tradition et d'authenticité que l'on trouve dans les catégories du particularisme culturel au regard de "*valeurs partagées*", en proximité avec des notions comme celles de tribu, d'autochtone, d'indigène, de clan, de terroir, de folklore, perspectives fondatrices d'une idéologie particulariste (cf. l'État corporatiste de la France du Maréchal Pétain). C'est ici que l'on retrouve la référence à une sorte d'ethnicité par surdétermination entre la logique endogène d'enracinement et la logique exogène d'ancrage et le conservatisme qui y est associé. L'exacerbation de la référence à la tribu, au local, au terroir, au folklore et à la communauté est constitutive d'une idéologie localiste parfois teintée d'exotisme au travers d'une forme de valorisation d'une dimension traditionaliste et /ou rituelle. Elle valorise largement l'émotivisme qui est une des caractéristiques des sociétés au regard de la tension "*plaisir – déplaisir*" comme lieu incarné au lieu du lieu désincarné que serait celui de l'État-nation.

D'un point de vue économique, il y est question de ressources (n'oublions pas que la science économique est la science de la rareté), notion de ressource qui se trouve déborder en sciences des organisations au travers du corpus de la théorie de la ressource.

C'est la référence à des ressources qui sert de fondement à une offre. Elle est alors proche de la notion de *"pôle de développement"* telle qu'elle a été définie par F. Perroux[5], donc sans véritable inscription géographique, mais se référant à la notion de polarisation. Rappelons que c'est B. Wernerfelt[6] qui a été un des premiers à développer le concept de *"la théorie des ressources"* en sciences des organisations : en fabricant sur le marché des produits uniques, les entreprises se singularisent en développant leurs ressources propres. B. Wernerfelt considère le processus d'apprentissage comme faisant partie de l'évolution de l'entreprise et donc de sa culture. Pour J. Barney[7], l'organisation est un faisceau de ressources (ressource de capital physique, humain, organisationnel) aussi bien tangibles qu'intangibles. Ce qui unit ces ressources en un système unique, c'est un réseau d'interprétation partagée. Il énumère des critères permettant de reconnaître les ressources dites stratégiques : évaluabilité, rareté, substituabilité. De façon plus générale, la référence au territoire contribue à une acception territorialisée de l'environnement organisationnel. Il suppose un intérêt collectif sous-tendant la mobilisation des gens présents au regard d'une stratégie. Au regard des attendus de l'économie du développement, le territoire va être perçu comme le creuset d'un développement endogène où l'endogène n'est pas seulement le proche.

D'un point de vue *marketing*, le territoire entre en phase avec la notion de *"marque"* et d'*"image"*. La marque est ce qui permet de distinguer, de générer le fait d'être remarqué, l'image en étant le pendant imaginaire. À ce titre, le territoire donne une dimension géographique à un des fondamentaux du *marketing*, la place qui se trouve être confondue avec le produit. Le territoire se trouve alors plongé dans l'idéologie de la concurrence.

Du point de vue de l'urbanisme, le territoire conduit à une déclinaison en termes de quartiers (lieu de ségrégation entre les *"beaux"* et les *"bas"* quartiers), de ghettos (pour souligner la marginalité et l'ethnicité, creuset de misères et de pathologies sociales), de faubourgs (les alentours de la ville et la périurbani-

---

5   François Perroux, *Le Pain et la parole*, cerf, Paris 1968.

6   Birger Wernerfelt, "A Resource-based View of the Firm", *Strategic Management Journal*, vol. 5, 1984, pp. 171-180.

7   Jay B. Barney, "Firm Resource and Sustained Competitive Advantage", *Journal of Management*, vol. 17, n° 1, 1991, pp. 99-120.

sation, le faubourg industriel étant ce qui est rejeté à la périphérie, comme lieu de travail et non-lieu de vie, signe du cloisonnement fonctionnel), de banlieue (lieu de paupérisation et marque de l'inégalité). Le territoire urbain est conçu comme étant cloisonné et constitutif d'aires de confinement au regard de critères sociaux sur la base d'un emboîtement institutionnel, les institutions *in concreto* y prenant des formes différentes, plus fonctionnelles (voire absentes) au fur et à mesure que l'on s'éloigne du centre-ville. Il en est question avec l'expression anglaise de *block*. Le ghetto est marqué par l'existence d'une frontière tranchante, à la fois imaginaire et réelle. Il faut en rappeler les origines politiques racistes (les ghettos juifs des villes de l'Est de l'Europe pendant la deuxième guerre mondiale) comme lieu de séparation des dominants et des dominés. Le terme est apparu à Venise en 1516 (dérivé de l'italien *giudeica* ou *gietto*) pour désigner le regroupe-ment forcé de Juifs dans certains quartiers car l'Église voulait protéger les Chrétiens. Le ghetto est marqué par la déshérence sociale, la ségrégation, la violence, l'abandon par l'État[8]. Mais le territoire urbain se différencie aussi du territoire rural.

D'un point de vue organisationnel, elle entre en résonance avec le fonctionnalisme géographique qui prévaut dans la réflexion stratégique qu'elle soit militaire ou surtout d'entreprise aujourd'hui. Le territoire est le lieu de la frontière entre le *putting in* de l'internalisation et le *putting out* de l'externalisation qui conduit alors à l'externe, référence floue de la tension qui opère entre le proche et le lointain. C'est ce qui en fait aussi son incer-titude économique cette fois. Une autre incertitude vient du fait que si le territoire est vu comme un lieu identitaire (point de vue culturel), il est aussi, d'un point de vue organisationnel et cognitif comme un lieu d'apprentissage. Le territoire vient en sorte consti-tuer une configuration institutionnelle de l'apprentissage consi-déré, tout comme dans les thèses de l'apprentissage organisa-tionnel, comme un processus. C'est aussi le lieu de la primauté de la cohésion sur la cohérence, la réticulation propre au territoire étant en effet facteur d'incohérence pondérée par sa cohésion. C'est donc le lieu d'un management "*situé*" sur fond identitaire dont la logique projective est facteur de cohésion.

---

8   Loïc Wacquant, "Pour en finir avec le mythe des "cités-ghettos" - Les différences entre la France et les États-Unis", *Annales de la recherche urbaine*, n° 54, mars 1992.

D'un point de vue informatique et numérique il y est
question de territoire virtuel et de fiction, la connexion numérique
étant facteur d'entrée dans une fiction et, en dualité, déconnexion
d'un "*réel*".

CONCLUSION

Si l'on revient à la dimension politique, le territoire est une
forme de monstruosité démocratique, pur produit du "*moment
libéral*", c'est-à-dire une période d'affaissement du contrôle
démocratique (par évitement de la mise à l'épreuve de la représentativité) au nom de la légitimité d'une expertise de proximité
(un despotisme éclairé) sur un substrat utilitaro-pragmatique.
Rappelons brièvement que l'utilitarisme est une doctrine philosophique qui s'est développée en Angleterre durant la première
moitié du XIXe siècle et qui fait de l'utilité le critère de vérité. Le
pragmatisme est une doctrine philosophique qui s'est développée
aux États-Unis pendant la première moitié du XXe siècle, doctrine
faisant de la réussite le critère de vérité. Le mélange des deux
dans la dimension politique du "*moment libéral*" réduit ce critère
de vérité à la dimension de la réussite matérielle. Le territoire
construit un tressage entre un tolérantisme (l'indifférence à la
différence), une conception communaliste de la propriété (celle
qui vaut sur le territoire), un communautarisme dont l'ethnicité
est construite au regard d'un concentré de primordialismes, le
tout éclairé par les catégories du républicanisme civique par
référence à l'honnêteté. L'honnêteté devient le critère de référence, d'autant que la proximité qui prévaut au sein du territoire
rend la triche d'autant plus difficile. Mais rappelons la difficulté
de construire une théorie de l'honnêteté en dehors d'un cadre
sentimentaliste. En tous les cas, il s'agit bien, au nom du territoire, de contribuer au laminage de l'État-nation. La monstruosité
démocratique dont il est question se joue sur la base de la mise en
place d'une gouvernance *ad hoc* dans un univers politique réticu-
lé où, finalement, les Hommes ne naissent plus libres et égaux en
droit. Au despotisme éclairé du territoire correspond son fondement inégalitaire compensé par une référence molle à l'équité. Le
territoire est aussi un des lieux où va prospérer le managérialisme
sur la base d'une idéologie projective.

BIBLIOGRAPHIE

Balandier (Georges), *Le Dépaysement contemporain – l'immédiat et l'essentiel ; entretiens avec Joël Birman et Claudine Haroche*, PUF, Paris, 2009.

Barney (Jay B.), "Firm Resource and Sustained Competitive Advantage", *Journal of Management*, vol. 17, n° 1, 1991, pp. 99-120.

Foucault (Michel), *Sécurité, territoire, population*, Gallimard – le Seuil, coll., "Hautes études", Paris, 2004.

Perroux (François), *Le Pain et la parole*, cerf, Paris 1968.

Godelier (Maurice), *Au fondement des sociétés humaines – Ce que nous apprend l'anthropologie*, Flammarion, coll. "champs", n° 979, Paris, 2010.

Rancière (Jacques), *Aux bords du politique*, folio, coll. "essais", Paris, 1998.

Wacquant (Loïc), "Pour en finir avec le mythe des "cités-ghettos" - Les différences entre la France et les États-Unis", *Annales de la recherche urbaine*, n° 54, mars 1992.

Wernerfelt (Birger), "A Resource-based View of the Firm", *Strategic Management Journal*, vol. 5, 1984, pp. 171-180.

Territoires pluriels et espaces supports

Jean-Pierre ROGER

N e faisant absolument pas partie des éléments de langages des politiques voilà 40 ans, le mot territoire a fait fortune en quelques années, et aujourd'hui tout discours promotionnel, d'où qu'il vienne, vante l'action ou les actions en faveur du ou des territoires, sans qu'il ne soit jamais précisé de quoi l'on parle

Le mot *"territorialisation"* apparaît au début des années quatre-vingts avec la mise en place de nouvelles politiques publiques autour de ce que l'on appelle le Développement social, dans une dimension spécifiquement urbaine, avec ce qui deviendra la politique de la Ville (on parle alors de D.S.U., développement social urbain), mais aussi dans l'action sociale en général, avec la mise en avant progressive d'un public qualifié par l'appartenance à un territoire en lieu et place du périmétrage traditionnel des bénéficiaires constitué par ce qu'on appelle les populations cibles, où qu'elles se trouvent.

Depuis, la référence au territoire est incontournable : nous avons actuellement un ministère de l'égalité des territoires, relayé dans chaque département par une Direction Départementale des Territoires, 2014 a vu la création du Commissariat Général à l'Égalité des Territoires (CGET) pour remplacer à la fois la DATAR, l'ACSE et le SG-CIV[1], on ne parle plus de quartiers

---

1   Placé sous l'autorité du Premier ministre, le CGET réunit les missions et agents de la Délégation interministérielle à l'aménagement du territoire et à l'attractivité régionale (Datar), du Secrétariat général du comité intermi-

prioritaires, mais des nouveaux territoires de la politique de la Ville,… Et depuis le 1er janvier 2014, la Communauté d'Agglomération (CA) Bourges Plus est dotée, dans son organigramme, d'une DIT : Direction de l'Innovation et du Territoire, qui comporte donc une composante Territoire mais aussi une composante Innovation, composantes qui questionnent la problématique "*Nouveaux territoires*".

LES TERRITOIRES SONT-ILS NOUVEAUX ?

Les territoires sont-ils nouveaux ? Ou bien plutôt existe-t-il de nouveaux modes de gestion de ces territoires, de nouvelles conflictualités (par exemple conflit entre extension urbaine et agriculture, entre nitrates répandus et aire de captage de l'eau potable, entre vestiges archéologiques et maison de la culture,…), les tensions sur les ressources étant le résultat de ces conflits.

Comment imaginer alors les modes de gestions (ou de gouvernance, terme préféré par certains), comment penser l'avenir d'un territoire, dans la manière de le construire, de le négocier. C'est ce qui constitue une ligne de force du nouveau Projet d'Agglomération de Bourges Plus pour les 15 ans à venir (adopté fin 2012), qui met en avant la notion d'espace négocié, sur laquelle nous reviendrons.

"*Nouveaux territoires*" contraste vivement avec le singulier du "*Territoire*" de la DIT.

Mais quoi de plus normal que ce singulier : une collectivité territoriale possède une limite administrative à l'intérieur de laquelle se trouve SON territoire ; c'est donc tout simplement de celui-ci qu'il est question dans l'intitulé de la DIT.

Mais curieusement, les autres Directions (Direction de la Conduite des Projets, Direction des Services à la Population,…) qui ne travaillent qu'à l'intérieur des limites administratives de Bourges Plus (pour construire, aménager, poser des tuyaux d'eau ou d'assainissement, gérer les déchets …) n'affichent pas le mot territoire dans leur intitulé ; la seule qui a LE mot Territoire dans son intitulé (la DIT) est justement celle qui travaille à différentes échelles.

---

nistériel des villes (SGCIV) et de l'Agence nationale pour la cohésion sociale et l'égalité des chances (Acsé).

Vérifions cela en évoquant rapidement la finalité et les missions de la DIT.

LA DIRECTION DE L'INNOVATION ET DU TERRITOIRE DE BOURGES PLUS

La finalité de la DIT de Bourges Plus est de *"définir et mettre en œuvre les politiques contribuant à faire de Bourges Plus un territoire attractif, durable, innovant, équilibré et solidaire"* ; je signale que, malgré le singulier de territoire, celui-ci a déjà évolué deux fois en 10 ans, et qu'il évoluera encore dans les mois à venir.

Ses missions : dans leurs présentations, les notions d'attractivité et de notoriété DU territoire sont mises en avant, mais c'est bien l'animation DES territoires de planification qui est évoquée, et la nécessité de donner du sens au concept d'espace négocié.

Avant de revenir sur ce dernier, pouvons-nous confirmer l'existence du pluriel de territoires en se penchant sur les missions des agents de la DIT ?

Quatre entités travaillent à développer l'attractivité du territoire.

1) Une direction du développement territorial avec :

- une mission Habitat, qui travaille spécifiquement sur le périmètre de la CA (16 communes) pour y attribuer des aides au logement, public ou privé,
- une mission stratégie économique fixée elle aussi sur le périmètre de la CA,

Notons toutefois que dans les deux cas, les diagnostics support à l'action (PLH et étude de stratégie économique) ont pris en compte un périmètre plus large (une soixantaine de communes) :

- un service mobilité durable, qui travaille sur un PTU, Périmètre de Transports Urbains de 19 communes
- Un service Cohérence territoriale, qui œuvre à la mise en cohérence des documents communaux

d'urbanisme avec le SCoT, SChéma de Cohérence Territoriale, qui couvre 64 communes

- Un service d'Archéologie qui fouille certes dans le périmètre de la CA, mais peut aller au-delà, et qui, dans sa dimension recherche, s'interroge en permanence sur la question du territoire dans le temps et dans l'espace : le territoire de la ville gallo-romaine englobe-t-il les *villae* situées à plusieurs kilomètres du centre actuel, ou bien se limite-t-il à la ville rétractée derrière ses remparts ? Le bénéfice à tirer de ces recherches est de rendre compte d'expériences passées de territoires différents, contribuant à la fabrication du territoire actuel.

2) Une direction Économie, Enseignement supérieur, innovation et Recherche

- Le service Bourges Technopole s'occupe d'un micro territoire (quelques hectares en Ville), mais le développement des filières *"risques"* et *"bâti de demain"* l'amène à travailler avec des partenaires situés sur l'ensemble du territoire national, voire au-delà : sa dernière initiative a accueilli des Suisses qui sont venus partagés leur savoir-faire,

- Bourges Campus, en charge de l'animation de l'enseignement supérieur doit fédérer des établissements multiples répartis dans la ville de Bourges, mais qui recrutent en France et à l'étranger ; l'INSA qui vient de voir le jour par fusion des ENSI de Bourges et Blois est l'INSA bicéphale Bourges-Blois[2],

- Bourges Plus développement, chargé de la commercialisation du foncier économique sur le périmètre de la CA et de l'animation des acteurs locaux de l'économie dispose également d'une chargée de mission exogène dont le terrain de jeu

---

2   INSA – Institut national des sciences appliquées, ENSI – École nationale supérieure d'ingénieurs.

est essentiellement les salons nationaux et internationaux (jusqu'à l'outre-Atlantique) pour attirer des entreprises sur les zones d'activités de Bourges Plus.

3) Un pôle Développement Durable

Si, comme chacun le sait, le nuage radioactif de Tchernobyl s'est arrêté au droit de la frontière française, notre collègue en charge du Plan Climat Energie Territorial (PCET) a du mal, en matière de qualité de l'air, par exemple, ou de qualité de l'eau potable, qui peut venir de plusieurs dizaines de kilomètres, à contenir sa réflexion à des limites administratives : le *"penser global, agir local"* revendiqué en témoigne.

Rappelons qu'en matière de développement durable, l'agenda 21 de la communauté d'agglomération est en adéquation avec un Schéma de Cohérence Territorial concernant 64 communes, lui-même compatible avec Schéma Régional d'Aménagement et Développement Durable à l'échelle de la région Centre, lui-même s'inscrivant dans un cadre législatif national, à savoir le *"Grenelle de l'environnement"*, bien sûr compatible avec les directives de l'Union Européenne sur le développement durable, directives prises bien sur pour répondre aux préconisations des sommets de la terre organisés au niveau mondial par l'ONU.

4) Un pôle Observation, Études, Prospective

La prospective territoriale ne peut exister sans connaissance de *"l'avant"* (l'histoire) et n'a de sens qu'en prenant en compte *"l'autour"* (l'environnement géographique). L'observatoire de Bourges Plus ne peut donc limiter son champ d'action aux 16 communes de son territoire administratif ; c'est pourquoi l'assise géographique de cet observatoire est constituée de près de 90 communes constituant ce que l'on appelle le bassin de vie de Bourges (SCoT[3] + aire urbaine)

Les différents services de cette direction DU territoire travaillent donc sur des espaces supports multiples qu'ils soient opérationnels, d'études, de réflexions ou de prospective, multi-

---

3   SChéma de Cohérence Territoriale.

ples et pourtant au service d'une même stratégie pour LE territoire de Bourges Plus, lui-même variant régulièrement dans ses
contours administratifs !

Travaillent-ils donc sur des territoires différents ? Ou bien
est-ce le même, soumis selon les besoins à un effet de zoom avant
ou arrière ?

DIFFÉRENT ET POURTANT LE MÊME

"Différent et pourtant le même", dit-on d'un humain en
l'évoquant à différentes périodes de sa vie. Le même espace,
primitif, défriché, cultivé, construit, industrialisé, bombardé,
reconstruit, est différent à chacune de ces étapes, et pourtant le
même. Cette proposition parfaitement compréhensible dans le
temps a-t-elle un sens dans l'espace ?

Un territoire peut-il avoir un périmètre variable ? Un peu
comme un élastique posé sur une table, qui au repos, délimite une
certaine portion de table, qui varie en fonction de la tension qu'on
lui applique.

Une bonne compréhension d'un territoire est très liée à la
connaissance que l'on a de son inscription dans un contexte
spatial plus vaste ; c'est pourquoi un diagnostic territorial n'aurait
pas de sens sans références plus larges et/ou voisines. L'espace
support de la réflexion doit donc être mouvant, et l'imbrication
des territoires telle qu'elle est appréhendée ici n'est pas construite
"façon puzzle", mais "façon poupée russe".

Il faut toujours avoir présent à l'esprit que ce n'est pas
parce ce que l'on a identifié un problème dans un espace bien
délimité que la solution se trouve à l'intérieur de cet espace.

Prenons l'exemple de la forte concentration de logements
sociaux.

Il n'est pas très difficile de pointer cette forte concentration
de logements sociaux comme cause du *"malaise"* de certains
quartiers dits difficiles. En effet, dans la majorité des cas, ces
quartiers ne remplissent quasiment qu'une fonction urbaine : la
fonction Habiter ; bien souvent, pas de fonction Travailler, pas de
fonction s'Amuser… : c'est ce qu'on appelle la monofontion-
nalité résidentielle, mais ce qui est marquant, c'est que cette
monofonctionnalité résidentielle n'est représentée que par un seul
type d'occupation des logements : le locatif social ; pas ou peu de
locatif privé, peu ou pas de propriétaires occupants. L'évolution

de l'occupation du parc social depuis 40 ans a abouti à créer une forte concentration de pauvreté et de précarité dans ces quartiers, avec une population plus ou moins volontairement *"assignée à résidence"*.

La cause des problèmes de ces quartiers pourrait donc être énoncée comme venant d'un *"trop de pauvres"* dû au trop de HLM ; certes, mais en fait, la cause première réside dans le fait que la fonction Habiter n'y est représentée que par un seul type d'occupation : le locatif social. Et ce qui est en cause, ce n'est pas le trop de locatif social, mais l'existence d'un seul type d'occupation ; l'existence quasi exclusive de propriétaires occupants dans un quartier pose de la même manière des problèmes de fonctionnement urbains, et notamment de coûts de fonctionnement urbain. Prenons l'exemple d'une commune périphérique à Bourges qui a accueilli voilà une quarantaine d'années environ 300 *"chalandonnettes"* ; du nom du ministre du Logement de l'époque, Mr Chalandon. Une chaladonnette est une petite maison, sur une petite parcelle, vendu a un prix d'autant plus avantageux que le ménage acquéreur était jeune, avec des enfants et des revenus moyens : 300 ménages de même profil sont donc arrivés en peu de temps au même endroit : il a fallu très vite construire une école, puis l'agrandir d'une classe, puis d'une deuxième classe... Mais comme toutes les familles étaient propriétaires, le stock d'écoliers s'est tari, il a fallu fermer une classe, puis une seconde classe, et il faudrait maintenant transformer l'école en maison de retraite !

Bref, tout cela pour expliquer qu'un territoire urbain fonctionne d'autant mieux qu'il accueille une réelle mixité de statuts d'occupation de ses logements. Comme disait un slogan de lutte contre le racisme : la France, c'est comme une mobylette, pour avancer, il lui faut du mélange ; et bien un quartier, pour bien vivre, il lui faut un mélange de statuts d'occupation, c'est cela qui permettra une mixité sociale.

Pourquoi ce détour ? pour montrer que la solution à un problème ne se trouve pas forcément dans l'espace dans lequel il a été identifié ; exemple donc, si on identifie clairement sur un quartier une hyper représentation du locatif social, et qu'on limite son champ d'action au dit quartier, que peut-on faire ? En démolir, faire du changement d'usage (transformer un immeuble de logements en immeuble de bureaux), ... mais en fait, la vraie solution, c'est bien de mieux répartir le logement social sur l'ensemble de la Ville, voire de l'agglomération, c'est-à-dire faire diminuer la part du logement social là où il n'y a pratiquement que cela, et la faire augmenter là où elle est très faible. C'est ce à quoi s'est attaché le PRU[4] berruyer : 100 % des 2 200 logements sociaux démolis se trouvaient en ZUS[5], mais seulement 30 % des reconstructions ont été effectuées en ZUS, le reste étant réparti sur l'ensemble de la ville, entamant ainsi un rééquilibrage qui devra se poursuivre à l'échelle de l'agglomération.

Que nous montre donc cet exemple ? Qu'il est illusoire de travailler au bien être des habitants d'un territoire délimité si l'on focalise sa vision et son action à l'intérieur de ses limites. Il convient donc, lorsque l'on propose une action (aménagement, construction…) dans un quartier, de prendre soin de faire un zoom arrière progressif et d'appréhender ses conséquences sur plusieurs échelles (quartiers voisins, ville, agglo…) ; inverse-ment, lorsqu'une action est envisagée à petite échelle (c'est-à-dire sur un grand territoire), il convient d'effectuer un zoom avant pour en mesurer les conséquences locales.

PAUSE SENSIBLE

Mettons un peu de littérature et de poésie dans ce monde, non pas de brutes, ce ne serait pas gentil pour nous, mais disons de techniciens aménageurs du/des territoires :

Georges Perec ne fait rien d'autre dans son ouvrage "espèce d'espaces" en nous baladant de la feuille sur laquelle il écrit, à la pièce dans laquelle il se trouve, à l'appartement, à l'immeuble, à la rue, au quartier, à la ville, au pays, à l'Europe, au monde, à l'espace.

Paul Éluard ne fait rien d'autre en rapportant cette soi-disant chanson enfantine des Deux-Sèvres dans sa *"Poésie involontaire et poésie intentionnelle"*.

Je cite :
> *Dans Paris, il y a une rue ;*
> *dans cette rue, il y a une maison ;*
> *dans cette maison, il y a un escalier ;*

---

4   Projet de rénovation urbaine.
5   Zones urbaines sensibles.

> *dans cet escalier, il y a une chambre ;*
> *dans cette chambre, il y a une table ;*
> *sur cette table, il y a un tapis ;*
> *sur ce tapis, il y a une cage ;*
> *dans cette cage, il y a un nid ;*
> *dans ce nid, il y a un œuf ;*
> *dans cet œuf, il y a un oiseau.*
>
> *L'oiseau renversa l'œuf ;*
> *l'œuf renversa le nid ;*
> *le nid renversa la cage ;*
> *la cage renversa le tapis ;*
> *le tapis renversa la table ;*
> *la table renversa la chambre ;*
> *la chambre renversa l'escalier ;*
> *l'escalier renversa la maison ;*
> *la maison renversa la rue ;*
> *la rue renversa la ville de Paris.*

Fin de citation, Zoom avant et zoom arrière !

Ce détour littéraire permet d'introduire la question du *"sensible"* dans la notion de territoire ; d'autres préférerons employer le mot de *"vécu"* en se penchant sur l'espace vécu, le territoire vécu ; la dimension participative des démarches se réclamant aujourd'hui du développement durable ne sont-elles pas la mise en pratique de la prise en compte de *"l'espace vécu"* des géographes de la fin du siècle dernier ? (ce n'est pas si loin !).

Attention, cette incursion dans le sensible peut être périlleuse : le territoire au péril de ses pratiquants, pourrait-on dire, tant la synthèse des sensibilités, des vécus, est délicate ; je citerai l'exemple d'une étude réalisée il y a une trentaine d'année, intitulée *"la notion de quartier à Bourges"*, pour laquelle il avait été demandé à des habitants de dessiner sur un plan les contours de leur quartier, et de le nommer ; pas un dessin identique bien sur, mais surtout, à la question *"quel est le nom de votre quartier ? "*, sur 300 réponses exploitables, il y a eu 103 réponses différentes.

Nous ne sommes pas loin d'un quartier par tête de pipe ; Mr l'aménageur, faites donc la synthèse, pour que vos aménagements satisfassent tout le monde, et quand je dis tout le monde, je pense évidemment à la fois aux concepteurs, qui ont des contraintes légitimes à respecter et à faire valoir, aux décideurs, qui ont une politique à promouvoir, et aux utilisateurs, qui aspirent à une meilleure qualité de vie possible.

TOUT NE SERAIT-IL PAS AFFAIRE DE NÉGOCIATION ?

La production récente des grands documents de planification (tels les Programmes Locaux de l'Habitat, les Plans de Déplacements Urbains,), et de prospective, n'est-elle pas devenue d'une banalité ennuyeuse, tant les conclusions, les intentions, les orientations, les préconisations se ressemblent (pour ne pas dire se répètent).

Que nous disent le projet d'agglomération de Bourges Plus (2012), le Scot de Bourges (64 communes, 2013), le document prospectif du conseil général Cher 2021 (2014), Le SRADDT[6] de la région Centre (2011), la mission Nouvelles Ruralités (au pluriel, démarche interrégionale 2013) : que le territoire de demain, quel que soit son échelle, sera attractif, innovant, connecté, durable, économe, solidaire, et de proximité.

Les mauvaises langues diront que tous ces documents ont été parfaitement *"grenellisés"* ; d'autres insisteront sur la satisfaction de voir toutes ces collectivités prendre en compte le développement durable. Mais, du coup, si tout le monde se met à faire du *"nouveau"* en même temps, il n'est plus nouveau !

Le nouveau ne serait-il pas dans la manière de faire ?

L'ESPACE NÉGOCIÉ : UN NOUVEAU TERRITOIRE ?

En fait, ce n'est pas le territoire qui est nouveau, c'est le négocié.

Prenons l'exemple que l'on retrouve dans tous ces documents que je viens de citer, qu'ils concernent l'habitat, les transports, l'aménagement global : la limitation de la consommation d'espace agricole et naturel, c'est-à-dire le contrôle strict de l'urbanisation, constitue une priorité pour tous, en privilégiant

---

6   Schéma régional d'aménagement et de développement durable du territoire.

l'utilisation des terrains disponibles à l'intérieur du tissu bâti existant plutôt que les opérations d'extension urbaine.

Une telle option milite en faveur d'une densification de la ville centre au détriment des petits lotissements dans les communes rurales : ceux-ci sont en effet consommateurs d'espace ; pourtant, l'élu rural peut voir dans ces quelques pavillons nouveaux le moyen de sauver son école ; il ne percevra pas forcément le risque d'une inflation de la demande d'équipements à laquelle la commune n'aura pas les moyens de répondre.

Comment concilier ce qui peut apparaitre comme des intérêts divergents ?

Comment convaincre un élu d'une petite commune rurale de ne plus s'étendre ? C'est là tout l'enjeu de la gouvernance mise en place, de la manière de piloter le devenir d'un territoire, autrement dit de la place accordée au dialogue, aux explications, à la définition des intérêts communs, bref, à la négociation : mutualiser des moyens, certes, mais surtout partager une vision prospective pour le bien être des habitants, de tous les habitants : cela pourrait s'appeler la solidarité .

On évoque en effet la solidarité des territoires : urbains, périurbains, rurbains, ruraux, mais un territoire solidaire n'est-il pas avant tout dédié à la solidarité envers ses habitants, pour une qualité de vie la meilleure possible. Le développement est durable si il est acceptable du point de vue écologique, socialement juste, culturellement respectueux, humain, et fondé sur une compréhension fine du fonctionnement territorial. À ce titre, la phase d'élaboration d'un SCoT, par exemple, peut entrer dans ce concept de territoire négocié, où les spécificités et volontés locales ont vocation à être débattues pour négocier une solution de développement territorial durable, particulièrement entre un pôle aggloméré et ses espaces périphériques.

C'est la négociation qui met l'humain au cœur du territoire ; l'espace négocié est un espace "*humanisé*", peut-être même pourrions-nous dire "*humaniste*", tant dans les objectifs de son aménagement que dans la manière de le concevoir et de le réaliser.

C'est à cela que s'emploie la Direction de l'Innovation et du Territoire de Bourges Plus, quel que soit l'espace support sur lequel chacun de nous travaille ; j'ai essayé de dire que "*différent, il est pourtant le même*".

Si nous étions une ONG, nous nous appellerions *"Territoires sans frontières"* !

L'injonction de sécurité comme dispositif de conquête de territoires organisationnels

Sophie AGULHON, Franck GUARNIERI

L orsque des entreprises sont sous le regard de la société du fait de leurs activités sensibles, l'enjeu de la sécurité s'en trouve renforcé. Pour y répondre et pérenniser ainsi leur existence, elles mobilisent leurs salariés dans leurs pratiques comme dans leurs perceptions du travail.

La sécurité est la prise en compte dans la protection face au risque[1] des effets que peut avoir un accident. En tant qu'ensemble d'activités et d'engagements, la sécurité tend à constituer un *territoire* propre à l'organisation mobilisant ses propres acteurs. Diverses parties prenantes traversent voire s'installent également sur ce territoire de différentes manières : prise en compte des risques inhérents au travail par l'inspection du travail, établissement de relations de proximité par les syndicats, médiatisation de problématiques industrielles. L'intégration de ces parties prenantes dans le territoire se traduit souvent par un phénomène de montée d'exigences externes envers un groupe social (les personnes directement mobilisées pour l'action) ; c'est ce que nous appellerons l'"injonction".

---

[1] Donc dans les dispositifs de prévention, de mitigation et d'intervention.

L'injonction de sécurité est un dispositif de communication en vue de l'action situé au niveau des masses entraînant un phénomène d'hétéronomie[2] chez les individus qui en sont les destinataires.

Sa dimension contraignante en fait un *dispositif de conquête* cherchant à *"convertir la force en puissance"*[3] c'est-à-dire intégrant la force dans une politique permettant d'embrasser la sécurité dans sa dimension territoriale au sein de l'entreprise. En tant que manifestation des pouvoirs qui circulent au sein de l'entreprise, les sources de ces pouvoirs étant à la fois internes (hiérarchie, leaders informels) mais aussi externes (règlementation, médias), l'injonction de sécurité permet de saisir le territoire de la sécurité dans son inscription organisationnelle.

Par ailleurs, par sa fonction de transmission, l'injonction offre aussi une représentation de la sécurité. La multitude des interactions entre acteurs, des positions spatiales et des points de vue ne facilite pas la compréhension des engagements en matière de sécurité et des activités qui y sont corrélées. Cette situation conduit à des dissensions entre centre de décision et périphérie administrée avec laquelle il peut y avoir négociation : concertation des parties prenantes en Commission Locale d'Information, dialogue social sur la pénibilité.

Ainsi, en tant que dispositif fondé sur l'individualisme pour fédérer une pluralité d'acteurs en vue d'un objectif commun, l'injonction de sécurité pourrait-elle mener à bien le projet de conquête du territoire de la sécurité au sein d'organisations à risques ?

Notre analyse s'articule en deux temps. Premièrement, nous définirons l'injonction à l'aide de l'exemple historique de l'évangélisation de la Nouvelle Espagne. Cette analyse nous amènera à constater que l'injonction n'est pas un mécanisme unilatéral car il enrichit également la compréhension de l'émetteur vis-à-vis du récepteur qu'il cherche à contraindre, ce phénomène aboutissant à des formes de syncrétisme. Deuxièmement, un retour à notre contemporanéité permettra de dégager les enseignements utiles à l'amélioration de la sécurité dans les entreprises dont l'enjeu

---

2   Fait de ne plus chercher en soi ses propres lois.

3   Hervé Coutau-Bégarie, "La recherche stratégique en France", *Annuaire français des relations internationales*, 1, 2000, p. 787.

majeur porte à la fois sur la conformité aux exigences règle-
mentaires du fait de la gravité potentielle d'un accident mais aussi
sur le développement d'une culture commune favorisant la sécurité.

DÉFINITION DU MÉCANISME DE L'INJONCTION À LA LUMIÈRE DE L'ÉVANGÉLISATION DE LA NOUVELLE ESPAGNE

L'injonction est un dispositif d'exécution intéressant à
différents points de vue. Elle semble à la fois disposer d'une aura
d'impériosité sans pour autant être toujours associée à des formes
de contraintes claires du fait du caractère général de la contrainte
dont on parle : injonctions portant sur l'efficacité, injonction de
soin, injonctions juridiques.

À ce titre, l'analyse d'un cas historique d'injonction portant
sur une abstraction liée à une obligation de résultat nous permettra de mieux appréhender la portée de ce dispositif.

Définition de l'injonction

L'injonction peut être définie comme une communication
entraînant l'hétéronomie de son destinataire en vue d'une action.
Plus précisément, l'injonction vise à modifier le comportement
du récepteur car celui-ci a une part de responsabilité sur l'action
désirée.

L'injonction est une notion en relation étroite avec les
domaines juridique et moral *a minima* du fait de sa fonction de
rappel au devoir et de la question de la responsabilité qui en
découle. Elle peut même directement découler d'une diction du
droit ou de l'exécution de ce même droit[4].

À titre d'exemple de formation d'une injonction, on peut
dire que l'événement ayant précédé l'évangélisation du territoire
constituant l'actuel Mexique fut une sorte d'arbitrage international entre les couronnes Espagnoles et Portugaises dont le juge fut
le Pape et le prix à payer pour la diction du droit l'évangélisation
des territoires qui seraient conquis à la suite de cette décision.

---

4   Alix Perrin, *L'Injonction en droit public français*, Edition Panthéon-
Assas, 2009, p. 239.

Ainsi, la fulgurance de la conquête spirituelle s'explique entre autres par *"l'engagement contracté par les rois catholiques à l'égard du Saint-Siège. En effet, par les bulles Inter Cætera des 3 et 4 mai 1493 qui établissaient la démarcation des terres découvertes par la Castille et le Portugal, selon un méridien vertical tracé de pôle à pôle à cent lieues des îles du Cap-Vert et des Açores, Alexandre VI avait concédé aux Espagnols toutes les terres découvertes ou à découvrir, situées à l'ouest de la ligne de partage, à condition pour eux d'y envoyer des hommes aptes à instruire les autochtones dans la foi catholique. Cette donation sous condition faisait de l'évangélisation, non un devoir moral, mais une obligation juridique ; une obligation de résultat qui apparaissait comme le fondement de la conquête et, partant, de l'entreprise coloniale au Nouveau Monde"*[5].

Comme l'introduit le cas de la Nouvelle Espagne, l'injonction peut impliquer un devoir d'ordre moral envers celui à qui elle s'adresse et, pour qui possède une "bonne" moralité, conduire à une obligation de résultat.

Bien entendu, en tant que puissance reconnaissant la Papauté et reconnue comme très catholique, l'Espagne n'aurait pas vraiment pu se dédire d'un tel engagement. Cependant, comme un autre roi très pieux, Henri VIII, fit un choix différent moins de 40 ans plus tard en se séparant de Catherine d'Aragon, il est possible d'en déduire que si l'Espagne n'avait pas de choix, ce n'était pas dans l'absolu mais par rapport à son contexte bien particulier. Cette supposition nous amène à penser qu'une injonction réussie reposerait sur la capacité de l'émetteur à créer et à utiliser une contingence propre au destinataire qu'il veut voir agir.

L'injonction est donc une communication à la fois contraignante et reposant sur la subjectivité de son destinataire ayant pour finalité l'action. Cependant, la responsabilité envers l'action recherchée n'est pas portée par l'émetteur de l'injonction mais bien par son récepteur, critère qui distingue l'injonction de manière absolue de l'ordre.

L'ordre revêt d'une fonction purement contraignante, uniquement valable dans un espace-temps défini. Il s'agit d'un

---

5   Hervé Pujol, "La christianisation de la Nouvelle-Espagne ou le rêve d'une église indienne : les agents de l'évangélisation", *Cahiers d'études du religieux*, Recherches interdisciplinaires, 10|2012, p. 3.

dispositif de commandement (décider, en vertu de l'autorité que l'on détient ou que l'on s'arroge, ce que quelqu'un doit faire). L'ordre peut aussi être amendé, à la condition que l'amendement soit directement énoncé.

L'ordre énonce donc sa règle alors que la règle induite par l'injonction doit, d'une manière ou d'une autre, être déduite par celui qui porte la responsabilité des orientations données par l'émetteur. Si cette limite est outrepassée par l'émetteur de l'injonction, celui-ci devient, de fait, responsable de l'action qu'il commandite, car il ne gouverne plus (décider, en vertu de l'autorité que l'on détient ou que l'on s'arroge, de l'orientation des actions que quelqu'un doit faire).

La relation de pouvoir Top-Down de l'injonction

Puisqu'une entité a pour projet la maîtrise d'une action au sens large, elle exerce un pouvoir pour la mettre en œuvre. Il y a alors ex-pression du pouvoir car il passe d'une potentialité d'action à une incarnation pour faire. À ce moment-là, l'injonction comme appel au devoir fait son apparition au sein de l'organisation donc d'un contexte particulier. Or, quand l'action potentielle portée par l'injonction comme dispositif de communication hétéronome et de masse se réalise, l'injonction est mise en tension avec elle-même parce qu'elle porte en elle une contradiction en termes d'échelle.

En effet, à côté des masses qu'elle cible, l'injonction produit de l'hétéronomie qui est le phénomène par lequel un individu ne cherche pas ses raisons d'agir en lui-même mais dans les choses extérieures à lui-même. Lorsqu'il s'engage dans une action, sa motivation est donc contrainte par la contingence.

L'injonction passe par l'avis et l'adhésion de son destinataire pour fonctionner car c'est du comportement de ce dernier que dépend le succès de l'injonction. Pour cela, elle doit résonner dans l'univers interprétatif du récepteur même si elle porte un caractère contraignant. En un sens, tout type d'exécution de l'action n'est possible qu'une fois que de nombreuses injonctions ont été internalisées. La communication par injonction ne revêt pas de caractère personnel. Cependant, cette communication indirecte permet d'établir des relations interpersonnelles et conduit à une forme de socialisation. Ainsi, discours et comportements ne sont plus saisissables par un autre non intégré.

Par exemple, la pratique du *requerimiento* en Nouvelle Espagne, déclaration devant notaire par laquelle étaient justifiées les conversions des indiens dans les années 1520, reflet de l'efficacité du travail mené par le clerc local, donnait générale-ment lieu à des conversions de façade pour deux raisons. D'abord parce que ces conversions étaient forcées : en cas de refus ou de retard dans l'annonce de leur conversion, les indiens étaient combattus, réduits à l'état d'esclavage et les espagnols s'enga-geaient à leur faire "*autant de tort et de mal* [que possible]"[6]. Ensuite, parce que le texte, y compris énoncé dans la langue vernaculaire, ne faisait pas sens pour les Indiens incapables d'apprécier l'enchaînement dont ils étaient l'objet : Dieu, le souverain pontife, la donation papale, les rois de Castille et les vassaux des Indes.

Ici, la non intégration d'injonctions auxquelles les espa-gnols avaient été soumis depuis leur enfance limitait les possi-bilités de références communes permettant de se comprendre. Aussi le travail de conversion était-il complété par un travail d'éducation et par l'étude des mœurs indigènes pour mieux s'en faire comprendre de la part des conquérants.

En appliquant un pouvoir sur un espace à travers l'injonc-tion, l'émetteur voit un territoire d'en haut ce qui implique une distance, souvent même géographique, entre gouverneur et gou-verné. L'injonction est ce liant qui permet un gouvernement efficace à distance. Une organisation étendue fonctionne par le processus d'injonction car elle a besoin qu'un grand nombre de personnes s'acquittent de leur travail avec une juste dose d'initiative.

L'orientation de l'action a également un avantage intéres-sant par rapport au commandement : elle fonctionne également lorsque l'action désirée est difficilement palpable dans l'absolu (comme le comportement) ou de manière relative (pour l'émet-teur de l'injonction lorsque celui-ci n'est pas spécialisé dans le domaine).

L'injonction repose non seulement sur la responsabilité du récepteur mais aussi sur sa subjectivité donc sur la richesse de son expérience pour atteindre les objectifs fixés.

---

6   Bartolomé de Las Casas, *Histoire des Indes,* Tome III, Paris, Seuil, 2002, p. 286.

C'est pourquoi, durant l'évangélisation de la Nouvelle Espagne au XVIe siècle, les processions religieuses pour le Carême ou la Semaine Sainte connaissaient d'autant plus de succès que leur organisation fut déléguée à des confréries (*cofradias*), des associations populaires à but religieux importées par le clergé et transformées en sociétés indigènes de secours mutuel régulées et indépendantes financièrement[7]. Les structures indigènes participèrent donc à la propagation de la foi catholique aux côtés des ordres mendiants.

La relation de pouvoir Bottom-Up de l'injonction

L'intégration de la subjectivité du destinataire au schéma de l'exécution fait que l'injonction de sécurité peut être non seulement plus efficace puisqu'il s'agit de suggérer à l'exécutant que ce qu'il fait vient de lui (hétéronomie) – ce qui le motive – mais aussi plus fiable et flexible car les schémas de pensée et les comportements de milliers d'acteurs s'harmonisent.

C'est pourquoi, dans le contexte de la Nouvelle Espagne, en offrant *"une sécurité spirituelle et un sentiment d'identité collective qui faisait défaut aux autres institutions de la communauté indigène"*[8], donc une forme de stabilité, à des populations meurtries par la maladie et en proie au doute, les "cofradias" espagnoles s'inscrivirent dans la durée et se multiplièrent au cours du XVIIe siècle. En effet, non seulement elles étaient encouragées à se développer par les missionnaires au nom de l'engagement pris par la monarchie espagnole mais en laissant aux Indiens la possibilité de s'organiser sur un modèle donné, elles permettaient également de mobiliser des autochtones en vue de cette même cause, diffusant ainsi des normes dans la société indigène.

Néanmoins, le gouverné peut porter certains traits de l'outsider de Becker[9] puisqu'il est loin des cercles du pouvoir et

---

[7]   Hugo José Suarez, "Peregrinación barrial de la Virgen de San Juan de los Lagos en Guanajuato", *Archives de sciences sociales des religions*, 142|2008, 87.

[8]   Charles Gibson, *Los Aztecas bajo el dominio español*, México, Siglo XXI, 1967, p. 130

[9]   Howard S. Becker, *Outsiders. Études de sociologie sur la déviance*, Métailié, 1985, p. 38.

que ses représentations peuvent être radicalement différentes de l'ordre établi par ce même pouvoir central.

Ainsi, *"avec les confréries, les indiens disposaient d'un espace propice à la conservation de leur culture, laquelle se manifestait dans le déroulement des fêtes et dans la nature des services rendus aux membres. Certaines confréries garantissaient, par exemple, un enterrement « indigène »"*[10] donc païen. L'expansion de la foi ne pouvait se faire sans transiger avec l'identité des peuples conquis.

Le gouvernement n'est pas donc sans poser problème en termes de coordination entre le pouvoir central et la périphérie administrée. Le centre intègre nécessairement certains éléments auparavant périphériques pour conserver sa légitimité sur la masse des personnes gouvernées. Nul ne sortant indemne d'une rencontre, le centre et la périphérie se redéfinissent l'un par rapport à l'autre et l'adaptation de dogmes à l'expérience des sujets conduit à des phénomènes de syncrétisme.

Si la foi catholique s'est rapidement répandue en terre mexicaine après seulement 20 ans de présence étrangère, on ne peut l'expliquer seulement par la pratique du *requerimiento*. Entre autres faits, la mort de Moctezuma et la fin de l'empire aztèque plongèrent les indiens dans une profonde crise identitaire puisque leur monde empreint de déterminisme volait en éclat. Par conséquent, la conversion n'était pas seulement le résultat produit par l'autorité espagnole. Elle leur assurait aussi que *"leur passé ne se réduisait pas à des ténèbres et que leur présent n'était pas qu'un saut dans le néant"*[11] puisqu'ils s'inscrivaient alors dans l'histoire du vainqueur. D'après, Lafaye, les Indiens auraient donc redéfini leur identité par rapport au dogme. Mais l'inverse fut également vrai.

Ainsi, dans une lettre adressée à Charles-Quint du 15/10/1524 pour organiser l'évangélisation des indiens, Cortès lui-même insiste sur le besoin d'envoyer certains types de religieux dans le Nouveau Monde. *"Si par le passé, il a demandé l'envoi d'évêques, il lui semble maintenant plus sage de confier*

10   Hervé Pujol, "La christianisation de la Nouvelle-Espagne ou le rêve d'une église indienne : les agents de l'évangélisation", *Cahiers d'études du religieux*, Recherches interdisciplinaires, 10 | 2012, p. 18.

11   Jacques Lafaye, *Quetzalcóatl et Guadalupe. La formation de la conscience nationale au Mexique*, Paris, Gallimard, 1974, p. 217.

l'évangélisation du pays au clergé régulier [et plus précisément aux ordres mendiants]. *Selon lui, le train de vie et la conduite des séculiers ne peuvent qu'être préjudiciables à la conquête spirituelle tant ces derniers donneraient une piètre image de l'Église à des Indiens qui, en leur temps, disposaient de prêtres si recueillis, si honnêtes et si chastes, que la moindre faiblesse chez eux étaient punie de mort*"[12]. Alors que les ordres mendiants ne disposaient que d'une aura limitée en Europe, passant derrière la hiérarchie ecclésiale traditionnelle, ils obtinrent une tribune extraordinaire pour exprimer leur conception de la foi catholique du fait qu'il devait certes être difficile de convaincre un évêque d'entreprendre un tel périple mais aussi du fait de la correspondance de leurs mœurs aux conceptions religieuses des indigènes. D'ailleurs, les Franciscains, les Dominicains et les Augustins furent vite acceptés par la population car ils étaient nécessiteux et proches d'elle. Le prêche se faisait en langue vernaculaire et incorpora un temps danses et musiques liturgiques autochtones.

Des formes de syncrétismes apparurent rapidement et de façon pérenne dans ce territoire. Vers 1530, les *autos* et les *morismas*, des formes de théâtre médiéval sur la chrétienneté adaptées aux indiens et jouées par eux apparurent dans cette même optique de réveiller les consciences indigènes pour les révéler à Dieu. Ce mélange culturel s'illustre encore aujourd'hui par le cas de la brune *Virgen de Guadalupe* (apparue le 10/12/1531 à un Indien). Cette Vierge dont le nom signifie celle qui tue le serpent Quetzalcóatl (dont le but est la destruction de l'humanité) est si célèbre en Amérique Latine que sa Basilique est le lieu catholique le plus visité au monde après Saint-Pierre de Rome, comptant près de 20 millions de pèlerins par an.

Comme l'histoire mexicaine peut le montrer, c'est principalement dans le syncrétisme qu'un territoire peut se réinventer à travers le regard. La création d'un territoire s'appuie la plupart du temps sur des néophytes qui prélèvent les idées générales des décideurs émettant des injonctions en les adaptant à leur réalité. En conséquence, l'injonction n'a pas seulement un caractère directif, elle offre également à l'émetteur un retour du récepteur

---

12 Hervé Pujol, "La christianisation de la Nouvelle-Espagne ou le rêve d'une église indienne : les agents de l'évangélisation", *Cahiers d'études du religieux*, Recherches interdisciplinaires, 10 | 2012, p. 6.

permettant de juger ou non de la pertinence du message et des moyens mis en œuvre pour atteindre le but fixé. Cette boucle de transmission d'information démontre donc l'intérêt de l'injonction en matière d'amélioration continue.

De l'époque de la Conquista à la nôtre, le monde a changé. Selon Hannah Arendt, la nature phénoménologique du monde fait que les hommes qui l'habitent ont pour caractéristique commune d'apparaître, c'est-à-dire d'exister[13]. Mais leur esprit n'est pas enfermé dans ce monde de l'apparence car il faut qu'ils se re(-)présentent dans ce même monde pour être vivant.

L'identification des deux dimensions phénoménologiques (monde de l'apparence et vie de l'esprit) expliquent concrètement la question de la punition abordée par Michel Foucault. Si Damiens expie son parricide par le supplice sur la place publique, à partir du XIXe siècle le châtiment change d'objectif.

Tout d'abord, *"le condamné n'a plus à être vu. [...] Le dernier vestige des grands supplices en est l'annulation : une draperie pour cacher le corps"*[14]. La réponse des théoriciens du droit qui s'ensuit ouvre vers 1760 une période non close encore aujourd'hui indiquant un déplacement de *"la pénalité sous ses formes les plus sévères* [vers] *l'âme"*[15]. S'ensuit une systématisation des mécanismes de répression de la faute privant l'âme – donc une abstraction – de liberté, bouleversant alors l'économie de la punition.

À ce rapport phénoménologique nouveau s'ajoute la fragmentation du monde depuis *"les coupures technique du XVIIe siècle et politique de la deuxième guerre mondiale"*[16]. Ces phénomènes traduisant la perte du sens de l'histoire conduisirent à réinterroger l'élément au cœur de la problématique phénoménologique, à savoir la vie. Le changement de paradigme du *pater potestas* disposant du droit de mort à la pensée moderne du

---

13   Hannah Arendt, *The Life of the Mind/Thinking,* Harcourt, Inc., 1978, pp. 19-21.

14   Michel Foucault, *Surveiller et punir*, Tel Gallimard, 1975, p. 21.

15   Ibid., p. 24.

16   Anne Marchais-Roubelat, "Décision, action et modernité : durabilité ou ruptures ?" in Société de philosophie des sciences de gestion, *Penser le management et les sciences de gestion avec Hannah Arendt*, L'Harmattan, 2014, pp. 77-94.

pouvoir sur la vie[17] est une explication possible du changement de regard porté sur le risque.

APPORTS DE L'INJONCTION DE SÉCURITÉ AUX INDUSTRIES À RISQUE CONTEMPORAINES

L'évangélisation de la Nouvelle Espagne nous a permis de saisir le fonctionnement de l'injonction dans un territoire. Nous allons à présent tirer les enseignements de ce cas historique dans le cadre de l'injonction de sécurité dans les industries à risque.

Pour cela, nous garderons en tête une spécificité de la sécurité moderne : son inscription dans une société valorisant la vie, capable de développer une économie sur une abstraction. Ainsi, nous rendrons compte des enjeux des industries à risque et du rôle que l'injonction de sécurité pourrait y jouer avant d'en expliquer les limites. Enfin, nous nous interrogerons sur le potentiel de liberté que l'injonction de sécurité pourrait offrir et sur les retombées possibles pour les entreprises à risque.

Spécificités de la sécurité et de son injonction

Comme l'a démontré Ulrich Beck avec son concept de société du risque, *"les risques sociaux, politiques, écologiques et individuels,* [tendent à se soustraire à la seule autorité des] *instances de contrôle et de sécurité de la société industrielle"*[18]. Ainsi, la maîtrise des risques est désormais débattue au sein de nos sociétés occidentales, ce qu'illustre le débat sur la Transition Energétique en France (2013-2014).

Cette intrusion de la sphère publique dans le fonctionnement de l'entreprise oblige les organisations à "montrer patte blanche" en justifiant des moyens de prévention et de contrôle mis en œuvre voire en transformant les services internes d'inspection et d'audit en structures elles-mêmes auditables. Au-delà de situations inédites que cet empiètement du social crée au sein des organisations, ces transformations contribuent à la création d'un monde nouveau dont les entreprises doivent se saisir pour

---

[17] Michel Foucault, *La Volonté de savoir*, Tel Gallimard, 1976, p. 179.

[18] Ulrich Beck, "D'une théorie critique de la société vers la théorie d'une autocritique sociale", *Déviance et Société*, vol. 18, n° 3, 1994, p. 333.

perpétrer leur existence. Par exemple, elles peuvent être force de proposition auprès des instances politiques statuant sur un arrêté impactant le fonctionnement de l'activité[19] ou auprès d'instances de contrôle telles que les DREAL (directions régionales de l'environnement, de l'aménagement et du logement) dans le travail de publication de guides d'exploitation.

Les entreprises dont les enjeux d'exploitation peuvent conduire à des accidents aux conséquences graves tentent d'obtenir un consensus social ou du moins une tolérance vis-à-vis de leur activité, notamment en se fixant des objectifs de transparence. En effet, puisque le risque est une question sociale, la sécurité est donc l'affaire de tous ce qui donne à tout un chacun le droit d'interroger un industriel sur ses pratiques. Toutefois, la transparence n'a pas pour seule vocation de communiquer un message de maîtrise rassurant aux acteurs externes pour continuer à produire. Les premiers à convaincre demeurent les salariés qui seraient les premiers impactés en cas d'accident. C'est pourquoi, l'ensemble de la ligne hiérarchique doit peser pour une bonne culture de sécurité, ce que montre bien les lignes directrices de l'Institut pour une Culture de Sécurité soutenue par des entreprises comme Total, GDF Suez ou encore la SNCF.

Face à ces enjeux, il semble nécessaire que les organisations développent des dispositifs de direction de l'action permettant à la fois d'obtenir un résultat conforme non seulement aux attentes industrielles mais aussi à celles des parties prenantes sans pour autant écraser leurs membres puisque leur participation active dans la prévention et la protection face au risque est un élément indispensable à la non réalisation d'événement (ultime barrière face au risque). À ce titre, l'histoire de l'évangélisation de la Nouvelle Espagne nous a éclairés sur le fonctionnement du processus de l'injonction par le passage d'une foi imposée à une foi partagée dont le résultat même n'aurait pas pu être imaginé par les rois d'Espagne et la Papauté.

La sécurité est une condition à l'existence d'organisations dont les risques sont inhérents à l'activité. Cependant, elle ne peut pas constituer à elle-seule leur raison d'être sous peine d'annihiler l'existence de telles organisations. La sécurité permet

---

19   Arrêté INB donc pour les Installations Nucléaires de Base promulgué en 2013.

d'assurer une production dans un ordre résolument capitaliste, dont la capacité première est d'absorber sa propre critique[20].

Par ailleurs, d'autres éléments parfois extérieurs aux organisations sont à prendre en compte comme la sphère financière ou le dialogue social. Dans ce contexte de tétranormalisation[21] (développement de normes au niveau de la qualité, des relations sociales, de l'environnement et de la finance – certains domaines se recoupant avec la sécurité comme la qualité avec le principe de défense en profondeur), les dirigeants d'une entreprise voient s'offrir à eux un panorama morcelé en subdivisions dont le centre est traditionnellement le cœur de métier. Pour gérer les différents sujets qui ponctuent le quotidien d'une entreprise, les décideurs posent un regard sur ces subdivisions, établissent des priorités et y font appliquer un pouvoir.

Dans une organisation faisant face aux risques, la sécurité devient ainsi un territoire qu'il convient de surveiller de près. Afin de garder ce territoire sous tutelle et de le faire évoluer dans le sens établi par ceux qui dominent (le faire "progresser"), il faut sans cesse le conquérir par la planification (masculin) voire par le *care* qui est un concept de soin (féminin)[22], non seulement pour préserver mais également pour mettre à profit les qualités de ceux qui font partie de ce territoire envers l'objectif de prévention des accidents graves.

Limites de l'injonction de sécurité

Les injonctions tendent à se croiser et à se nourrir les unes des autres ce qui permet au décideur de choisir d'incorporer à son organisation une injonction de sécurité qui soit compatible avec les autres injonctions auxquelles il est soumis.

Typiquement, des solutions de recyclage de substances chimiques par circuit en lien avec le processus de production d'une usine permettent de concilier des objectifs écologiques tels

---

[20] Luc Boltanski et Eve Chiapello, *Le Nouvel esprit du capitalisme*, 1999, p. 69.

[21] Henri Savall, Véronique Zardet, Marc Bonnet, "La crise : produit de la Tétranormalisation ? Comment intégrer en management des normes multiples et contradictoires ?", *Cahier de recherche ISEOR*, 2009, p. 17.

[22] Joan Tronto, *Un monde vulnérable : pour une politique du care*, La Découverte, 2009, pp. 147-149

que la minimisation de l'empreinte environnementale et des objectifs de productivité tels que la baisse des coûts de production.

L'injonction de sécurité se caractérise par une structure en couches au message polymorphe. Cela a pour conséquence de créer des effets non maîtrisables suggérant *in fine* l'impossible contrôle de l'injonction mais son possible gouvernement. En outre, la structure en couches de l'injonction induit des messages imprévus voire cachés qui peuvent *"s'avérer plus important que ce qui est directement exprimé, puisqu*[' ils échappent] *au contrôle de la conscience, ne ser*[ont] *pas approfondi*[s]*, ne ser*[ont] *pas rejeté*[s] *[…], mais peu*[vent] *potentiellement sombrer dans l'esprit du* [destinataire]"[23]. L'injonction de sécurité qui s'intègre dans l'esprit du récepteur entraîne des conséquences imprévisibles parce qu'elle s'ancre et dialogue avec l'intime et cela à grande échelle.

Cette énonciation de la sécurité dans notre monde moderne par l'injonction produit aussi un phénomène de dépossession de l'objet (la sécurité) par ce qui le représente (l'injonction de sécurité). L'injonction de sécurité est alors une parole mythique de la sécurité au sens de Roland Barthes c'est-à-dire qu'elle constitue un système sémiologique second qui porte sur la sécurité. Ceci signifie que ce qui s'investit dans le concept de sécurité *"est moins le réel qu'une certaine connaissance du réel […]. Le savoir contenu dans le concept mythique est un savoir confus, formé d'associations molles, illimitées. Il faut bien insister sur ce caractère ouvert du concept ; ce n'est nullement une essence abstraite, purifiée ; c'est une condensation informe, instable, nébuleuse, dont l'unité, la cohérence tiennent surtout à la fonction. En ce sens, on peut dire que le caractère fondamental du concept mythique, c'est d'être approprié"*[24]. L'image réelle de la sécurité s'efface au profit du mythe malléable de l'injonction de sécurité dans notre conception même de la sécurité.

L'injonction de sécurité participe à la matérialisation de l'idée de sécurité dans notre monde moderne comme une carte

---

[23]   Theodor W. Adorno, "Television and the Patterns of Mass Culture" *in* Bernard Rosenberg et David Manning White, *Mass Culture : The Popular Arts in America*, The Free Press, Collier-Mac-Millan Limited, 1957, pp. 478-479.

[24]   Roland Barthes, *Mythologies,* Editions du Seuil, 1957, p. 192.

dessinerait un territoire. Mais la carte n'est pas le territoire[25] !
Les règles d'exploitation ne seront jamais assez complètes pour
être synonyme de sécurité absolue. Elles offrent néanmoins une
représentation de ce qu'est une usine sûre, en fonctionnement
normal comme en fonctionnement dégradé largement suffisante
pour les situations réelles et plus encore. En concrétisant
l'abstraction que constitue la sécurité, on apprend à renoncer à
conquérir l'absolu pour lui-même parce qu'on l'adapte justement
à notre réalité. S'il est impossible et inutile de travailler sur un
absolu, il reste concevable de travailler sur la représentation du
territoire de la sécurité dans laquelle nous évoluons en tant
qu'être (confère Hannah Arendt). Qu'est-ce que cette perspective
pourrait offrir aux organisations à risque ?

Intérêt de l'injonction de sécurité pour les entreprises à risque

    En dépit de tout mouvement de masse, l'injonction de
sécurité dans notre monde moderne vit à travers l'individualité.
Bien que s'adressant à une masse, l'injonction présuppose une
réception individuelle et intime, vectrice de changements à petite
mais surtout à grande échelle qui feraient écho à l'appel au devoir
de sécurité dogmatique. Or, s'intéresser à l'individu dans sa
subjectivité, dans son esprit et son corps, pose la question de la
liberté. Nous mettrons ici l'injonction de sécurité en tension avec
deux conceptions de la liberté qui sont la "liberté de" de Charles
Taylor et la "liberté pour" d'Erich Fromm.
    La conception de la liberté de Charles Taylor s'apparente à
un idéal démocratique dans le sens où domine la liberté de choix
individuel. L'individualisme élargirait les modes de vie possibles
et permettrait à l'individu de *"maîtriser son destin"*[26]. En conséquence, les institutions doivent garantir cette liberté de choix[27].

---

25 Alfred Korzybski, *Une carte n'est pas le territoire, Prolégomènes aux
systèmes non-aristotéliciens et à la sémantique générale*, éditions de l'Éclat,
2007.
26 Charles Taylor, *Le Malaise de la* modernité, Paris, Edition du Cerf, 2005,
p. 10.
27 Charles Taylor, "The Meaning of Secularism", *The Hedgehog* Review/
Fall, 2010, p. 23.

Le rapprochement de volontés issues de la société et d'intérêts organisationnels conduisant à une déclinaison opérationnelle de la sécurité offre un environnement ouvert et une liberté de choix aux individus qui en sont à l'origine, la conquête de la sécurité ne pouvant être conduite par un seul homme. Investir les individus du pouvoir d'être acteur de leur sécurité par l'injonction fédère les subjectivités et augmente ainsi le pouvoir d'exécution du décideur mais aussi des autres acteurs envers le territoire de la sécurité intra-entreprise. *"Cependant, pour être maîtres de leur destin, les sujets devraient avoir constitué leurs convictions de manière autonome. Or, ils vivent dans une profonde et complexe hétéronomie. Reste à savoir si la possibilité et la capacité d'agir selon ses convictions ainsi que la maîtrise de son destin, évoquées par Taylor, ne correspondent qu'aux différentes manières de s'adapter à cette hétéronomie"*[28]. La liberté de choix est une liberté indiquant qu'un interdit a été levé. Elle n'indique pas un projet mais seulement qu'il n'est plus défendu de penser ou de faire quelque chose. Les individus ainsi libérés se retrouvent seuls.

"La liberté pour [d'Erich Fromm], *en revanche, indique la possibilité de dépasser la liberté négative pour construire consciemment un lien social avec les autres, de dépasser son isolement, son impuissance et ses angoisses"*[29]. En un mot, la liberté positive doit être *"une activité spontanée de la personnalité totale, intégrée"*[30] pour que l'homme puisse faire face à une situation à risque au moyen de son esprit critique. Le potentiel libérateur de l'injonction réside donc dans la capacité de l'individu soumis à l'injonction à savoir ne pas en être serf mais plutôt à se saisir avec pertinence de l'esprit du message véhiculé dans un contexte.

Moins d'un an après la mort de Masao Yoshida, ex-directeur de la centrale de Tepco au moment du tsunami de Mars 2011 au Japon, rappelons que *"ce dernier était considéré comme une*

---

[28]   Jan Spurk, *Malaise dans la société : soumission et résistance*, coll. Situations & critiques, Parangon, 2010, p. 88

[29]   Jan Spurk, *Malaise dans la société : soumission et résistance*, coll. Situations & critiques, Parangon, 2010, p. 86.

[30]   Erich Fromm, *La Peur de la liberté*, coll. situations & critiques, Parangon, 2010, p. 243.

sorte de héro du fait qu'il avait continué d'injecter de l'eau de mer dans le réacteur n° 1 de Fukushima.

Yoshida avait ignoré le fait que l'eau de mer entraînerait la mise hors service du premier réacteur et balayé les instructions d'arrêt d'injection d'eau de mer d'un officiel expérimenté du siège de Tokyo Electric Power Co. basé au bureau du Premier Ministre au moment de l'accident"[31]. En effet, préalablement à sa décision, le rapport de l'équipe technique de 5 h 14 du matin du 13 mars 2011 précisait que les premiers dégâts liés à la réaction en chaîne apparaîtraient autour de 7 h 30 et qu'une fusion du cœur débuterait vers 9 h 30. Très vite les équipes durent abandonner l'idée de recourir au circuit de refroidissement d'urgence du fait de l'approvisionnement insuffisant en électricité du site suite aux événements naturels.

Or, à 5 h 42 du matin, un 2e rapport de l'équipe technique faisait état du fait que l'eau des citernes dédiées au risque incendie avait été pompée pour arrêter la réaction. Pensant manquer de ressources en eau douce, Masao Yoshida a donc contrevenu à l'interdiction du Cabinet du Premier ministre concernant le premier réacteur en refroidissant le cœur avec de l'eau de mer, affectant l'eau douce qui lui restait au refroidissement du 3e réacteur que d'autres directives exigeaient également de sauver[32], le tout au nom de la sécurité et de la préservation de l'appareil industriel. *A priori*, Masao Yoshida n'était pas un rebelle mais plutôt un homme ayant parfaitement intégré les injonctions de sécurité liées au pilotage d'une installation nucléaire qui, dans ce cas-là, exigeaient de lui de ne pas respecter certaines directives de sa hiérarchie pour éviter le pire.

L'injonction de sécurité comme dispositif hétéronome peut être faillible si elle conduit à une simple harmonisation des comportements. Son intérêt pourrait être renouvelé dans le cas où elle s'adresserait à un destinataire assez libre et compétent pour en analyser la pertinence en fonction de la situation dans laquelle il se trouve, ce qui ferait de l'injonction un outil de gouvernement dépassant le stade de la manipulation. L'adaptabilité demandée au destinataire au stade le plus avancé de l'injonction de sécurité

---

31   Masao Yoshida, The YoshidaTestimony, The Fukushima accident as told by plant manager Masao Yoshida, *Asahi journal*, corrected version Nov 12th 2014, Chapter 2 Fresh water or seawater ?

32   Ibid.

est la définition même de l'intelligence humaine, ressource au centre d'une stratégie de management de la sécurité efficace lorsqu'il s'agit de faire face à un système caractérisé par des interactions complexes[33]. Cette flexibilité explique que le mécanisme d'injonction de sécurité ait pu traverser les époques sans grand changement jusqu'à nos jours.

CONCLUSION

Le rapport des organisations à la sécurité est régi par le mécanisme d'injonction de sécurité. Au travers du cas de l'évangélisation de la Nouvelle Espagne, nous avons défini le processus d'injonction. Cependant, le rôle prépondérant du récepteur de l'injonction nous a également amené à nuancer le fait que l'injonction puisse être analysée comme un processus Top-Down du fait de l'émergence de syncrétismes par son emploi.

Pour autant, la sécurité n'est pas un enjeu comme les autres. Elle est étroitement liée à notre perception de la vie moderne. En ce sens, l'injonction est un projet de représentation de la sécurité dans le réel qui soulève aussi la question de la liberté individuelle dans un contexte fortement règlementé. À l'heure actuelle, il nous semble possible de voir en l'injonction un concept certes imparfait mais assez souple pour être investi par l'être humain au travail donc par ce qui fait la sécurité d'une organisation.

BIBLIOGRAPHIE

Adorno (Theodor W.), "How to Look at Television", *The Quarterly of Film Radio and Television*, vol. 8, n° 3 /Spring, 1954, pp. 474-488.

Agamben (Giorgio), *Qu'est-ce qu'un dispositif ?*, Rivage poche/Petite Bibliothèque, Éditions Payot & Rivages pour la traduction française, 2007.

Arendt (Hannah), *The Life of the Mind / Thinking*, Harcourt, 1978.

Barthes (Roland), *Mythologies*, Éditions du Seuil, 1957.

---

[33] Charles Perrow, *Normal Accidents : Living with high-risk technologies*, 1999, p. 90.

Beck (Ulrich), "D'une théorie critique de la société vers la théorie d'une autocritique sociale", *Déviance et Société*, vol. 18, n° 3, 1994, pp. 333-344.

Becker (Howard S.), *Outsiders*, Éditions Métailié, Coll. Leçons de choses, 1985.

Boltanski (Luc), Chiapello (Ève), *Le Nouvel esprit du capitalisme*, Gallimard, Essais, 1999.

Coutau-Bégarie (Hervé), "La recherche stratégique en France", *Annuaire français des relations internationales*, 1, 2000, pp. 787-804.
URL :http ://www.diplomatie.gouv.fr/fr/IMG/pdf/FD001199.pdf

Foucault (Michel), *Dits et Écrits 1954-1988,* vol. IV, Gallimard, 1982.

Foucault (Michel), *La Volonté de savoir*, Tel Gallimard, 1976.

Foucault (Michel), *Surveiller et punir*, Tel Gallimard, 1975.

Fromm (Erich), *La Peur de la liberté*, coll. Situations & critiques, Parangon, 2010.

Gibson (Charles), *Los Aztecas bajo el dominio español*, México, Siglo XXI, 1967.

Hamraoui (Eric), "Travail vivant, subjectivité et coopération : aspects philosophiques et institutionnels", *Nouvelle revue de psychosociologie*, 2013/1, n° 15, pp. 59-76.

Korzybski (Alfred), *Une carte n'est pas le territoire, Prolégomènes aux systèmes non-aristotéliciens et à la sémantique générale*, éditions de l'Éclat, 2007.

Lafaye (Jacques), *Quetzalcóatl et Guadalupe : La formation de la conscience nationale au Mexique*, Paris, Gallimard, 1974.

De Las Casas, (Bartolomé), *Histoire des Indes*, tome III, Paris, Seuil, 2002.

Marchais-Roubelat (Anne), "Décision, action et modernité : durabilité ou ruptures ?" in Société de philosophie des sciences de gestion, *Penser le management et les sciences de gestion avec Hannah Arendt*, L'Harmattan, 2014, pp. 77-94.

Perrin (Alix), *L'Injonction en droit public français*, Éditions Panthéon-Assas, 2009.

Perrow (Charles), *Normal Accidents : Living with high-risk technologies*, Broché, 1999.

Pujol (Hervé), "La christianisation de la Nouvelle-Espagne ou le rêve d'une église indienne : les agents de l'évangélisation", *Cahiers d'études du religieux*, Recherches interdisciplinaires, 10 | 2012, pp. 2-19.

Savall (Henri), Zardet (Véronique), Bonnet (Marc), "La crise : produit de la Tétranormalisation ? Comment intégrer en management des normes multiples et contradictoires ?" *Cahier de recherche ISEOR*, 2009, pp. 17-21.

Spurk (Jan), *Malaise dans la société : soumission et résistance*, coll. Situations & critiques, Parangon, 2010.

Suarez (Hugo José), "Peregrinación barrial de la Virgen de San Juan de los Lagos en Guanajuato", *Archives de sciences sociales des religions*, 142 | 2008, 87-111.

Taylor (Charles), "The Meaning of Secularism", *The Hedgehog Review*, vol. 12, n° 3, 2010, pp. 23-34.

Taylor (Charles), *Le Malaise de la modernité*, Paris, Editions du Cerf, 2005.

Tronto (Joan), *Un monde vulnérable : pour une politique du care*, La Découverte, 2009.

Yoshida (Masao), *The Yoshida Testimony, The Fukushima nuclear accident as told by plant manager Masao Yoshida*, Asahi journal, corrected version Nov. 12th 2014.

URL : http ://www.asahi.com/special/yoshida_report/en/

Enjeux gestionnaires et politiques des projets territoriaux

Rosaire GOB

Longtemps considéré comme un lieu dépositaire de ressources à valoriser, le territoire s'érige comme un construit (Gosse et Sprimont, 2008) dont les dimensions qualitatives (Pecqueur, 2000) et donc les formes de coopérations entre acteurs s'avèrent déterminantes pour révéler les richesses territoriales (Benko et al., 2000 ; Saives, 2002). Le territoire d'action (Melé, 2008) a ainsi la prétention de mettre en scène des acteurs variés. Par le projet, est opérée une interconnexion des espaces et des acteurs pour répondre aux enjeux de complexification de la démocratie (Rosanvallon, 2008) et aux impératifs de rationalisation de l'action collective.

L'exercice du projet comme traduction d'un futur désiré (Boutinet, 1993), sur la base d'un bien commun territorialisé (Lascoumes, 1998) s'énonce dès lors, comme presque allant de soi. Pour autant, malgré son institutionnalisation depuis les années 1990, la formulation d'un projet territorial et le fonctionnement en mode projet doivent composer avec la multiplicité des acteurs privés et publics (Lardon, 2011), les légitimités potentiellement conflictuelles (Mendez et Mercier, 2006) et donc une articulation bien plus problématique des enjeux politique et gestionnaire de l'action territoriale (Gob, 2012).

Nous proposons donc dans un premier temps, de poser un regard sur les traits fondamentaux de l'activation territoriale avant de nous intéresser au projet comme instrument et support de mobilisation du territoire. Nous illustrerons ensuite nos propos par un cas tiré de l'expérience guadeloupéenne.

LE TERRITOIRE AU CENTRE D'UN ENJEU QUALITATIF DE MOBILISATION DES ACTEURS

L'approche du territoire par le prisme des acteurs fait valoir les limites d'une approche centrée uniquement sur les ressources territoriales jugées passives (Saives, 2002). Cet angle de lecture du territoire promeut in fine, une prise en compte nécessaire de la dimension qualitative des relations spatiales. Cette dernière devient même l'un des leviers expliquant les performances territoriales (Pecqueur, 2000). En effet, outre les déterminants que sont la confiance et l'autonomie des acteurs (Ostrom, 2010), l'action collective territorialisée suppose le partage de proximités constitutives du territoire (Angeon et Bertrand, 2007, Zimmerman et al., 2008)[1].

Les réussites territoriales seraient donc à rechercher dans une combinaison des dimensions économiques et extra-économiques, dans l'interface des relations nouées entre les acteurs, dans un processus contingent inscrit socialement et historiquement (Veltz, 1994). Les ressorts de la compétitivité s'appréhendent finalement comme une conjugaison subtile des stratégies par les coûts et la différenciation (Veltz, 2005). C'est ainsi qu'émerge une nouvelle géographie du capitalisme (Bouba Olga, 2006)[2] qui concilie diffraction des espaces géographiques et sollicitation soutenue des acteurs territoriaux.

Ce processus d'interpellation des acteurs conduit à une territorialisation (Vanier, 2009) revenant à inscrire spatialement les actions et politiques conduites. L'appel aux acteurs vient ainsi

---

[1]   Les proximités partagées évoquées par la littérature académique renvoient généralement aux proximité géographique (lieu, espace vécu), proximité institutionnelle (codes, règles valeurs construits et partagés) et proximité organisée (principe de coordination des actions territoriales, organisation du territoire).

[2]   Olivier Bouba-Olga (2006) nous montre que les délocalisations sont expliquées d'après ce qu'il nomme une triple dictature. La dictature financière, dictature par les coûts et celle des compétences. En réalité la géographie du capitalisme se satisfait d'une conjugaison des trois "dictatures".

conforter le postulat d'une décision plus pertinente parce que prise au plus proche du terrain (Berthet et al., 2002 ; Joye, 2002). C'est donc de cette dimension processuelle du territoire que naîtrait l'action collective et donc le territoire mis en mouvement. La territorialisation renvoie alors à la recherche de solutions d'intendance et de mécanismes collectifs de prise de décision. Le projet comme instrument illustre à ce titre le principe de la subsidiarité sous-tendu par la décentralisation (Dubois, 2013) et donc les effets vertueux présumés de l'action en proximité. Par ce fait, il procède d'une lecture politique de l'action territoriale.

Le projet à la rescousse de l'injonction mobilisatrice des acteurs : un enjeu politique et gestionnaire

Le projet comme propulseur de l'action ?

Dans une synthèse de l'évolution du concept de projet, Bréchet et Desreumaux (2001) nous montrent qu'il puise ses fondations dans l'univers architectural et de l'aménagement spatial, à travers le rapprochement des processus de conception et de réalisation. La rationalité technique dont il est empreint (anticiper, planifier, organiser, gérer), se complète d'une connotation positive et d'une assimilation naturelle au progrès.

Traduction d'un sentiment de liberté, le projet exprime la capacité à pouvoir influer voire se créer un avenir, et transformer le présent. C'est l'une des matrices idéologiques de l'usage du projet comme instrument. L'agencement des capacités de projection dans le futur et d'action immédiate, du collectif et de l'individuel, du prescrit et du réel, fait de l'élaboration du projet, un processus singulier. Il suppose une négociation en continu et une articulation des logiques de compromis, de conflit et de tension (Boutinet, 1993). Chaque initiative doit se lire alors au regard du socle commun de règles à partager, voire à créer (Reynaud, 1997).

On ne peut cependant poser le projet comme un substrat technique qui conforte la dépolitisation *a priori* du territoire objectivé. En effet, cette recherche d'objectivation du territoire tend à éluder la dimension sociale de toute (re)construction du réel (P. Berger et T. Luckmann, 1996). Le projet est dès lors un outil ambivalent, mélange d'une tentation de rationalisme, et de caractères plus diffus (Bailly et al., 1995).

Du point de vue gestionnaire, le projet participe de la formulation stratégique structurée autour d'un projet induit (direction générale / logique d'exploitation) et de projets autonomes ou
déviants (unités de l'organisation / logique d'exploration)[3].
Cependant, il faut reconnaître que le territoire est d'abord le lieu
de la co-construction de normes (Sassen, 2009) hors cadre hiérarchique. Le projet territorial s'inscrirait ainsi davantage dans le
registre des projets existentiels qui articulent action et recherche
de sens contrairement aux projets techniques (Bréchet et
Desreumaux, 2001).

En promouvant une dimension collective, faisant de la
coopération et du décloisonnement ses principes moteurs
(Courpasson, 2000), le projet prétend devenir un propulseur de
l'action à travers la formulation d'un territoire qui reste toujours à
inventer. Il devient alors un moyen de fonder de nouvelles
légitimités et de co-construire le territoire.

Le projet au carrefour d'enjeux politiques et gestionnaires

L'invitation des acteurs sur la scène territoriale parachève
alors une modification structurelle du rôle de l'acteur politique
dans ses relations avec les citoyens. Elle corrobore finalement la
survenance d'une démocratie de services (Pongy, 1997). En effet,
l'élu manager (Chauchefoin et al., 2001) placé dans une obligation de résultats, se doit de démontrer sa capacité d'action. Il
trouve, dans le projet, une valorisation de l'acte d'agir. Toutefois,
cette action se fait désormais sous la vigilance d'un peuple tantôt
juge, tantôt co-acteur dans l'action, ce qui complexifie d'autant le
jeu démocratique (Rosanvallon 2006).

Le projet devient ainsi une tentative de réponse à l'hétérogénéité des acteurs, aux limites de l'expression des conventions,
pour rechercher leur mobilisation sur le territoire (Mendez et
Mercier, 2006). Il constitue donc une modalité d'articulation des
acteurs et des espaces faisant ainsi des capacités organisationnelles tant des espaces que des acteurs, un enjeu majeur du projet
de territoire (Lardon, 2011). Il est par ce fait, l'un des instruments

---

3   Xavier Deroy (2008) indique que les logiques d'exploitation ont tendance à être privilégiées par rapport à celles de l'exploration du fait de la standar-
disation des processus d'innovation induite par l'instrumentation gestionnaire
("idéologie du contrôle").

emblématiques de la managérialisation de l'action publique (Chevallier, 1993 ; Lascoumes, 2004) renforcée depuis les années 1990.

Le projet n'est donc pas une solution évidente en réponse à la multiplicité des acteurs en vue, à l'espace délimité ou aux distorsions des représentations mobilisées dans l'action collective. De ce point de vue, le recours à l'outil ne peut faire l'économie de la vérification du partage des proximités institutionnelle et organisée qui permettent de confronter le territoire du projet aux espaces de coopération pratiquées au quotidien. Ce défaut éventuel de partage peut limiter significativement la portée des projets (Angeon et Bertrand, 2007).

Ainsi, derrière le projet utilisé comme instrument de coordination de l'action collective territorialisée, émergent des préoccupations notamment de renouvellement du contrat social (territorial)[4] qui dépassent la seule vision performative. En définitive, la vision techniciste de l'action territoriale contrarie les fondements culturels et historiques hérités d'une construction lente qui façonne l'identité des territoires (Veltz, 2005).

LE PROJET TERRITORIAL : UNE MODÉLISATION DU TERRITOIRE SOUS CONDITIONS

Dans son application territoriale, le projet est l'expression d'une ambition collective partagée et supportée par une vision stratégique (Chappoz, 1999). Le projet territorial vise donc à conjuguer une ambition à long terme du territoire, des orientations stratégiques de développement à moyen et long terme, du point de vue économique, social, culturel et de l'espace (Arab, 2007). En ce sens, il se distingue des processus, avec un début et une fin, constatés par Middler (2004), pour les projets techniques. Dès lors, l'ingénierie territoriale à laquelle il est fait appel pour élaborer le projet de territoire, participe d'un processus itératif constitutif des liens interdépendants de co-construction entre projet /

---

4   Nous préférerons l'usage du terme de contrat territorial au contrat social qui dans la perspective rousseauiste s'inscrit dans une vision du citoyen porteur de droits individuels. Notre lecture se veut plus collective.

territoire et acteurs (Lardon, 2011)[5]. Elle suppose par ailleurs, des capacités d'analyse et de priorisation des objectifs pour tenir compte de la complexité des problématiques à traiter et le nécessaire rapprochement des acteurs (Berthet, 2005). Ce rapprochement, loin d'être une évidence, renvoie à la constitution de réseaux territorialisés.

Le projet comme support de la managérialisation du territoire-réseau ?

Le projet vient outiller un territoire-réseau constitué autour de l'ancrage géographique et des interconnexions entre acteurs internes et externes. En d'autres termes, il est en perpétuelle reconstruction et est porté par les collectifs engagés dans l'action. Le réseau territorial s'échafaude sur un échange de ressources et une promesse de développement (Bories-Azeau et al., 2008). Le fonctionnement réticulaire suppose un engagement sur un temps plus ou moins long, et ne peut donc dépendre de l'action d'un acteur isolé.

C'est donc, comme nous le suggère Saives (2002), la capacité collective à transformer des ressources en aptitudes, c'est-à-dire par la capacité à constituer des actifs spécifiques (Leloup et al., 2005) difficilement reproductibles, que le réseau permet de donner au territoire son caractère distinctif. Cependant, la sociologie des sciences et le modèle de la traduction proposé par Michel Callon et Bruno Latour (1991)[6], nous montrent bien que le réseau tient également de la capacité à énoncer un objectif initial, à trouver les relais pertinents de nature à contrôler le collectif, à forger une représentation partagée par le plus grand nombre, dans le but à la fois de consolider le réseau naissant et de l'enrichir de nouveaux apports par le mécanisme de la traduction. C'est de la dynamique créée, de la capacité à trouver des porte-voix et à consolider en permanence le réseau que dépend sa pérennité. C'est donc sur la base de ces préalables que nous

---

5   Sylvie Lardon (2011) dénombre cinq acteurs dans l'élaboration d'un projet territorial, le passeur de frontière, le dialogueur public-privé, le créateur de réseaux, les transformateurs d'espaces et le connecteur de territoires.

6   Michel Callon, Bruno Latour (dir.), *La Science telle qu'elle se fait*, Paris, La Découverte, 1991.

proposons de regarder le cas empirique que constitue l'élaboration du projet guadeloupéen de société.

CAS EMPIRIQUE ET APPROCHE MÉTHODOLOGIQUE

Notre illustration empirique s'appuie sur le projet guadeloupéen de société (PGS) porté par les deux collectivités territoriales que sont les conseil général et régional.

Le processus de son élaboration est lancé à la suite du mouvement social de janvier 2009[7] qui a projeté la Guadeloupe à la face du monde. Ce fut un moment de libération de la parole autour d'une économie ankylosée, d'une histoire coloniale et des règles du vivre ensemble non digérées (Dumont, 2010). À ce titre, il porte à son paroxysme la question du pacte territorial et des marges de manœuvre des acteurs territoriaux.

Nous procédons à un éclairage sur la base d'une démarche à dominante qualitative (Miles et Huberman, 1991) fondée sur 37 entretiens semi-directifs auprès d'acteurs du territoire (acteurs économiques, politiques, syndicaux, services de l'État, organismes intermédiaires)[8]. Ces entretiens sont complétés par quatre observations non participantes lors de réunions publiques organisées dans le cadre de l'élaboration du PGS. Pour l'exploitation et le traitement des données, nous recourons au cadre d'analyse de la sociologie de la traduction (Latour, 2005).

---

[7]   Voir notamment Jean-Claude William, Fred Réno, Fabienne Alvarez, *Mobilisations sociales aux Antilles. Les événements de 2009 dans tous leurs sens*, Éditions Karthala, 2012.

[8]   Typologie établie d'après la littérature (Saives, 2002, Capiez, 2004, Jacot et al., 2005, Lardon, 2011).

Le projet guadeloupéen de société : de la difficulté d'émergence d'un projet de territoire

Processus d'élaboration du PGS : entre proximité et décentrement

Les collectivités territoriales proposent en 2009, avec l'aval du congrès[9], un projet de société comme construction préalable à une architecture institutionnelle du fonctionnement politique du territoire.

Extrait de documents

> *Le Projet Guadeloupéen de Société (PGS) est une démarche de concertation qui se veut un moment de réflexion collective sur l'avenir de la Guadeloupe : il permet de recueillir et d'analyser les contributions de tous les citoyens et acteurs souhaitant livrer leur vision de l'intérêt général et des priorités publiques en Guadeloupe. Une fois finalisé, le PGS a vocation à constituer un outil incontournable d'aide à la décision dans l'élaboration et la mise en œuvre des politiques publiques et de la réforme institutionnelle[10].*

Malgré l'insistance politique[11] (Sainton, 2009 ; Dumont, 2010), il faut reconnaître que l'organisation institutionnelle instituée dans l'ensemble de l'outre-mer français, apparaît de moins en moins monolithique (Etien, 2011). Si la nation est une et indivisible, elle reconnaît un espace territorial différencié adapté aux réalités et aspirations de chaque territoire ultramarin. Le PGS résulte d'un débat public prenant la forme de réunions délocalisées. L'organisation de cette consultation s'appuie en grande partie sur le réseau associatif. Ces réunions délocalisées sont lancées en 2012 dans l'ensemble de l'archipel guadeloupéen. À ce jour, cette démarche n'a toujours pas abouti.

---

9   Le congrès des élus départementaux et régionaux a été institué par la loi d'orientation pour l'outre-mer (Loom) du 28 mars 2000.

10   http ://projetguadeloupeen.com/index.php/la-demarche

11   Lors d'une consultation référendaire en 2003, les guadeloupéens ont pourtant rejeté à plus de 72 % l'option d'une modification de leurs institutions.

Dans le choix de la méthode, il convient de relever que dans leur mise en retrait, les collectivités territoriales ont confié aux personnalités de la société civile, l'animation et la coordination des réunions publiques. Ces personnalités deviennent des *"courroies de transmission"*, des porte-parole du peuple. Il leur appartient non seulement de traduire des orientations afin de favoriser l'enrôlement de la population, et donc le prolongement de la chaine de traduction, mais également d'aller relever une forme de vérité que détiendrait le terrain et à travers lui, la population, sur ce que devrait être le projet ou du moins ces points d'appui.

Le peuple-juge, le peuple-acteur sont mis en avant, comme l'avait fait l'État autrement, dans le cadre des états généraux[12]. Dans les deux cas, la stratégie est commune, la population est prise à témoin. La société civile se voit confier le rôle de traducteur du projet guadeloupéen de société. Un comité de suivi est instauré comme instance de régulation au sein duquel se retrouvent les acteurs politiques, même si l'autonomie de la société civile est édictée comme un principe de gouvernance du dispositif d'élaboration du PGS.

Les collectivités territoriales se réunissent ensuite en congrès périodiquement pour valider les avancées du PGS. Le nombre d'acteurs, les lieux mobilisés et les modalités de recherche de sources de légitimité du discours et de la production du projet s'enrichissent de ce point de vue. Ce qui présente ici un intérêt, c'est de noter l'absence de la parole politique, qui se décentre et cherche à se ressourcer dans une parole de proximité, pensant trouver à travers elle, les ingrédients du projet sur lequel le politique reprendra la main. Cette approche peut aussi, compte tenu de la difficulté à répondre à des demandes éparses, renforcer le divorce entre la classe politique et la population et fortifier l'idée d'absence de vision du territoire de la part des acteurs politiques[13].

---

12 Les états généraux sont organisés en 2009 par le gouvernement Fillon dans l'ensemble de l'outre-mer autour de thématiques plus sectorielles.

13 Selon un sondage réalisé en 2011 par Ipsos Antilles, les guadeloupéens font confiance d'abord à eux-mêmes et à leur famille pour améliorer leur sort (42 %) puis au gouvernement à 12 %.

Réunions publiques comme tentative d'enrôlement

Les organisateurs ont initialement opté pour le choix de cinq thèmes de discussion[14] dits transversaux : Fraternité. La société guadeloupéenne est-elle fraternelle ?, Économie et société, Éducation, transmission, Citoyenneté, Identité culturelle et identité politique. Avant le démarrage de chaque séance, l'animateur restitue la question posée et rappelle le cadre dans lequel se situe l'échange proposé. À ce titre, il nous est permis de relever les éléments qui suivent dans un document intitulé *Vivre ensemble*, thème fédérateur des réunions thématiques.

> Extrait de documents réunions publiques.
>
> *Notre objectif est de permettre à la société guadeloupéenne de se recentrer ; permettre à la population guadeloupéenne de s'imprégner des questions essentielles qui se posent à la Guadeloupe. (...) Pour atteindre cet objectif, il faut à la fois provoquer l'éveil de la société civile et sa dynamisation, fournir un lieu où les questionnements et les expériences peuvent se réfléchir, aller à la rencontre des initiatives. Cela nécessite de pouvoir s'appuyer sur le réseau associatif, le mobiliser dans le sens d'une recherche de consensus lequel doit alimenter « le bien commun[15].*

De ces objectifs poursuivis sans entrer dans le processus d'élaboration lui-même, force est de constater que les postulats sur lesquels repose l'organisation de ces débats sont impactés par un sentiment négatif[16] ou un a priori à minima peu favorable. Ainsi, la société civile ne serait pas suffisamment visible dans l'espace public et son repérage en terme de structuration se

---

14   En mars 2013, des thèmes de réflexion complémentaires ont été adjoints aux premiers comme par exemple, la violence faite aux femmes ou la jeunesse.

15   Extrait de la note élaborée par les organisateurs et remise le 11 avril 2012 à Pointe-à-Pitre.

16   Il est par exemple indiqué dans le document intitulé *Vivre ensemble* que "*Le contenu des débats doit permettre de mettre à plat certains travers de notre société, de notre fonctionnement* (…)" même si le document fait également état du souci de repérer par ailleurs les "initiatives positives".

conçoit autour du monde associatif (bonne renommée (?), représentative (?), un objet d'intérêt général, telles sont les caractéristiques posées comme critère de repérage dans le document précité). Il y aurait des questions essentielles non saisies par au moins une partie de la population : quelles questions ? Le qualificatif d'essentiel est posé par qui et pour qui ? Enfin, le bien commun est sous-entendu comme un acquis ou le résultat des échanges, sans qu'il soit recherché à le définir et à mesurer l'accord des acteurs sur cette définition.

La question qui demeure c'est celle de savoir pourquoi se mettre ensemble ? À cette question, lors de la phase introductive de la réunion du 25 mai 2012, l'animateur nous ouvre quelques pistes.

> Extrait de discours
>> *Le souci des organisateurs est d'explorer ensemble le vivre ensemble, ce qui nous manque le plus pour avancer dans nos fonctionnements collectifs. C'est d'arriver à <u>être d'accord sur ce qu'on veut être</u>. Le comité de pilotage a décidé d'explorer ce <u>problème</u> à partir de cinq thèmes.*

Ces réunions publiques sont sur ces bases, érigées en une forme de catharsis permettant aux personnes présentes de s'exprimer. Sur les résultats de ces réunions, le comité de pilotage du projet guadeloupéen de société[17] réuni le 30 juin 2012 pour un point d'étape, reconnaît, au terme de 59 réunions organisées et malgré les contributions écrites qui lui sont parvenues, la difficulté rencontrée dans la mobilisation de la population (environ 20 personnes par réunion selon les organisateurs)[18]. La démocratie participative ou l'invitation du peuple-acteur rencontre l'une de ses limites sur des questions aussi complexes, voire entérine l'absence de discernement d'une question rassembleuse.

Il convient également de signifier que l'un des premiers fondements d'une démarche de projet est la capacité à se projeter,

---

17 http ://www.projetguadeloupeen.com/index.php/actualite/31-rapport-detape-de-lelaboration-du-pgs

18 Source : rapport d'étape de l'élaboration du projet guadeloupéen de société au 16 juin 2012, p. 13. Le second rapport fourni ultérieurement confirme ces constats.

à s'inventer un autre avenir, à se libérer en quelque sorte des contingences du moment même si elles peuvent peser dans les choix finaux. Aussi, la préférence collective pour le procès du passé, est pour nous un constat récurrent des échanges, au-delà de la difficulté évidente à s'autoproclamer artisan du projet de société.

Résultats des entretiens semi-directifs : du scepticisme face au PGS

Les acteurs de la société civile font preuve d'un certain scepticisme quant aux initiatives des collectivités territoriales. L'absence d'une ligne stratégique claire et des interrogations portant sur la méthode retenue (consultation préalable et directe de la population) sont l'une des principales faiblesses relevées.

S'agissant des acteurs économiques c'est d'abord le senti-ment du recours au projet comme instrument politique voire comme une instrumentalisation qui peut rebuter.

Plus surprenant, au niveau des acteurs politiques, la démar-che semble ne pas convaincre totalement. En effet, les expé-riences passées auraient montré les limites de l'exercice et la préférence des acteurs prévaudrait pour une action pleinement assumée par la classe politique. Quant aux acteurs syndicaux, ils posent la démarche d'élaboration d'un projet de société comme une instrumentation politique en se référant aux démarches anté-rieures engagées et restées sans suite. Ainsi, le lancement de cette consultation pourrait selon certains, occulter pendant un laps de temps, l'absence de vision et de projet portés par les acteurs politiques.

Nous présentons ci-dessous un extrait de ces différents points de vue.

Codes Acteurs	Regards croisés sur les contributions au projet	Observations
	Extraits de discours	
ACTEC O3	*"J'ai entendu des discussions des politiques sur un projet guadeloupéen, je n'en n'ai pas vu grand-chose sortir pour l'instant (...). Je ne sais pas s'il y a eu quelque chose de concret..."*	vision politique du projet / scepticisme
ACTET AT3	*"Même si nous avons cette <u>conscience collective non actée</u>, chaque groupe est encore très ancré dans son identité culturelle".*	acteur collectif non agissant ? proximité institutionnelle
ACTINS T2	*"Le projet de territoire est un vrai sujet. (...). Je pense qu'<u>on n'est pas prêt</u> parce qu'on n'est pas d'accord. La population est en décalage avec les élus".*	Scepticisme
ACTPOL 6	*"Moi je crois que l'essentiel c'est que les hommes qui se réunissent aient envie de travailler (...). Ce n'est jamais le droit qui fera réussir les gens ou les cadres, ce sont les hommes qui font réussir".*	limite de l'usage de l'instrumentation projective
ACTSY ND2	*"On est simplement en train de jouer le jeu du gouvernement français qui n'a aucun intérêt au développement économique et social de la Guadeloupe".*	instrumentalisation du territoire / projet
ACTSY ND3	*"Ils n'ont pas de projets. Regardez le Japon, Monaco, ils ont déplacé la mer. Ces gens-là n'ont pas d'idées. Ils ont des projets limités (...)".*	statut contesté de l'acteur agissant

Tableau 1 positionnement / projet collectivités territoriales

Il semble qu'au-delà du caractère peu partagé des attendus du PGS, que ce soit le concept de projet de territoire qui pose problème.

Le projet de territoire : un concept mal appréhendé

Un premier groupe d'acteurs qui transcende l'ensemble des catégories répertoriées, semble sceptique vis-à-vis du concept de projet de territoire, voire le conteste. Quels que soient les arguments avancés, la préoccupation première de ces acteurs consiste à rechercher une approche opérationnelle plus que stratégique, pour répondre aux enjeux du moment. Il s'agit d'abord de rechercher des solutions face à des problématiques communes au territoire qui portent sur les réponses à apporter sur l'emploi et l'accès aux services collectifs.

Ensuite, des raisons inhérentes aux acteurs du territoire sont avancées pour expliquer leur position. Il en est ainsi de l'absence de consensus, voire de l'incapacité des acteurs à porter le projet ou du fait de l'impossibilité de maîtriser des leviers techniques et institutionnels domiciliés hors du local. Le caractère individualiste du jeu d'acteurs en présence ou encore les modalités existantes de gestion des projets, constituent selon eux, autant de freins à la mise en place d'un projet de territoire et le rendent donc substantiellement inaccessible.

Enfin, la difficulté des organismes intermédiaires à passer de la gestion administrative au management de projet et plus globalement les déficits de compétences sur ces questions, font douter de la capacité du projet de territoire à constituer une alternative crédible pour favoriser l'action collective.

Sur ce registre de mise en cause du projet, on retrouve un dernier argument qui privilégie la notion de développement économique en lieu et place du projet de territoire, considéré comme un artifice pour le maintien des pratiques de domination par les élites. Les réponses sont ici appréhendées soit de façon politique autour d'une assemblée avec plus de compétences, soit par la mise en place de réponses institutionnelles ou techniques à envisager au cas par cas.

En plus des difficultés à cerner le concept, ou des options économiques ou politiques privilégiées, il s'agit pour les acteurs d'exprimer l'absence de vision commune ou les insuffisances de la proximité institutionnelle qui font douter de la pertinence de cet instrument pour mobiliser en l'état les acteurs.

Vision instrumentale du projet de territoire

Dans une seconde acception, le projet de territoire, sans être véritablement circonscrit, est appréhendé comme le résultat du déploiement d'un ensemble d'outils institutionnels mobilisés principalement dans le cadre des politiques publiques territoriales. Les acteurs de l'État, les acteurs politiques et les acteurs économiques sont les principaux contributeurs de cette approche. Les outils comme le Plan Local d'Urbanisme (PLU) et autres schémas de planification comme par exemple le SRDE (Schéma régional de développement économique), sont avancés comme éléments de nature à incarner le projet de territoire. C'est une vision aménagiste du territoire portée principalement par les acteurs politiques. En revanche, les acteurs économiques tendent à privilégier les instruments financiers.

Les non-humains auraient ainsi la prétention de faire territoire. L'outillage a en ce sens, un pouvoir normatif (renforcé par obligation légale) et présente une dimension synthétique (Berry, 1983) qui faciliterait l'action et l'adhésion des acteurs. Dans cette perspective, l'outillage institutionnel et l'instrumentation gestionnaire valent projet et produisent le territoire. Cette conviction est illusoire dans la mesure où sans véritable projet, l'instrumentation n'est que d'un faible recours. Une autre vision incarne le projet, c'est celle qui fait prévaloir l'initiative individuelle, ce que nous nommons territoire de projets. Nous proposons de l'aborder maintenant.

Une concurrence des projets : fragilité de la chaîne de traduction

Au projet de territoire comme une vision globale et projetée du territoire, les acteurs semblent unanimes à consacrer le territoire de projets, c'est-à-dire l'accompagnement de projets multiples portés par des acteurs le plus souvent individuels, avec la validation tacite, d'un effet vertueux d'entraînement de la somme des projets retenus.

Cet état de fait, acte les logiques émanant d'acteurs stratégiques, et finalement aboutit à une concurrence aux niveaux micro et macro des projets à l'échelle du territoire. C'est dans ce contexte que doit se comprendre les difficultés d'aboutissement du PGS dans le rallongement et la consolidation de la chaîne de traduction.

De la difficulté à rallonger la chaîne de traduction : multiplicité des porte-voix

Au lendemain des événements de 2009, les initiatives autour de la notion de projet se développent. Jeu de positionnement institutionnel des acteurs de la décentralisation (États et collectivités territoriales), ou modes opératoires des organismes intermédiaires ou autres acteurs locaux, ces initiatives privilégient les logiques d'exploration présentées plus haut.

S'agissant de l'État et des collectivités territoriales, dans leur mise en scène de la décentralisation (Caillosse, 2009), ils consacrent par leurs agissements la démocratie participative sous couvert d'une lutte d'influence. Ainsi, chaque guadeloupéen serait un artisan du projet de société (terminologie consacrée par les deux acteurs) et convié à participer en tant que tel, aux discussions relatives à son élaboration. Le projet est donc en lui-même objet de controverses.

Du projet comme objet des controverses

Il est un objet mobilisé dans le cadre d'une transformation sociale selon les acteurs du LKP[19] et symbolisé par l'accord du 04 mars 2009[20] portant sur des mesures sectorielles et sur la question de la vie chère, de la *profitation*[21].

Le projet est pour l'État, un moyen d'occuper une forme de centralité en univers décentralisé. La thématique du développement endogène devient un habillage communicationnel de l'État face aux collectivités. C'est pour l'État un moyen entre autres, de faire passer l'idée de l'organisation territoriale et donc de l'optimisation des moyens.

Pour les collectivités, l'usage du terme de projet de société montre la dimension politique du recours au concept de projet. L'inflation des propositions, a comme point commun de mettre in fine en exergue les questions relatives à l'organisation politique du territoire comme l'une des réponses devant permettre de régler les questions du développement économique.

Au niveau du patronat (du moins pour la part ayant fait valoir l'existence d'une contribution formalisée et construite au

---

19   Lyannaj Kont Pwofitasyon, Traduction proposée : Collectif contre l'exploitation outrancière. Organisateur du mouvement social de 2009, regroupait en son sein, 49 organisations politiques, de la société civile, syndicales…

20   L'accord du 4 mars 2009 mettait un terme au mouvement social de 44 jours.

21   La *profitation* est le terme créole utilisé par les instigateurs du mouvements social de 2009 pour dénoncer l'exploitation outrancière, la vie chère.

projet), le recours volontiers au concept de projet de territoire est une façon de se réconcilier avec la société et de poser de nouvelles bases d'une lecture économique appliquée à une vision patronale de l'espace et de son devenir. Il s'agit également de formuler de nouvelles règles de gouvernance du territoire (ce qu'il désigne par communauté de travail) en positionnant l'entreprise comme acteur et en s'appuyant sur le pragmatisme comme principe d'action économique et politique.

De la sacralisation du peuple-juge

Dans la tentative d'enrôlement de la population, cette dernière se voit attribuer, comme le décline la théorie de la traduction, un rôle de façon à légitimer le discours et les résultats escomptés. Ainsi, il s'agit de signifier une sacralisation du statut du peuple-juge pour reprendre l'expression de Rosanvallon. Le politique s'en remet au peuple pour ériger un nouveau modèle de développement, proposer de nouveaux ingrédients de nature à alimenter le vivre ensemble, justifier un changement suggéré du cadre statutaire ou institutionnel.

Une double concurrence

La concurrence des projets s'exerce sous une double forme. Elle s'illustre d'abord dans le foisonnement de l'acte de production, de mise en avant d'actants non humains (propositions formalisées, discours, outils, schémas et plans divers…) censés contribuer au projet voire l'identifier. Elle se perçoit également par la sur-sollicitation d'une même cible, le peuple à la fois juge et acteur. Cette cible subit donc les effets d'une concurrence des légitimités avec un risque de discontinuité dans les discours qui peut aboutir finalement à des incompréhensions et donc à sa démobilisation.

De façon globale, il est permis d'avancer que l'émulation projective induit une juxtaposition de politiques sectorielles qui ne fonde pas forcément une stratégie territoriale. La difficulté majeure reste dans la capacité à synthétiser l'ensemble de ces initiatives et à contrer par ailleurs, les velléités individuelles de chaque organisateur et ou des catégories dominantes prétendant agir pour le compte du territoire.

Une mise à l'épreuve des légitimités

En plus de ces controverses, trois stratégies peuvent être relevées. Celle du Medef part d'un noyau d'entrepreneurs, produisant un support formel. Il tente ensuite de diffuser son discours en recherchant des alliés notamment auprès de l'opinion publique (interventions médiatiques, interventions dans des colloques, réunions universitaires…). Ensuite, la stratégie aussi bien de L'État que celle des collectivités qui consiste d'abord à tenter d'enrôler la population en institutionnalisant son rôle de peuple-acteur contributif net au projet. Ce projet qui reviendra ensuite aux politiques de porter, avant sa ratification par consultation électorale. C'est une tentative de légitimation ex ante, avant la présentation d'un projet arrêté. Enfin, pour le LKP, l'accord du 4 mars est le projet de territoire parce que conforté par les mobilisations issues des manifestations de rue.

Cette concurrence éclaire sur une confusion entre projet et territoire, deux objets qui ne formeraient plus qu'un. Ainsi, le projet vaudrait territoire. Si le projet peut donner sens à l'action collective, c'est cependant dans la définition de la stratégie et l'assurance que les conditions soient remplies d'un point de vue territorial (conditions notamment liées à la qualité des interactions entre les acteurs, organisations) qu'une activité projective a du sens.

Par ailleurs, projet et projection sont confondus. L'existence d'un projet sans vision prospective du territoire en est le risque majeur. Le poids du passé, les lectures déterministes, et la difficulté à se concevoir un avenir[22], faute d'atouts réellement perceptibles en sont les principales raisons.

L'une des conséquences de cette lecture plurielle et de ces controverses est de renforcer la dimension fictive du projet. Aucune des stratégies d'acteur ne semblent s'imposer. Leur mise en concurrence s'observe dès lors dans les tentatives d'enrôlement du peuple, faute d'un compromis durable consacré par un bien commun défini et partagé.

---

22   Caroline Oudin-Bastide (2005) évoque la difficulté de concilier statut de victime et projet. [Caroline Oudin-Bastide, 2005, p. 10].

CONCLUSION

L'analyse des conditions d'émergence et finalement de la difficulté à constituer un réseau territorial porteur du projet montre les différentes contingences du management en mode projet appliqué au territoire.

À la fois, acte politique sur la réponse à apporter à la façon de faire société, et instrument de mobilisation des actants territoriaux (humains et non humains), le projet renvoie à la nécessité d'une lecture globale du territoire pour faciliter son activation. L'articulation problématique du temps court réclamé par l'action et du temps long qui nourrissent les relations entre acteurs, le capital historique sur lequel repose la solidité des liens intra et extra territoriaux et enfin, la perception socialement construite du territoire, sont autant d'éléments qui peuvent compliquer le rapprochement des registres politique et gestionnaire actionnés dans la fabrique du territoire.

BIBLIOGRAPHIE

Angeon (Valérie) et Bertrand (Nathalie), "Les dispositifs contractuels de développement rural : quelles proximités mobilisées ?", 43ᵉ Colloque ASRDLF, Grenoble – Chambéry, juillet, 2007.

Arab (Nadia), "Activité de projet et aménagement urbain : les sciences de gestion à l'épreuve de l'urbanisme", *Revue Management et Avenir,* n° 12, 2007, pp. 147-164.

Bailly (Antoine), Baumont (Catherine), Huriot (Jean-Marie), Sallez (Alain), *Représenter la ville,* Paris, Economica, 1995.

Benko (G), Lipiez (Alain), *La Richesse des régions,* PUF, 2000.

Berger (Peter), Luckman (Thomas), *La Construction sociale de la réalité*, Paris, A. Colin, 1996.

Berry (Michel), "Une technologie invisible ? L'impact des instruments de gestion sur l'évolution de systèmes humains", École Polytechnique, CRG, Rapport pour le ministère de la Recherche et de la technologie, 1983.

Berthet (Thierry), Cuntigh (Philippe), Guitton (Christophe), et Mazel (Olivier), "1982-2002 : « La territorialisation progressive des politiques de l'emploi »", *Bref n° 24.2*, Céreq, 2002.

Berthet (Thierry), *Des emplois près de chez vous. La territorialisation des politiques d'emploi en question*, Presses universitaires de Bordeaux, 2005.

Bories-Azeau (Isabelle), Loubes (Anne), Estève (Jean-Marie), "Émergence d'une GRH territoriale et réseau inter firmes", *Congrès de l'AGRH*, Dakar, novembre, 2008.

Bouba-Olga (Olivier), *Les Nouvelles géographies du capitalisme*, Paris, Seuil, 2006.

Boutinet, (Jean-Pierre), *Anthropologie du projet*, PUF, coll. Psychologie d'aujourd'hui, 1993.

Bréchet (Jean-Pierre) et Desreumaux (Alain), "Pour une théorie de l'entreprise fondée sur le projet", *Revue sciences de gestion,* 2001, n° 45, pp. 109-148.

Caillosse (Jacques), *Les Mises en scène juridiques de la décentralisation*, LGD, 2009.

Chappoz (Yves), "Les approches disciplinaires face au projet de territoire", in : Gerbaux (Françoise) (dir.), *Utopie pour le territoire : cohérence ou complexité*, La Tour d'Aigues, Éditions de l'Aube, 1999, pp. 69-77.

Chauchefoin (Pascal), "L'élu et le manager : quelle gouvernance territoriale dans l'économie mondialisée ?", *Flux* 2001/4, n° 46, 2001, pp. 6-14.

Chevallier (Jacques), "La juridicisation des préceptes managériaux", *Politiques et management public*, 1993, n° 4, pp. 111-134.

Courpasson (Denis), *L'Action contrainte*, Paris, PUF, 2000.

Dubois (Jérôme), *Gestion des collectivités territoriales et financement des projets territoriaux*, Edition Lavoisier, 2013.

Dumont (J.), *L'Amère patrie. Histoire des Antilles françaises au XXe siècle*, Fayard, 2010.

Etien (Robert), "L'évolution du cadre juridique et institutionnel de la question territoriale en France et dans l'Outre-Mer", in : Teisserenc (P.), Etien (R.), Chicot (P-Y), *La Recomposition territoriale, un défi pour la Guadeloupe*, Publibook, Presses de l'Université des Antilles et de la Guyane, 2011, pp. 41-55.

Gob (Rosaire), *Le Management du territoire par le projet : Des limites de l'instrumentation gestionnaire. Le cas de la Guadeloupe*, Thèse de doctorat, 2012, Paris, 614 p.

Gosse (Bérangère), Sprimont (Pierre-Antoine), "Proximités et structuration territoriale d'une industrie : le cas d'un pôle de compétitivité", *Actes colloque AGRH*, Dakar, 2008.

Greffe (Xavier), *Décentraliser pour l'emploi, les initiatives locales de développement*, Economica, 2ᵉ éd., 1989.

Huberman (Michael), Miles (Matthew B.), *Analyse des données qualitatives, recueil de nouvelles méthodes*, De Boeck université, 1991.

Joye (Jean-François), *L'Action économique territoriale*, L'Harmattan, 2002, 496 p.

Lardon (Sylvie), "Chaîne d'ingénierie territoriale : Diversité des acteurs dans la conduite d'un projet de territoire", in : Dayan (L.), Joyal (A.), Lardon (S.), *L'Ingénierie de territoire à l'épreuve du développement durable*, L'Harmattan, 2011, pp. 145-161.

Lascoumes (Pierre) et Le Galès (P.), *Gouverner par les instruments*, Sciences po les presses, 2004, 370 p.

Lascoumes (Pierre), Le Bourhis (Jean-Pierre), "Le bien commun comme construit territorial : identités d'action et de procédures", in *Politix,* 1998, n° 42, pp. 37-66.

Latour (Bruno), *La Science en action*, Gallimard, (2005) [1989].

Leloup (Fabienne), Moyart (Laurence) et Pecqueur (Bernard), "La gouvernance territoriale comme nouveau mode de coordination territoriale ?", *Géographie Économie Société*, 2005, vol. 7, pp. 321-332.

Melé (Patrice), "Territoires d'action et qualification de l'espace" in : Melé (Patrice) et Larrue (Corinne), *Territoires d'action,* Paris, L'harmattan, 2008.

Mendez (Ariel), Mercier (Delphine), "Compétences-clés de territoires. Le rôle des relations interorganisationnelles", *Revue Française de gestion*, vol. 32, n° 164, 2006, pp. 253-275.

Midler (Christophe), *L'Auto qui n'existait pas. Management des projets et transformation de l'entreprise*, Paris, Dunod, 2004, 215 p.

Ostrom (Elinor), *Gouvernance des biens communs. Pour une nouvelle approche des ressources naturelles*, de Boeck, 2010. Traduction de l'ouvrage original, *Governing the Commons : The Evolution of Institutions for Collective Action*, Cambridge University Press, 1990.

Oudin-Bastide (Caroline), *Travail, capitalisme et société esclavagiste*, La Découverte, 2005.

Pecqueur (Bernard), *Le Développement local*, 2ᵉ éd. revue et augmentée, Paris, Syros/Alternatives Économiques, 2000, 132 p.

Pongy (Mireille), "Gouvernance et citoyenneté, la différenciation politique", in :

Reynaud (Jean-Daniel), *Les Règles du jeu. L'action collective et la régulation sociale*, Armand Colin, 1997.

Rosanvallon (Pierre), *La Contre-démocratie. La politique à l'âge de la défiance*, Edition du Seuil, coll. Points, 2006.

Rosanvallon (Pierre), *La Légitimité démocratique. Impartialité, réflexivité, proximité*, Edition du Seuil, 2008.

Sainton (Jean-Pierre), *Couleur et société en contexte post-esclavagiste. La Guadeloupe à la fin du XIXe siècle*, Éditions Jasor, 2009.

Saives (Anne-Laure), *Territoire et compétitivité de l'entreprise,* L'Harmattan, 2002.

Sassen (Saskia), *Globalisation. Une sociologie*, Gallimard, 2009.

Vanier (Martin), *Territoires, territorialité, territorialisation : controverses et perspectives*, Presses universitaires de Rennes, 2009, 228 p.

Veltz (Pierre), *Des territoires pour apprendre et innover*, Éditions de l'Aube, 1994, 96 p.

Veltz (Pierre), *Mondialisation, villes et territoires. L'économie d'archipel*, 1re éd. 1996, Paris, PUF, 2005.

William (Jean-Claude), Réno (Fred), Alvarez (Fabienne). *Mobilisations sociales aux Antilles. Les événements de 2009 dans tous leurs sens*, Éditions Karthala, 2012, 364 p.

Zimmermann (Jean-Benoît), "Le territoire dans l'analyse économique. Proximité géographique et proximité organisée", *Revue française de gestion*, 2008, n° 184, pp. 105-118.

RAPPORTS IMPRIMÉS

Agora Caraïbes, *Ambition 2030. Propositions économiques et sociales pour le développement de la Guadeloupe : La cité caribéenne du 21e siècle,* 2009, 45 p.

Conseil général, Conseil régional, Association des maires de Guadeloupe, *"Rapport d'étape de l'élaboration du Projet Guadeloupéen de société au 16 juin 2012",* Document de travail, 2012, 78 p.

Univers virtuels.
Nouveaux territoires du mensonge

Jean-Pierre BRIFFAUT

L'actualité récente a attiré l'attention sur le mensonge dans la sphère économico-politique. La problématique du mensonge prend une dimension nouvelle dans le contexte des univers virtuels dans lesquels nous sommes, volens nolens, aujourd'hui immergés et qui sont de véritables territoires de pensée et d'action par procuration, où nous évoluons. D'autre part, le déluge de données (data deluge-big data) qui nous submerge pose la question de leur vérifiabilité par les allocutaires, directs ou médiatés, et de leur "intentionalité" à l'égard de ceux-ci. Le terme de désinformation vient alors à l'esprit. C'est dans ce cadre conceptuel que nous nous proposons d'explorer les tenants et aboutissants du mensonge dans les univers virtuels, nouveaux territoires où la dimension spatio-temporelle doit se mesurer à l'aune de la vitesse de la lumière.

Après avoir rappelé les caractéristiques des univers virtuels, sera faite une revue rapide des types de données et de leurs caractéristiques, données auxquelles nous sommes confrontés en provenance des univers virtuels. Le concept de mensonge est complexe dans son objet. Il appelle en contre point les concepts de vérité, de confiance, de logique, d'éthique. Il fait aussi référence aux croyances, à la connaissance des individus. Nous utiliserons la notion grecque du *pseudos* pour caractériser le mensonge et la notion de vérifiabilité proposée par Frederik Waisman dans l'analyse de la désinformation telle qu'elle peut être instrumentalisée au travers du mensonge enfoui dans les univers virtuels sous des modalités diversifiées.

LES UNIVERS VIRTUELS ET LEUR CONTEXTE COGNITIF ET PSYCHOLOGIQUE

Ce qui caractérise le contexte cognitif et psychologique des univers virtuels est le concept d'immersion. D'un point de vue expérimental, l'immersion d'un individu dans un espace considéré comme fermé est définie par le fait de supprimer autant que faire se peut, les interactions de cet individu avec l'espace extérieur (ici le monde réel) sous forme d'informations sensorielles venant de cet espace extérieur. Tout individu immergé cognitivement dans un univers virtuel reste cependant physiologiquement immergé dans un univers réel où ses fonctions vitales s'effectuent. En particulier, la vue et l'ouïe peuvent facilement leurrer son cerveau sur l'environnement virtuel dans lequel il a la perception de se trouver. Il y a alors une dichotomie entre le ressenti, le perçu par l'individu et l'univers de ses fonctions vitales où ses activités physiques s'exercent. L'individu immergé dans un univers virtuel est confronté à de nombreux types de données, soit sous formes de systèmes de connaissances construites qui s'imposent à lui en tant que tels, soit sous des formes non structurées qu'il va potentiellement utiliser pour compléter ses propres systèmes matériels ou immatériels de connaissances et/ou modifier éventuellement ses croyances.

Énumérons rapidement les types de données rencontrées dans les univers virtuels par un individu dans lesquels il est immergé : données simples créées par l'homme puis compilées dans des systèmes informatiques d'information structurés, données complexes non structurées provoquées et représentant des opinions (crowdsourcing), données générées par des transactions dématérialisées, données capturées passivement à partir du comportement d'individus ou d'objets (internet of things), données résultant de la combinaison et de l'harmonisation de sources diversifiées.

Donnons une idée des volumes de données auxquels les cyberacteurs sont confrontés, ce qui explicitera les défis présentés par le data deluge. L'explosion de l'usage des smartphones et le développement des réseaux sociaux génèrent des masses gigantesques de données. Elles sont stockées de manière plus ou moins temporaire. Pour illustrer la situation on peut passer en revue les termes utilisés pour caractériser la volumétrie des données. L'unité de stockage bien connue est le bit (contraction de BInary digiT) pouvant prendre deux valeurs. L'octet correspond à huit digits binaires. Le Kilo-octet permet de stocker une page de texte de format A4. Cinq Megaoctets (millions d'octets) permettent de stocker les œuvres complètes de Shakespeare. Plus ou moins quatre Megaoctets sont nécessaires pour enregistrer une chanson. Un film d'une durée de deux heures peut être compressé à un à deux Gigaoctets (milliards d'octets). Le stockage de tous les ouvrages de la bibliothèque du Congrès des États-Unis nécessite quinze Teraoctets (quinze mille milliards d'octets). Google traite par heure un Pétaoctet (un million de milliards d'octets), ce qui est équivalent au contenu de toutes les lettres distribuées annuellement par l'US mail. Un Zettaoctet (mille milliards de milliards d'octets) est le volume estimé de données stockées aujourd'hui dans le monde.

Un premier défi technique est non seulement de stocker ces données mais aussi de les récupérer facilement à la demande. Google a mis en place des solutions originales. Pour des questions de robustesse, les mêmes données sont stockées sur plusieurs serveurs répartis. Pour assurer des temps de réponse aussi courts que possible lors d'une requête et pallier les aléas des débits des réseaux de télécommunications, les logiciels d'extraction des données sont envoyés vers les serveurs stockant les mêmes données, ce qui est l'inverse des solutions traditionnelles (transfert des données vers une unité centrale de traitement). Les résultats des traitements locaux, qui sont en principe identiques, sont ensuite centralisés pour construire la réponse à la requête formulée. Avec cette configuration, même si un ou plusieurs serveurs ne sont pas disponibles ou si un réseau de télécommunications est coupé ou surchargé, un résultat parvient à une unité centrale où la réponse à la requête est élaborée pour être délivrée au demandeur dans les meilleures conditions de délai.

Un autre défi technique est l'analyse des données stockées, de manière structurée ou non, afin de pouvoir les utiliser pour des prises de décision. Deux termes sont souvent rencontrés dans ce contexte, i. e. BI (Business Intelligence) et BA (Business Analytics). Le premier se réfère à la collecte des données et le second à leur analyse. De nombreux éditeurs de logiciels sont présents sur le marché des logiciels d'analyse de données, marché qui est en plein développement (IBM, Oracle…).

L'acteur immergé dans un univers virtuel est en fait confronté à un monde réel avec lequel il interagit au travers d'un filtre dont il ne connaît pas les caractéristiques et sur lequel il ne peut agir que de manière indirecte au travers d'agents (proxies en anglais)[1]. Les univers virtuels ne proviennent pas d'une génération spontanée mais résultent de décisions et d'actions d'acteurs du monde réel, acteurs concepteurs la plupart du temps inconnus des cyberacteurs utilisateurs. Il est alors important pour le cyberacteur de se construire un environnement de confiance[2] en relation avec sa propre expérience du monde réel pour sortir d'un état chronique de suspicion, d'incertitude le paralysant dans ses prises de décision pour agir aussi bien dans le monde réel que dans l'univers virtuel où il est immergé au moyen d'un clavier. Tout acteur d'un univers virtuel est à l'interface du réel et du virtuel, avec le risque de ne plus bien percevoir la limite entre les deux espaces et de se comporter dans le monde réel comme si il évoluait dans un univers virtuel, dégagé des contraintes du monde réel.

La confiance est la crédibilité qu'il est rationnel d'attribuer à une situation plus ou moins incertaine relative à une personne ou à un événement. Ce type de situation provient de l'interconnexion entre les survenues de deux classes d'événements, i.e. des faits et des croyances. Un fait est quelque chose d'observable qui s'est produit et qui est accepté comme tel par une communauté d'individus, i.e. des faits historiques, des faits économiques. Les croyances résultent de l'interprétation de faits en référence à un cadre de connaissances personnelles innées ou acquises. Elles servent à construire et à développer des actions aussi bien dans des univers virtuels (en frappant sur un clavier) que dans le monde réel.

Une phrase prononcée ou écrite comme A par le locuteur est comprise comme B par l'allocutaire. En d'autres termes,

---

1   Jean-Pierre Briffaut (ed), *Univers virtuels et Environnements collaboratifs-visions multidisciplinaires théoriques et pratiques*, Paris, Hermès Lavoisier, 2011, chapitre 2.

2   Jean-Pierre Briffaut, "Contribution of neurosciences for understanding the role of trust in IT-supported collaborative design environments", *International Journal of Design Sciences and technology*, vol. 18, n° 1, 2011.

inférer d'un groupe d'événements (des faits) d'autres événements (des croyances) requiert une sorte de correspondance entre deux variétés d'éléments. Cette description peut être utilisée pour élaborer des modèles plus ou moins complexes pour visualiser les propriétés de la confiance telles que l'esprit humain les rend manifestes.

Les principales caractéristiques de la confiance dans les activités humaines peuvent être résumées de la manière suivante :

- la confiance n'est pas aveugle : nous ne faisons pas confiance aux personnes, organisations, environnements que nous ne connaissons pas.
- la confiance a des limites : une confiance illimitée est irréaliste.
- la confiance est exigeante : la fiabilité est une question clef. Quand des engagements ne sont pas respectés les relations sont impactées.
- la confiance demande un apprentissage : les situations changent et de nouveaux environnements doivent être pris en compte.

DU MENSONGE

Un peu de sémantique

Mensonge, substantif dérivé du verbe actif mentir, est l'action elle-même ou le résultat de l'action : *mentiri* en latin, *lie* en anglais, *Lüge* en allemand. Dans les deux cas, action ou son résultat, il signifie dire le faux avec intention de tromper. C'est un acte discursif, donc un acte du langage qui fait un usage volontaire du faux. Le faux est dans ce cas ce qui est en contradiction avec la logique de la réalité d'un réel compris ou perçu. Ce réel compris ou perçu peut être multiple en fonction des acteurs concernés, émetteurs et récepteurs de messages.

La sémantique originelle du mot provient du monde hellénique. Le verbe actif *pseudo* (ψευδω) signifie mentir pour tromper un adversaire, un concurrent ou même soi-même. Dans ce dernier cas cette démarche peut être involontaire, on parle alors d'erreur, mais être aussi volontaire pour fuir la réalité et échapper à la confrontation avec des responsabilités que l'on ne veut pas assumer. Le monde politique foisonne d'exemples où les responsabilités sont éludées et les prises de décision remises aux calendes grecques. La justification de ce comportement par les intéressés est associée à une logorrhée qualifiée souvent de langue de bois. Le terme *pseudo* utilisé par les internautes pour cacher leur identité, donc pour mentir, révèle leur volonté de ne pas assumer leur identité réelle.

Le problème de l'intention est central. C'est pourquoi il y a une différence fondamentale entre tromper et se tromper par erreur involontaire. Un locuteur peut se tromper de bonne foi alors que tromper a une connotation de mauvaise foi. Il renvoie au registre de l'éthique et met en jeu le système de croyances de l'auditeur. Le mensonge dans certaines contextualisations peut se justifier par des arguments moraux et psychologiques. Le contexte médical est un exemple où le mensonge peut trouver des justifications pour éviter aux patients des traumatismes psychologiques.

Espace du mensonge : dual de l'espace de vérité ?

La première réaction quand l'on cherche à caractériser le mensonge est de le décrire en contre point de la vérité. Mais la vérité est elle-même relative et source de nombreux questionnements. Qu'est-ce que la vérité ? Comment forme-t-on nos jugements quant à ce qui est vrai et ce qui est faux au sujet du monde ? Utilisons-nous un algorithme spécifique plutôt que d'autres mécanismes possibles au travers d'un puissant processus de sélection naturelle ? Ou bien existerait-il d'autres cheminements, vraisemblablement non algorithmiques, tels que l'intuition, l'instinct ou la perspicacité analytique pour deviner la vérité ? De plus dans beaucoup de situations réelles, il n'y a pas consensus sur ce qui est vrai et ce qui est faux.

La question de la vérité en mathématiques est également soulevée. C'est un domaine où, *a priori*, il est raisonnable de penser que cette problématique ne se pose pas et que les raisonnements "mathématiques" relèvent d'une logique inattaquable. En fait la question de la vérité mathématique se retrouve déjà dans les préoccupations des philosophes et mathématiciens grecs. Des clarifications importantes et des analyses en profondeur ont été apportées depuis cent cinquante ans. Elles mènent à l'interrogation fondamentale sur la nature entièrement algorithmique ou pas de nos processus de pensée. À la fin du XIXe siècle David

Hilbert, Georg Cantor et Henri Poincaré ont développé des méthodes de preuve de plus en plus efficientes. Cela mena le logicien anglais Bertrand Russell et son collègue A. North Whitehead à développer un système mathématique hautement formalisé d'axiomes et de règles de procédure choisis avec soin pour éviter des types paradoxaux de raisonnement, système dans lequel tous les types de raisonnement correct pourraient être traduits.

Les espoirs mis dans ce travail ont été détruits en 1931 par un jeune logicien autrichien de 25 ans, Kurt Gödel. Celui-ci démontra que quel que soit le système mathématique d'axiomes et de règles de procédure, et qu'il soit aussi précis et exempt de contradictions, ce système contient des propositions "indécidables" au vu des axiomes et des règles choisis. Par indécidable, il faut comprendre que les propositions ne peuvent être prouvées vraies ou fausses. Il a aussi montré que la cohérence du système d'axiomes traduits en propositions est elle-même indécidable. On parle alors d'incomplétude du système d'axiomes.

La logique de la vérité "*mathématique*" est formelle et statique. La logique de la vérité ne peut échapper à la dimension temps et aux perceptions et connaissances de tout un chacun. Ce qui était vrai hier, ne le sera pas forcément demain, aussi bien dans nos jugements que dans le domaine scientifique. Karl Popper utilise même le terme de falsifiabilité pour caractériser les propriétés nécessaires des théories scientifiques qui doivent pouvoir être remises en cause en fonction des avancées expérimentales. Nous ne pouvons pas imaginer notre propre existence, donc notre réalité, sans distinguer le futur du passé. Ce qui est vrai pour certains, est faux pour d'autres. Pour prendre en compte ces deux dimensions on peut introduire le terme de logique affective. Celle-ci se trouve déployée dans les logiques dotées d'opérateurs modaux s'appliquant à des propositions.

La logique modale approfondit, au travers de la négation, l'opposition entre le vrai et le faux en distinguant le nécessaire, le possible, le contingent et l'impossible. Le possible est ce pour quoi la négation n'est pas nécessaire, le contingent est ce qui est possible mais dont la négation est également possible, l'impossible est ce pour quoi la négation est nécessaire. Le nécessaire est vrai, l'impossible faux, mais le possible et le contingent peuvent être soit vrais soit faux.

La logique épistémique est considérée aujourd'hui comme une variété de logique modale. Au XIXe siècle la logique épistémique avait pour objectif de mener une investigation logique des concepts et déclarations épistémiques (connaissance, croyance, justification, preuves). Les notions épistémiques de vérification, non décision, falsification correspondent aux notions de nécessité, de contingence et d'impossibilité de la logique modale classique. Cette logique développée par Jaakko Hintikka[3] fait la distinction entre la connaissance au sens strict et la croyance, c'est-à-dire entre *"Pierre sait que Paul est rentré"* et *"Pierre croit que Paul est rentré"*. Les propositions sont qualifiées en fonction de ce que dit celui qui les formule, contrairement à la pratique de la logique standard classique. Cette logique est très utile dans le cadre d'approches cognitives.

Pour ceux intéressés par les problématiques de la logique, les ouvrages de Robert Blanché[4] et de Robert Blanché et Jacques Dubucs[5] donnent une vision à la fois introductive et historique à la logique contemporaine, qui est devenue une discipline en soi, difficile à ignorer.

Définition formalisée

Le mensonge revêt des aspects multiples en fonction d'une part du contexte de croyances et de connaissances du locuteur et de l'allocutaire et d'autre part du langage émetteur et destinataire du mensonge. Dans son ouvrage *Qu'est-ce que mentir ?* Philippe Capet détaille les composantes du mensonge. En faisant appel aux traités et textes dans lesquels les philosophes et théologiens étudient depuis l'Antiquité cette question : Platon dans *Le petit Hippias*, Saint Augustin dans *Le Mensonge*, Saint Thomas d'Aquin dans *Somme théologique, les vertus sociales*, Montaigne dans les essais *Du Menteur* et *Du Démentir* jusqu'à I. Kant dans

---

3   Jaakko Hintikka, *Knowledge and Belief-an Introduction to the Logic of the two Notions*, Cornell University Press, 1962.

4   Robert Blanché, *Introduction à la logique contemporaine*, Paris, Armand Colin, 1957.

5   Robert Blanché et Jacques Dubucs, *La Logique et son histoire*, Paris, Armand Colin, 1996

Doctrine de la Vertu – Capet[6] élabore une topographie du mensonge et propose par étapes des définitions de plus en plus élaborées.

La définition du mensonge du point de vue de la désinformation, qu'il en donne est la suivante : *"acte de langage d'un agent I vers un auditoire J consistant à transmettre intentionnellement une information p à J de manière à ce que J croie qu'une information f(p), que I croit fausse, est vraie, en utilisant les connaissances et inférences de J supposées par I"*.

Cette définition met clairement en exergue la dimension connaissance dans le mensonge dans l'optique de la désinformation. Celle-ci concerne aussi bien l'émetteur que le récepteur du mensonge.

Univers virtuels, mensonge et connaissance

Aujourd'hui les univers virtuels au travers du support internet constituent un canal important d'accès à la connaissance et un contexte privilégié d'apprentissage[7]. D'une part, l'absence d'interactivité forte rend difficile pour l'apprenant la possibilité de pratiquer la maïeutique socratique dont l'objectif est en fait d'apprendre à apprendre par la réflexion critique en contrepoint avec un référant contradicteur. D'autre part, lors d'une démarche de recherche de connaissances aussi bien scientifiques qu'ordinaires, la communication se fait au travers du langage écrit : la vérifiabilité du contenu transmis en terme de compréhension et de fiabilité des sources se pose de manière critique. Dans ce cadre il paraît pertinent de faire appel à ce qui est appelé la philosophie analytique et aux travaux de Frederik Waisman[8] pour analyser en profondeur les relations, au travers du support langage parlé ou écrit, entre mensonge et connaissances.

---

6 Philippe Capet, *Qu'est-ce que mentir ?*, Paris, Vrin, 2012.

7 Jean-Pierre Briffaut, "Apprentissage, expertise et réalité virtuelle du point de vue de la prise de la décision avec l'éclairage des neurosciences", *Prospective et Stratégie*, 2-3, 2012, pp. 197-217.

8 Frederik Waisman, "Verifiability", *Proceedings of the Aristotelian Society*, supplementary vol. 19, 1945, pp. 119-150.
Was ist logishe Analyse ? Gerd H. Reitig (ed) , Frankfurt am Main, Athenaüm, 1973.

La philosophie analytique a peu diffusé dans le monde francophone. Sa définition a été donnée par le philosophe anglais Michael Dummett. *"Ce qui distingue la philosophie analytique en ses divers aspects d'autres courants philosophiques, c'est en premier lieu la conviction qu'une analyse philosophique du langage peut conduire à une explication philosophique de la pensée, et en second lieu, la conviction que c'est là la seule façon de parvenir à une explication globale"*[9]. C'est sur cette base que Frederik Waisman s'est appuyé pour étudier la vérifiabilité des propositions.

Avant de poursuivre notre raisonnement il est intéressant d'investiguer l'analogie entre les interprétations du mensonge et celle de la mécanique quantique par Niels Bohr[10]. Si certaines propositions peuvent être vraies ou fausses suivant les situations, il en est de même pour les mensonges. Soit nous ne disposons pas de toute la connaissance requise, i.e. des moyens cognitifs et/ou matériels, pour évaluer correctement l'ensemble des éléments d'une proposition perçue comme mensongère, soit nous ne sommes capables que d'en évaluer une partie compte tenu du contexte. À la limite, nous pouvons ne pas être conscients de l'existence même des éléments non accessibles. Ici l'individu immergé dans un univers virtuel fait face à une problématique qui a clairement une portée épistémologique puisque les limites rencontrées dans les dispositifs virtuels, d'accès à la connaissance et dans les possibilités de réaliser des investigations pour lever des incertitudes impactent sa capacité à connaître la vérité ou la fausseté d'un mensonge.

La notion de complémentarité a été introduite par Niels Bohr en 1927 pour interpréter la mécanique quantique et est appelée "l'interprétation de Copenhague". La complémentarité désigne une relation d'exclusion mutuelle qui doit permettre d'écarter les contradictions auxquelles semblent aboutir certaines expériences de physique. Ainsi, quand il s'agit de mesurer certaines caractéristiques des particules, certains dispositifs expérimentaux permettent de déterminer la position des particules

9   Michael Dummett, *Les Origines de la philosophie analytique*, Paris, Gallimard, 1991, p. 13.
10   Niels Bohr *Kausalität und Komplementarität*, Erkenntis 6, 1936, pp. 293-303, *Physique atomique et connaissance humaine*, Paris, Gallimard, 1991 (traduction de Catherine Chevalley).

alors que d'autres permettent de déterminer leur vitesse. Aucun dispositif ne permet de déterminer à la fois la position et la vitesse d'une particule atomique. Bohr exprime cet état de faits en disant qu'il y a des dispositifs expérimentaux, et donc des descriptions de ces dispositifs qui sont "complémentaires", i.e. qui s'excluent mutuellement. La position et la vitesse d'une particule jouent ici le même rôle que les "choses en soi" que certains philosophes postulent tout en reconnaissant qu'elles sont inconnaissables.

Le cyberacteur dans un univers virtuel a à sa disposition un nombre limité de dispositifs pour vérifier la signification d'un énoncé. Il serait immergé en quelque sorte dans un monde quantique tronqué par le fait de ne pouvoir avoir accès qu'à une compréhension partielle d'un énoncé. Pour Frederik Waisman, signification et vérification d'un énoncé sont liées à tel point que changer la vérification est changer la signification.

Frederik Waisman a introduit la notion de 'texture ouverte' de nos concepts empiriques. Par ce terme il veut dire qu'un concept ne peut être défini de manière complète, i.e. avec une précision absolue infinie : des propriétés associées peuvent avoir été exclues mais pourraient émerger de manière contingente. Cette description incomplète fait qu'un énoncé associé à un concept ne peut être qualifié de totalement vrai ou de totalement faux. Il y a là une incertitude qui fait penser à celle de Werner Heisenberg concernant la vitesse et la position d'une particule quantique.

Quand Frederik Waisman parle d'incomplétude par essence d'une description empirique, il signifie que tout terme est défini quand on a défini le genre de situation dans lequel il est employé. L'incomplétude des caractérisations des propriétés entraîne l'incomplétude des vérifications et par suite celle des descriptions empiriques.

Dans une optique d'apprentissage et d'accès à la connaissance, la situation des cyberacteurs est particulièrement critique dans la mesure où les tests de vérification accessibles sont en nombre et variété plus limités que dans le monde réel et où la texture ouverte des termes affecte l'interprétation des faits. Au moyen de ces deux leviers il devient plus facile que dans un contexte de la réalité, d'influencer la formation de leurs jugements et par la suite la construction de leurs connaissances.

Nous ne devons pas chercher à parler du mensonge comme d'une réalité de la connaissance. Cela supposerait que le mensonge existe indépendamment de sa description. L'interprétation réaliste peut conduire à des pseudo problèmes si la vision de la connaissance conduit à supposer qu'elle possède une unité organique indépendante des domaines où elle s'applique.

CONCLUSION

La prise de conscience par une part grandissante du public, de la place du mensonge dans les contenus des messages échangés au moyen des réseaux constitutifs des univers virtuels commence à susciter des débats, des mises en garde de plus en plus fréquentes sur leur impact social, sociétal et individuel sur le plan comportemental. Ces univers virtuels constituent de véritables nouveaux territoires ayant des caractéristiques d'espace et de temps spécifiques et s'interfaçant avec les territoires physiques traditionnels. Contrairement à ceux-ci, l'énergie mise en œuvre dans ces nouveaux territoires est essentiellement de nature informationnelle, mais contribue souvent de manière critique au développement d'actions individuelles et/ou collectives dans les territoires physiques.

Le mensonge en réseau a une modalité de diffusion spatio-temporelle de nature différente de celle offerte par les moyens audio-visuels "classiques" et par suite génère des conséquences sans commune mesure avec celles que les moyens audio-visuels 'classiques' suscitent. Les caractéristiques du mensonge en réseau sont sa rémanence, sa falsifiabilité et son ubiquité. Les données audio-visuelles enregistrées sur un serveur et accessibles à distance par les protocoles Internet ne sont pas destinées a priori à être effacées et oubliées, mais archivées pour être réutilisées, si nécessaire, de manière non voulue par leurs créateurs et même à leur insu. Le monde informatique ne souffre pas du syndrome d'Alzheimer.

D'autre part les techniques d'intrusion dans les systèmes informatiques et en particulier dans les systèmes de stockage de données permettent d'extraire des données pour un usage frauduleux mais aussi de les modifier sans laisser des traces d'intrusion. Le scandale soulevé par les récentes révélations d'un ex-collaborateur de la NSA (National Security Agency) n'a que fait connaître au grand public une situation prévalant depuis la seconde guerre mondiale avec, entre autres, le réseau mondial anglo-américain d'écoutes ECHELON. Enfin par la possibilité d'accès aux contenus des serveurs à toute heure et à partir de tout lieu, tout cyberacteur est exposé 7/7 j et 24/24 h à un "Umwelt" de données dans lesquelles des mensonges intentionnels ou non sont enfouis.

Beaucoup de littérature a été écrite sur la société de l'information résultant du développement des nouvelles technologies de l'information et de la communication : certains auteurs ont même argumenté que cette société de l'information est une société de la connaissance permettant une transparence des situations pour tout un chacun. Les facettes du mensonge que nous avons présentées dans le cadre des univers virtuels incitent en fait à conclure que ceux-ci permettent de renforcer l'opacité des situations par leur texture ouverte et l'incomplétude de leur description.

Cette conclusion pousse à prendre une posture épistémologique d'antiréalisme de la connaissance dans les univers virtuels, tel qu'il est compris dans le monde scientifique[11]. Dans ce cadre de pensée le monde est divisé en deux parties, i.e. une partie observable et une partie cachée. La partie observable est perçue avec nos organes sensoriels à partir de théories scientifiques. Celles-ci sont des "instruments" pour prévoir les phénomènes observables. Les faits cachés sont "expliqués" en faisant l'hypothèse de l'existence d'entités non observables à partir desquelles des conséquences peuvent être inférées. L'antiréalisme repose sur la conviction que nous ne pouvons accéder à la connaissance de la partie cachée de la réalité. Notre connaissance est limitée par notre capacité d'accès à l'observation.

---

[11] Jarret Lepin (ed), *Scientific Realism*, University of California Press, 1984.

Bibliothèque Prospective

La décision Figures, symboles et mythes

Anne Marchais-Roubelat

Apors Éditions, 2012

Nos représentations de la décision guident-elles notre manière de concevoir l'action ? La décision est-elle uniquement le résultat d'une logique de choix plus ou moins rationnel ou intègre-t-elle aussi des dimensions symboliques et mythiques ?
Cet essai propose une progression dans la géométrie de la décision. L'ouvrage mobilise de nombreux courants théoriques comme les théories standard de la décision, les théories des organisations, les neurosciences, l'histoire ou la prospective. Il s'appuie sur de nombreuses analyses de figures, de symboles et de mythes : Alexandre tranchant le nœud gordien, Crésus sélectionnant le bon oracle, Zilu proposant de rectifier les noms dans la Chine des Royaumes combattants, le cavalier de Wendel de la Suède de l'époque Viking, les jeux de miroirs du cabinet alchimique de l'Hôtel Lallemant.

*A*nne Marchais-Roubelat est maître de conférences habilitée à diriger des recherches au Conservatoire national des arts et métiers. Ses travaux portent sur la prospective et la construction de scénarios d'action stratégiques, les théories des organisations et les processus de décision et d'action. Elle est l'auteur de De la décision à l'action, paru aux Éditions Économica dans la Bibliothèque stratégique.

Distribution
Apors Éditions – 88 boulevard Lahitolle – 18020 Bourges Cédex
Commandes libraires par mail à : apors.commandes@gmail.com

ISBN : 978-2-9542263-0-9   18 €

Apors Editions

Les nouveaux territoires de la technologie : une gymnastique entre le réseau global et l'ancrage local

Jean-Marc BÉLOT

De grands défis imposent de maîtriser de nouvelles technologies et donc de s'organiser pour les identifier, les développer et les produire. Il s'agit de répondre principalement aux besoins liés à la croissance au niveau mondial de la société de consommation, à l'individualisation des produits, à l'énergie et au développement durable. Certains territoires particulièrement dynamiques pratiquent déjà une politique volontariste pour en tirer un bénéfice. Après une présentation dans un premier temps des enjeux et des spécificités de la croissance tels que les présentent les études prospectives, plusieurs cas contrastés de politiques volontaires de territorialisation de nouvelles technologies en vue d'utiliser la croissance de marchés spécifiques pour créer un bénéfice seront examinés. Les territoires concernés s'intègrent-ils dans une innovation locale ou globale ?

UNE PROJECTION DANS L'ESPACE ET DANS LE TEMPS DE LA MONDIALISATION : SES PRATIQUES ET SES ENJEUX

Si l'on en croit l'Atlas des futurs du monde (Raisson, 2010), les PMI (Petites et Moyennes Industries) et les ETI

(Entreprises de Taille Intermédiaires) présentent une importance croissante, à la fois dans les économies locales et dans l'économie européenne. La mondialisation donne des opportunités importantes à celles présentes dans des produits de niches ou de haute technologie, et fragilise les autres. Les pays émergents ont une influence croissante dans l'économie. Les BRIC (Brésil, Russie, Inde, Chine) sont rejoints, dans d'autres dénominations en BRIXX, par les pays arabes du Golfe (BRICA), l'Europe de l'est et la Turquie (BRICET), la Corée du Sud (BRICK), l'Afrique du Sud (BRICS), le Mexique (BRIMC). Ils pourraient inclure aussi d'autres pays du sud comme l'Égypte, l'Indonésie, l'Iran, le Mexique, le Nigeria, le Pakistan, les Philippines, le Vietnam, membres des Next Eleven. Dans ces pays à fort potentiel de croissance, le PIB devrait être multiplié par 10 à 40 dans les quarante prochaines années. D'ici 2050, les prévisions voient le PIB de l'Inde multiplié par 41, celui de la Chine par 26, du Brésil par 13, du Mexique par 11, de la Russie par 9, tandis que celui des européens serait doublé.

Globalement, les études considèrent que les entreprises deviennent plus proches de leurs clients pour savoir qui achète quoi et pourquoi, pour adapter les moyens aux demandes, pour gagner en délai. Ces clients sont de plus en plus dans le monde entier. Le résultat est un réseau constitué d'implantations proches des principaux viviers de clients, de sociétés partenaires, de fournisseurs. La contrepartie est un risque de dilution de l'activité de production, de délocalisation, et finalement de déstabilisation des territoires.

Pour établir une emprise durable sur un territoire-client projeté, il semblerait que l'entreprise doive assurer son ancrage dans son territoire local de production. De ce point de vue, les territoires où elles sont les plus vivaces seraient ceux qui réussissent le mieux.

Des entreprises dont les ressources R & D s'inscrivent dans des réseaux de formation locaux et globaux

Selon une étude de l'ASME (American Society of Mechanical Engineers), la capacité à résoudre des demandes plus complexes va déterminer les réussites[1], ce qui engendre un besoin d'*"ingénieurs-plus"* comparables aux architectes dans le bâtiment et aux médecins dans la santé, et pouvant disposer de techniciens spécialisés, comme c'est le cas dans ces secteurs. L'enseignement devrait alors s'organiser pour rendre ces *"ingénieurs-plus"* aptes à traiter des questions plus techniques, incluant gestion, créativité, approche pluridisciplinaire et systémique, aptitude à la *complexité*. Il devrait aussi faire évoluer la formation des techniciens vers le haut pour qu'ils deviennent les futurs piliers des *"ingénieurs-plus"*.

Des pays comme la Chine, l'Inde, la Corée, le Mexique, le Brésil, ont déjà mis en œuvre des politiques de formation permettant d'intégrer l'acquis technologique qui a été déplacé sur leurs territoires lors des délocalisations de masse. Ils effectuent désormais des échanges sud-sud indépendant des actions nord-sud.

Pour rester dans les grands courants d'échanges, les entreprises cherchent à parier sur des méthodes de collaboration adaptées à la mondialisation, notamment en constituant des grappes d'innovation à travers le monde pour partager des données, aller plus loin en R & D et en conception, tout en restant assez fiables pour résister au temps.

Parallèlement, les Universités, écoles supérieures ou des chercheurs créent des réseaux innovants et en forte expansion.

Pour illustrer ce phénomène, on peut par exemple citer quatre exemples :

- Le réseau de recherche de l'université libre de Berlin (Allemagne) comprend 3 clusters d'excellence, 27 centres de recherche collaboratifs, 5 domaines d'intervention, 10 accords avec l'European Research Council, 15 groupes de recherche juniors, 10 professorats temporaires, 110 M€ de financement externe[2].
- L'ETH Zurich (école polytechnique fédérale, Suisse) a réalisé une base de connaissance internationale à partir

---

[1] ASME, *2028 Vision for Mechanical Engineering*, New York, ASME, 2008, p. 10.

[2] FU Berlin, The International Network University, Berlin, Freie Universität, 2014 [consulté le 6 juin 2014], sur http ://www.fu-berlin.de/en/ sites/inu/ research/index.html,

de tous ses contacts internationaux (figure 1), de ses programmes d'échange et de ses liens de collaboration. Il s'agit d'une plateforme web qui facilite les visions par thématique, par pays, par personne. Tout chercheur de l'ETH qui cherche un contact, un soutien, en bénéficie. Cette plate-forme peut être considérée comme un avantage concurrentiel.

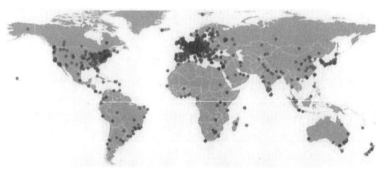

Figure 1 : collaborations de pairs l'ETH Zurich
(source : ETH Zurich)[3]

- La Fondation Chordoma[4] (États-Unis) a débuté en 2007 avec une poignée de chercheurs limités par l'isolement et le manque de coordination. Elle a organisé des séminaires de recherche internationaux rassemblant des médecins et scientifiques pour beaucoup nouveaux dans le domaine. Elle a facilité des échanges de données à l'origine de nouveaux projets de recherche. Rien que de 2011 à 2012, 174 nouvelles relations et 30 nouvelles collaborations ont été réalisées (figure 2).

---

3   Rutz (Romana), ETH Zurich, International Knowledge Base (IKB) [consulté le 6 juin 2014], sur
https ://www.ethz.ch/en/the-eth-zurich/global/global-network/international-knowledge-base.html

4   Chordoma : type de cancer des os qui commence généralement à la base de la colonne vertébrale inférieure ou du crâne. Chordoma Research Community Is Increasingly Interconnected, Durham, Chordoma Foundation, 2013 [consulté le 6 juin 2014], sur http ://www.chordomafoundation.org/latest-updates/increasingly-interconnected-chordoma-research-community/

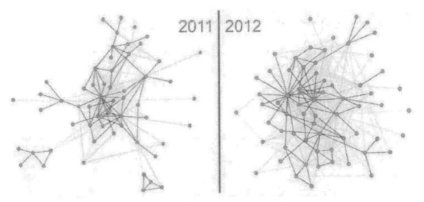

Figure 2 : réseau sur le Chordoma de plus en plus connecté
(Source : Fondation Chordoma)

- À un niveau plus local, le réseau Nourishing Ontario (Canada) sur la sécurité alimentaire et les systèmes d'agriculture locale lance des initiatives dans douze disciplines, des programmes d'apprentissage et de partenariat, et implique des centres de recherche, des organisations, des entreprises, des établissements d'enseignement et des citoyens (figure, voir : Nourishing Ontario[5]).

Ces réseaux diffèrent de nombreuses manières, mais ils créent des activités et des organisations innovantes qui peuvent laisser présumer pour l'avenir de mutations fortes dans la relation industrie-recherche à l'échelle territoriale et mondiale.

L'ancrage territorial de l'innovation : un choix d'échelle

Transformer les innovations en produits[6] demande tout un spectre d'équipements, d'experts, de chercheurs, de partage privé-public, de travail en réseau, qui n'existe qu'en présence d'un écosystème productif local minimum.

---

5   Nourishing Ontario, Food Security Research Network, Waterloo, Nourishing Ontario, 2013 [consulté le 6 juin 2014], sur http :// nourishingontario.ca/food-security-research-network/
6   MIT, *Report of the MIT taskforce on innovation and production*, Boston, MIT Press, 2012, p. 14.

À un niveau local, les Systèmes Productifs Locaux (SPL) sont des groupements d'entreprises interdépendantes, au sein d'une aire géographique donnée, qui ont des défis et des opportunités en commun (vers l'économie externe auprès de fournisseurs et de marchés, par une compétence sectorielle, pour favoriser des services spécialisés qui les renforcent). Grappe (ou cluster) est un terme plus générique pour tous les types de regroupement d'acteurs économiques sur un espace géographique.

Certains procédés de fabrication peuvent faciliter le "produire local". En France, beaucoup de micro-régions accueillent une structure. En Mécanique, le pôle de compétitivité Viameca (Espace central et Rhone-Alpes) facilite l'accès à des technologies comme le guidage, la mobilité en milieu complexe, la robotisation des procédés, la sûreté, la fiabilité, la maintenance. Le pôle de compétitivité Viameca développe des procédés petites et moyennes séries d'obtention de formes et préformes métalliques et composites. La fabrication à domicile, le prototypage rapide, le laboratoire de fabrication permettent une renaissance d'entrepreneurs locaux, pouvant interagir avec des collègues du monde entier tout en restant dans leur région. La fabrication additive, qui produit par application directe du matériau couche par couche, est en essor grâce aux imprimantes 3D. Elle permet d'être agile en conception et en production et de fabriquer en vrai juste-à-temps. Une autre piste aussi suivie par Viameca[7] consiste à faciliter la diffusion de machines et de procédés innovants en partageant une machine entre plusieurs PMI, au plus tôt de l'apparition de la technologie, tant que la charge n'est pas suffisante, comme par exemple avec le projet UPDP (Unités Pilotes à Dispositif Partagé).

Pour la robotique, le niveau national est le plus pertinent. Avec le plan France Robots Initiatives, la France veut être parmi les cinq nations leader en 2020, développer une offre en robotique et machines intelligentes et accroître sa part dans ce marché en forte croissance.

Pour les technologies high tech nécessitant plus de moyens et des compétences plus rares, c'est au niveau de l'Europe que

---

[7]   Viameca, *Guide des bonnes pratiques*, Saint-Etienne, Viameca, 2012, p. 3.

s'organisent les aides en biotechnologies, TIC, nanotechnologies, micro-nanoélectronique, photonique, matériaux avancés.

Ainsi, les territoires peuvent être dessinés par des groupements d'entreprises indépendantes, aussi bien que sous l'égide d'institutions susceptibles de faire varier l'échelle du territoire qu'elles organisent en fonction du type d'industrie concerné.

Conclusion sur les réseaux déployés à partir d'un ancrage local

Les chercheurs s'intéressent à ce sujet depuis les années 90 : clusters industriels régionaux en Europe (Lagendijk, 1999) et en Amérique du nord (Bergmann et Feser, 1999, Porter, 1998, Rosenfeld, 1995, Saxenian, 1994). Les travaux se sont amplifiés dans les années 2000, surtout en Europe : politique des clusters (Borras et Tsagdis, 2008, Brenner, 2004, Crouch, 2001, European Cluster Observatory, 2007, Molina-Morales, 2001, Raines, 2002, Villa et Antonelli, 2009), districts industriels italiens (Antoldi, 2006, Belussi et Sedita, 2009), pôles de compétitivité français (Boston Consulting Group, 2008, Duranton, 2008, Gallaud, 2006, Lefebvre, 2009, Pascallon et Hortefeux, 2008, Weil et Fen-Chong, 2008), clusters allemands (Kiese, 2008, Love), réseaux au Royaume-Uni et en Irlande (Love, 2001), Silésie (Struzyna, 2009). Les publications des années 2010 vont plus loin dans l'analyse des modes d'évaluation, de pilotage et de coopération (Menu, 2011, Younes, 2012). L'enjeu est important car 38% des emplois en Europe se trouve dans des entreprises qui font partie de clusters et plus de 20% se trouvent dans des régions spécialisées (European Cluster Observatory, 2007). L'insertion dans des réseaux collaboratifs renforce dans les entreprises et rend plus visibles les possibilités de collaborations et d'innovations. On parle de plus en plus de coopétition entre clusters parfois éloignés. Cela a abouti à la création du TCI Network (The Competitiveness Institute), le plus grand réseau mondial de clusters qui comprend, entre autres, le pôle de compétitivité français Viameca.

GRANDS OU PETITS : DES TERRITOIRES NOUVEAUX ET INNOVANTS

Dans cet univers mondialisé, les tâches de veille technologique et stratégique prennent une importance-clef comme accélérateurs d'acquisition de progrès technique. Elles devraient être de plus en plus nombreuses et variées pour l'usine du futur économe en ressources, pour les chaînes de valeur flexibles, les produits à connaissance embarquée, les nouvelles filières énergétiques, la chimie réparatrice (dépollution), la construction allégée et en composites, les matériaux à tolérance de dommages, l'ingénierie des usages, les méthodes évolutives de conception, modélisation par éléments finis espace-temps, mécatronique tolérante aux pannes, instrumentation miniaturisée, intégration micro-nano, pour citer ces seuls exemples. À partir de deux domaines d'innovations (le remanufacturing et la nanotechnologie), deux cas très contrastés sont envisagés montrant deux façons différentes de territorialiser de nouvelles technologies : le géant chinois et la Sarre. En complément de la Sarre, le bassin stéphanois permet un éclairage sur l'organisation de pôles de compétitivité.

Des politiques territoriales d'innovation spécialisées à l'échelle d'un pays : le cas de la Chine

Le remanufacturing en Chine : dix conglomérats

Le remanufacturing s'insère dans la logique de la durabilité. Le Royaume-Uni et les pays nordiques ont été précurseurs. Alors que les autres pays ne marquent pas de volonté particulière, la Chine y investit massivement[8]. Le remanufacturing remet sur le marché un produit après rénovation, avec des performances équivalentes ou améliorées. À la différence du recyclage, la forme de la pièce est préservée, il n'y a pas démantèlement. Il comprend une série d'étapes de fabrication sur un produit en fin de vie : nettoyage, lubrification, réparation, correction d'un défaut, remise à jour, inclusion dans un autre produit.

Des chercheurs analysent ses évolutions depuis les années 80 et encore actuellement (Lund, 1984, 2010, Steinhilper, 1998,

---

8   Xinhua News Agency, "China MIIT approve ten pilot remanufacturing enterprises", *News iStockAnalyst*, 30 janvier 2011, p. 1.

2010). Le *Journal of Remanufacturing* vise à regrouper les auteurs. Les plus innovants se penchent sur l'organisation industrielle :

- pour anticiper des chaînes inverses (reverse supply chains, reverse logistics) (El Korchi, 2014, Sundin, 2013),
- pour prévoir des moyens communs au Manufacturing et au Remanufacturing (Kondoh et Salmi, 2001),
- de la filière automobile (Lind et al., 2014).

Dans le domaine du remanufacturing, le ministère de l'Industrie et de l'Information Technologique (MIIT) chinois a créé dix entreprises pilotes (figure 3) :

- XCMG Xuzhoo Construction Machinery Group, Xuzhou (Jiangsu) (5e entreprise mondiale de construction de machines)
- Liugong Machinery, Guilin (Guangxi) (dans les 10 premières du monde)
- Sany Group, Changsha (Hunan) (6e entreprise mondiale d'engins de génie civil),
- BaoSteel Equipment Maintenance Co., Shanghai (parmi les grandes entreprises de matériels pour la sidérurgie. Baosteel est le 1er aciériste chinois)
- XEMC Xiangtan Electric Manufacturing Corporation, Xiangtan (Hunan) (une des plus grandes entreprises de matériel électrique, y compris pour rail, navires, véhicules, énergie, éoliennes)
- New Heavy Beijing Sanxing Automobile, Fengtai (Beijing)
- Dalian Marine Valve Manufactory, Dalian (Liaoning)
- Fuji Xerox Eco-Manufacturing, Suzhou (Jiangsu)
- CNR (China North Locomotive) Corporation Limited, Beijing
- Tiandi Science and Technology, Beijing (matériel pour l'énergie et les mines)

Figure 3 : les 10 conglomérats chinois de remanufacturing

La Chine utilise le remanufacturing comme un moyen-clé de seconde transformation des vieux produits par de la haute technologie pour actualiser son industrie, économiser l'énergie, réduire les émissions polluantes et se positionner sur le développement durable. Elle le développe sur la base de sa technologie en ingénierie de maintenance, de surface et d'automatisation, et entend le pousser à un niveau jamais atteint à l'étranger. Avec la même qualité qu'un nouveau produit, elle vise – 50 % de coût, – 60 % d'énergie et –70 % de matières premières. Le MIIT a demandé aux autorités locales de relayer des politiques de soutien au remanufacturing.

Au niveau de la R & D, le National Key Laboratory for Remanufacturing (NKLR) de Beijing collabore avec l'université de Birmingham sur l'évaluation de procédés de remanufacturing comme la projection par arc haute vitesse, l'électrolyse au tampon, le plasma à écran actif. La Chine rend visible sa présence en organisant un événement mondial annuel, l'International Remanufacturing Summit.

Nanotechnologie, un cluster émergent en Chine : le Suzhou Nano-industry Cluster

La Chine a été un temps en retard sur les pays occidentaux. Dans l'idée de le rattraper, un Technoparc a été créé en partant de développements locaux originaux en LED. Plusieurs buts ont été visés :

- attirer des compétences et des financeurs : Silicon Valley Chinese American Semiconductor Professional Association, bio-médecine occidentale, science et industrie chinoise, IBM et d'autres entreprises d'informatique et d'électronique, universités américaines (Pennsylvania, Yale, UCLA, New York, Albany, Washington, USC, Harvard, Toronto), US Nanotechnology Alliance, European Technology Platform Nano Medicine, institutions de recherche allemandes, anglaises, finlandaises, françaises, de Singapour, Japon, Corée
- attirer les meilleurs talents,
- développer la propriété intellectuelle et un service industriel de classe mondiale,
- supporter le développement durable de l'industrie.

Ce programme semblait démesuré en partant d'une simple compétence locale et en s'appuyant sur les autres selon une formule d'accueil. Il est en passe de réussir.

Une politique locale mais tout aussi efficace : remanufacturing et nanotechnologie dans la Sarre

Le remanufacturing dans la Sarre, une projection mondiale du réseau

Un point d'excellence de la Sarre est la Mécanique. ZF Friedrichshafen AG est un des principaux fournisseurs mondiaux de technologies de transmission et de châssis. Un de ses établissements est situé à Sarrebruck. Il est intéressant de comparer le réseau de cette société (figure 4) à celui du Remanufacturing de la Chine : l'approche est totalement différente et mondialisée (8 localisations). Mais le succès est le même.

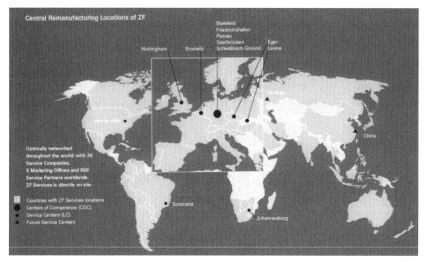

Figure 4 : Central Remanufacturing Locations of ZF (Source : ZF[9])

Pari R & D de la Sarre sur la nanotechnologie

La Sarre a organisé un cluster très actif : Saarland Empowering Nano. Il se positionne comme le centre allemand de la nanotechnologie et l'un des premiers sites au monde. Il n'est probablement pas le plus grand (Karlsruhe, Stuttgart, Dresde en Allemagne ; Paris-Orsay, Grenoble, Toulouse en France), mais il est peut-être le plus organisé. Il revendique 200 brevets.

Il s'agit d'un petit réseau offensif d'une trentaine de membres :

- Deux scientifiques : INM Leibniz-Institut für Neue Materialien ; Université de la Sarre,
- Des entreprises : Endotherm, Inomat, ItN Nanovation (capteurs de CO_2), NanoBioNet, Nanogate (fart pour skis), Nano4You (nanorevêtements pour protéger les monuments), Nano-X, Sarastro (désinfection durable),
- Et un parc d'activités : Science Park Saar.

---

9   ZF, Central Remanufacturing Locations of ZF, Friedrichshafen, ZF, 2013 [consulté le 6 juin 2014], sur http ://www.zf.com/corporate/en/products/ services/remanufacturing/core_management/core_management.html

Sa communication se base sur ses exemples de produits mis au point, sur ses réussites dans les secteurs clients (automobile, Siemens, Samsung, PPG Industries), et sur l'excellence des recherches de l'INM et de l'université et de leur transfert de savoir-faire.

Ses vecteurs sont la revue *Empowering Nano*, de nombreux documents commerciaux, et une présence lors de salons internationaux des secteurs clients visés. Le cluster bénéficie du soutien de gwSaar, société de promotion économique de la Sarre, et de relais dans les pays (en France : Acsan Consulting, Nîmes, présence de relais au Japon, en Corée, au Chine, au Singapour, en Israël et aux États-Unis). Ses chercheurs sont souvent en mission hors des frontières, pour étendre les réseaux de collaborations.

L'INM est actif dans beaucoup de domaines : stockage d'énergie (nouveaux matériaux pour supercondensateurs dérivés du carbone), nouveaux composites que la lumière peut traverser, revêtement de lunette anti-rayure, nouveau permis de conduite européen difficile à falsifier, revêtement anti-réflexion sur verre, verre où on ne voit que d'un côté), dioxyde de titane pour propriété autonettoyante, revêtement antiadhérent inspiré de la feuille de Lotus, revêtement antimicrobien. L'hôpital de Singapour s'est déjà équipé en antibactérien. Le futur marché européen des hôpitaux en envisagé comme un débouché important.

Un territoire réduit mais concentrant des innovations : le bassin stéphanois

La région de Saint-Etienne montre une analogie avec la Sarre par son héritage industriel (sidérurgie et mines) et par l'activité de ses pôles de compétitivité.

Viameca

Le pôle de compétitivité Viaméca a choisi comme cœur de sa compétence la conception, production et intégration de systèmes mécaniques intelligents. Il réalise des programmes et met à disposition des moyens pour accélérer l'innovation dans la production de systèmes mécaniques intelligents adaptés à l'usage, en région Rhône-Alpes et sur l'espace central (Auvergne, Limousin, Berry, arc cévenol : Lot, Aveyron, Tarn, Lozère, Hérault, Gard). Il anime et fédère des compétences en procédés avancés de fabrication, ingénierie des surfaces, systèmes intelligents et robotique appliqués aux machines, véhicules, ensembles de structure spéciaux. L'écosystème ViaMéca se structure pour être un creuset d'innovations pour les biens d'équipement industriel, de transport, d'énergie. Ses réalisations sont déjà nombreuses.

Domaine technique	Exemples de réalisations
Ecoconception	▪ écoconception d'agroéquipements (projets Ecodefi et Ecomef) ▪ mini-pelle électrique (projet ELEXC)
Ingénierie des surfaces	▪ surfaces tribologiques durant plus longtemps ▪ procédés de protection verts, en couche plus mince
Ingénierie des usages	▪ caractériser l'attente des utilisateurs et concevoir en fonction des usages ▪ acteurs : Cité du Design (Saint-Etienne), Centre de Recherche Clermontois en Gestion et Management, laboratoire Acté (Clermont-Ferrand), Institut Fayolle (Saint-Etienne), plateforme mutualisée d'innovation Spring
Procédés de fabrication pour petites et moyennes séries	▪ procédés adiabatiques (découpage, cisaillage) ▪ fabrication directe à partir de poudres ▪ filière aluminium-lithium
Partage de machines et procédés innovants	▪ partage d'usage entre plusieurs PMI pour disposer de la technologie plus tôt après son apparition, tant que la charge n'est pas suffisante ▪ exemple : projet UPDP (Unités Pilotes à Dispositif Partagé)
Systèmes intelligents et robotiques	▪ accès facilité à des technologies : guidage, mobilité en milieu complexe, robotisation de procédé, sûreté, fiabilité, maintenance
Analyse probabiliste des procédés de fabrication	▪ influence des aléas et des variabilités sur la qualité géométrique et mécanique et sur la durée de vie des pièces
Télésurveillance	▪ plateforme de télésurveillance de machines industrielles (projet@TEM)

Réalisations du pôle de compétitivité Viaméca

Viaméca a été étudié dans l'ouvrage de Villa et Antonelli (Villa et Antonelli, 2009, p. 35), qui explique sa stratégie : il vise à être un cluster leader en mécanique avec une visibilité mondial et à jouer un rôle d'accélérateur en créant de nouvelles relations entre les acteurs du secteur. Villa et Antonelli décrivent aussi ses acteurs-clés (figure 5).

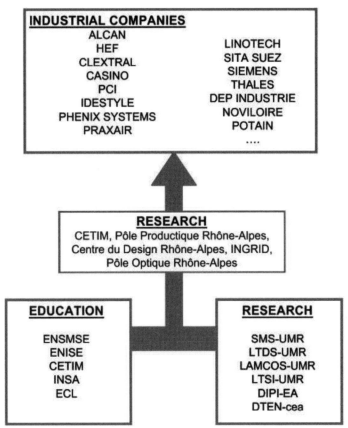

Figure 5 : Viameca Key Actors (Villa et Antonelli, 2009, p. 36)

Le Pôle des Technologies Médicales (PTM)

Les entreprises travaillant pour le secteur médical et de la santé, les établissements hospitaliers et les universités, instituts et centres techniques étaient déjà en relation. Le Pôle des Technologies Médicales les a fédérés au travers de projets et d'accompagnements, en particulier dans trois domaines de compétence : implants chirurgicaux, textiles de santé, maintien à domicile.

- Concernant les implants, des développements ont porté sur l'évaluation du revêtement *Diamond Like Carbon* (DLC). Cela a permis de disposer d'une plate-forme de

R & D technologique sur les traitements de surface et d'un réseau de compétences et d'une veille sur les biomatériaux.

- Le domaine des textiles de santé a développé la métrologie des orthèses (appareillages extérieurs, par exemple de genou ou de cheville, par opposition aux implants qui sont intérieurs) pour mieux les adapter aux patients. Un réseau international des textiles de santé est désormais actif.

- Le maintien à domicile est un axe fort. 90 logements sociaux de la Loire sont équipés d'une assistance médicale à distance par le dispositif AMDHS (Assistance médicalisée à distance pour l'Habitat Social), une première nationale. Un appartement évolutif pour la mobilité en maintien à domicile a été présenté à l'EHPAD (Etablissement d'Hébergement pour Personnes Âgées Dépendantes) de la rue Balay de Saint-Etienne. Il s'y ajoute la Journée Technique du Suivi à Domicile.

Le pôle anime depuis 2004 un Réseau International des Dispositifs Médicaux : échanges, partenariats, aide aux entreprises à se développer à l'international et à l'export.

CONCLUSION ET PERSPECTIVES : FAIRE ÉVOLUER LES RÉSEAUX EN DIRECTION DES MÉGA-TENDANCES DU FUTUR

La perspective des pôles industriels régionaux d'Europe est la projection de territoire : aller vers les économies en croissance, à partir d'un ancrage territorial. Cette projection de territoire passe dans l'avenir par une projection de complexité : il faut disposer de nouveaux avantages de différenciation pour collaborer avec de nouveaux partenaires. La Chine est actuellement en pointe pour le remanufacturing, mais est à l'écoute pour les nanotechnologies. Le bassin sarrois a une offre avancée en énergies nouvelles et renouvelables, matériaux avancés, mécanique à valeur ajoutée. Le bassin stéphanois a choisi ses spécialités : production et intégration de systèmes mécaniques intelligents, technologies médicales.

Dans cette double logique de projection, l'évolution des réseaux joue un rôle clef. Les éléments présentés ici sont un premier pas, une ouverture vers des directions à approfondir : remanufacturing, low tech/low cost, frugal innovation, transformation des méga-tendances en micro-implications, en produits et en opportunités. Des discussions, des comparaisons de méthodologies, la compréhension des façons d'utiliser la prospective est nécessaire pour permettre une stratégie d'expansion des réseaux de productions innovantes à partir d'ancrage territoriaux forts.

BIBLIOGRAPHIE

Antoldi (Fabio), "Between local tradition and global competition : introduction to phenomenon of Italian industrial districts", In : Antoldi (F.) (ed.), *Small enterprises and Industrial Districts*, Il Mulino, Bologna, 2006.

Belussi (Fiorenza), Sedita (Silvia Rita), *Inward information and knowledge flows in low-tech industrial districts*, EURAM international conference, Track on evolutionary perspectives on industrial district change, Liverpool, 2009.

Bergmann (Edward M.), Feser (Edward J.), *Industrial and Regional clusters : Concepts and Comparative Applications*. In : Jackson (R.W.) (ed.), *Web Book of Regional Science*. Morganstown, W.V., Regional Research Institute, West Virginia University, 1999.

Borras (Susana), Tsagdis (Dimitrios), *Cluster policies in Europe, Firms, Institutions, and Governance,* Cheltenham, Edward Elgar, 2008.

Boston Consulting Group & CMI, *Évaluation des pôles de compétitivité*, rapport au gouvernement Fillon, juin 2008.

Brenner (Thomas), *Local Industrial Cluster : Existence, Emergence and Evolution*, London, Routledge, 2004.

Crouch (Colin), Le Galés (Patrick), Trigilia (Carlo), Voelzkow (Helmut), *Local Production Systems : Rise or Demise ?*, Oxford University Press, Oxford, 2001.

Destret (Pierre-Michel), *Viameca, Guide des bonnes pratiques*, Saint-Etienne, Clermont-Ferrand, Viameca, 2012, 4 p.

Duranton (Gilles), Martin (Philippe), Mayer (Thierry), Mayneris (Florian), *Les Pôles de compétitivité : que peut-on en attendre ?*, Paris, Edition Rue d'Ulm, Coll. du CEPREMAP, 2008.

Duranton (Gilles), Martin (Philippe), Mayer (Thierry), Mayneris (Florian), *Whither clusters ? Lessons from the French experience*, Oxford, Oxford University Press, 2009.

El Korchi (Akram), Millet (Dominique), *Conditions of emergence of OEM's reverse supply chains*, Journal of Remanufacturing 2014, 4 :3 (6 May 2014)

European Cluster Observatory, *Innovation clusters : a statistical analysis and overview of the current policy support*, 2007.

Gallaud (Delphine), *Les Pôles de compétitivité : Une réponse industrielle française à la mondialisation ?,* Vie & sciences de l'entreprise, 2006/1-2, n° 170-171, pp. 39-63.

Gao Yuan, *China MIIT approve ten pilot remanufacturing enterprises*, Beijing, News iStockAnalyst, 30 janvier 2011.

Iritié B.G. (Jean-Jacques), *Enjeux des politiques industrielles basées sur les clusters d'innovation : cas des pôles de compétitivité*, Munich, MPRA Paper, 2014,

Kiese (Matthias), *Mind the Gap : Regional Clusterpolitik im Spannungsfeld von Wissenschaft, Politik und Praxis aus der Perspektive der Neuen Politischen Ökonomie*, Zeitschrift für Wirtschaftsgeographie, 52(2-3), 2008, pp. 129-145.

Kondoh (Shinsuke), Salmi (Timo), *Strategic decision making method for sharing resources among multiple manufacturing/remanufacturing systems*, Journal of Remanufacturing 2011, 1 :5 (28 novembre 2011).

Lagendijk (Arnoud), Charles (David), *Clustering as a new growth strategy for regional economies ? A discussion of new forms of regional industrial policy in the UK,* in OECD, Boosting innovation : the cluster approach, Paris, 1999, pp. 127-154.

Ledenvic (Philippe), *État et développement territorial – Nouveaux enjeux, nouvelles pratiques – Guide pour les démarches d'économie territoriale*, Lyon, DREAL Rhône-Alpes, avril 2012, 54 p.

Lefebvre (Philippe), *Cluster policy in France : regions and multi-level governance in a state-led policy*, Colloquium "Cluster policies in European regions : Governance, innovation and actor interaction", Audencia Nantes School of Management, octobre, 2009.

Lind (Sebastian) and al, *Exploring inter-organizational relationships in automotive component remanufacturing, Journal of Remanufacturing* 2014, 4 :5 (2 July 2014).

Locke (Richard M.), *Report of the MIT taskforce on innovation and production*, Boston, MIT Press, 2012.

Love (James), Roper (Stephen), Location and network effects on innovation success : evidence for UK, German and Irish manufacturing plants. Research Policy, 30 (2001), pp. 643-661.

Lund (Robert), Hauser (William M.), *Remanufacturing – An American Perspective*, International Conference on Responsive Manufacturing, Ningbo, China, 2010.

Lund (Robert), *Remanufacturing*, Technology review, v 87, n° 2, février-mars 1984, pp. 19-23, 28-29.

Menu (Sabine), *Les Pôles de Compétitivité, un nouveau pilotage de la politique industrielle ? Bilan en Ile-de-France*, Politiques & Management Public, vol. 28/1, 2011.

Molina-Morales (FX), *European industrial districts : Influence of geographic concentration on performance of the firm*. J Int Manage 7, 2001, pp. 277-294.

Pascallon (Pierre), Hortefeux (Pascal), Que faut-il penser des pôles de compétitivité ?, *Revue politique et parlementaire* 1047, 2008, pp. 139-143.

Phillips (Winfred M.), *2028 Vision for Mechanical Engineering*, New York, ASME, 2008, 28 p.

Porter (Michael), Clusters and the new economics of competition, *Harvard Business Review*, 76(6), 1998, pp. 77-90.

Raines (Philip) (ed.), *Cluster Development and Policy*, Ashgate, Burlington, 2002.

Raisson (Virgine), *2033, Atlas des futurs du monde*, Robert Laffont, 2010.

Rosenfeld (S), *Industrial strength strategies : regional business clusters and public policy*. Washington, DC, Aspen Institute, 1995.

Saxenian (Annalee), *Regional Advantage : Culture and Competition in Silicon Valley and Route 128*, Cambridge, Mass., Harvard University Press, 1994.

Steinhilper (Rolf), *CO_2 Footprints of Remanufacturing : We are Not Melting the Icebergs* ! International BIG R Show, Las Vegas, 2010.

Steinhilper (Rolf), *Remanufacturing : The Ultimate Form of Recycling*, Stuttgart, Fraunhofer IRB Verlag, 1998.

Struzyna (Janusz), Ingram (Tomasz), Majowska (Magdalena), *High dynamic range imaging as a way for understanding organizational evolution*, EURAM international conference, Track on evolutionary perspectives on industrial district change, Liverpool, 2009.

Sundin (Erik), Dunbäck (Otto), *Reverse logistics challenges in remanufacturing of automotive mechatronic devices*, *Journal of Remanufacturing* 2013, 3 :2 (6 February 2013)

Therme (Jean), *High level expert group on Key Enabling Technologies. Final Report*, Bruxelles, Commission Européenne, 52 p.

Villa (Agostino), Antonelli (Dario), *Road Map to the development of European SME Networks. Toward Collaborative Innovation*, Londres, Springer, 2009.

Walsh (Ben), *Remanufacturing in Europe. The business case*, Sustainable Industry Forum, Bruxelles, 27 mai 2013.

Weil (T.), Fen-Chong (S.), "Les pôles de compétitivité français", *Futuribles* 342, juin 2008, pp. 5-26.

Younes (Dima), "Choosing the Industry of an Industrial Cluster in a Globalizing City", *Journal of Change Management*, vol. 12, n° 3, octobre 2012, pp. 339-353.

Younes (Dima), *Créer la coopération ? Les dynamiques de partenariat sur le pôle de compétitivité du plateau de Saclay*, Thèse, Centre de Sociologie des Organisations, 2011.

Zhu (Sheng), *The Latest Development and Future Prospect of Remanufacturing and Key Technologies in China*, Remanufacturing forum, Shanghai, 2011.

La construction de territoires identitaires régionaux et locaux en Arctique

Antoine DUBREUIL

La rapidité des changements à l'œuvre en Arctique suscite interrogations et étonnement. Les descriptions souvent proposées de la région la décrivent comme un espace dans lequel se livrerait une compétition de plus en plus acharnée en vue de profiter des opportunités offertes notamment par le changement climatique, en termes d'accès et d'exploitation de nouvelles ressources ou de sécurisation de droits prescrits par le droit de la mer. Mais c'est oublier le plus souvent que l'Arctique, à la différence de l'Antarctique, est une région peuplée. Elle regroupe aujourd'hui environ quatre millions d'habitants autour de l'océan glacial arctique. Or, parmi ces habitants figurent des peuples autochtones largement minoritaires au regard de la population globale, et surtout au regard de la population de leurs États respectifs.

L'avenir de ces peuples pose question au regard des évolutions dans la région et plus largement dans le monde. La question de leur survie en tant que peuple est posée. C'est pourquoi le concept de sécurité sociétale nous paraît pertinent pour évoquer la quête de reconnaissance identitaire de ces peuples. La sécurité sociétale est ainsi définie par Barry Buzan comme *"la permanence, à l'intérieur de conditions acceptables d'évolution, des schémas traditionnels de langage et de culture ainsi que de l'identité et des pratiques nationales et religieuses*"[1]. Elle est aussi présentée par Ole Waever comme "*la capacité d'une société à persister dans ses caractéristiques essentielles face aux conditions changeantes et face à des menaces probables ou réelles*"[2].

Dans le cadre ainsi défini, c'est bien cette sécurité sociétale qui est fondamentalement en jeu pour les peuples autochtones de l'Arctique. La question de l'identité du groupe tient une place primordiale dans le maintien de cette sécurité sociétale. Quelles sont alors les stratégies identitaires mises en œuvre pour la maintenir, à quelles échelles et avec quelles conséquences ? Nous nous proposons d'étudier ces stratégies identitaires à l'échelle nationale tout d'abord, puisque c'est là que les dommages identitaires peuvent être les plus importants, mais là aussi que résident les meilleures chances de résiliences identitaires, puis à l'échelle internationale avant d'en esquisser des conséquences locales.

AUTONOMIES IDENTITAIRES À L'ÉCHELLE NATIONALE

L'enjeu de l'autonomie pour les peuples autochtones est plus largement celui de toutes les minorités qui doivent cohabiter dans le cadre d'une pluralité nationale au sein d'un même État. En effet, comme le rappelle Alain Dieckhoff, "*il s'agit au fond de garantir l'autonomie des groupes, c'est-à-dire de leur permettre de s'autogérer à l'intérieur d'un cadre politique commun. Cette autonomie ne peut s'exercer que de deux façons : à travers les personnes ou sur une base territoriale. Dans le premier cas, les droits sont attachés aux individus membres d'un groupe spécifique ; dans le second, ils s'exercent dans un espace géographique et administratif particulier auquel le groupe national est historiquement lié et où il est démographiquement majoritaire*"[3]. Ces deux modèles d'autonomie, ethnique et territoriale, se décli-

---

1   Barry Buzan, *People, States and Fear*, New York, Harvester Wheatsheaf, 1991, p. 19.

2   Ole Waever, "Societal security. The Concept", Ole Waever, Barry Buzan, Morten Kelstrup, Pierre Lemaître (dir.), *Identity, Migration and the New Security Agenda in Europe*, Londres, Pinter, 1993, p. 23.

3   Alain Dieckhoff, *La Nation dans tous ses États. Les identités nationales en mouvement*, 2000, nouvelle édition, Paris, Flammarion, 2012, pp. 177-178.

nent en de nombreuses variantes[4] selon les États arctiques. Le cadre national demeure ici prégnant pour saisir les conditions d'expression des identités autochtones.

Autonomies ethniques

Les peuples autochtones de l'Arctique russe[5] comprennent de nombreuses ethnies à la démographie faible pour la plupart d'entre eux. Une quarantaine d'entre eux, reconnus juridiquement par la Constitution russe, sont regroupés sous l'appellation des "Petits Peuples autochtones du Nord, de la Sibérie et d'Extrême-Orient de la Fédération de Russie". Parmi ces quarante peuples, dix comptent moins de 1 000 représentants. Il est admis que les peuples comptant 10 000 représentants ou plus (comme les Nénetses ; Khantys ; Yakoutes ; Évènes ; Tchouktches) sont considérés comme se maintenant ou en croissance ; ceux comptant une population entre 1 000 et 10 000 individus (comme les Sames ; Selkoupes ; Kètes ; Dolganes ; Yupiks) sont considérés comme étant en situation précaire ; ceux comptant moins de 1 000 représentants (comme les Énetses ; Nganassanes ; Kérèkes) sont considérés comme proches de l'extinction.

Les peuples autochtones russes possèdent certains droits spécifiques (droit au maintien de la langue maternelle et l'établissement de conditions permettent son étude et son développement et droits des peuples autochtones peu nombreux) ainsi qu'un accès privilégié à l'exploitation des ressources renouvelables de leurs terres et aux revenus issus de l'exploitation d'autres ressources comme le gaz ou le pétrole. Ces peuples se sont regroupés en 1990 dans une association chargée de protéger et promouvoir leurs droits et intérêts dans les domaines sociaux, culturels et

---

4   Pour une approche générale des relations de l'État avec les peuples autochtones, voir entre autres : David C. Hawkes, "Les peuples autochtones : autonomie et relations intergouvernementales", *Revue internationale des Sciences sociales*, n° 167, mars 2001, pp. 167-176.

5   Christian Malet, "Quel avenir pour les « Petits peuples » de la Russie arctique ?", Marie-Françoise André (dir.), *Le Monde polaire. Mutations et transitions*, Paris, Ellipses, 2005, pp. 135-152 ; Entretien avec Boris Chichlo, "Les peuples autochtones du Grand Nord", *Le Courrier des pays de l'Est*, Paris, La Documentation française, dossier *Le Grand Nord russe*, n° 1066, mars-avril 2008, pp. 20-34.

environnementaux. RAIPON (*Russian Association of Indigenous Peoples of the North, Siberia and Far East*), qui représente 250 000 individus répartis en 40 ethnies, est organisé en branches ethniques et territoriales et a notamment permis de lutter contre le silence, l'isolement, l'indifférence ou l'ignorance dont ces peuples faisaient l'objet, notamment durant la période soviétique. Les peuples autochtones russes, minoritaires quasiment partout et à l'avenir incertain pour certains, ont développé un modèle ethnique valorisant la reconnaissance culturelle et une tentative de représentation spécifique à travers RAIPON.

Dans l'Arctique européen, au nord du continent en Suède, Finlande et Norvège, les Sames[6] constituent un des derniers peuples autochtones d'Europe, sans État, dont la population est estimée entre 60 000 et 100 000 individus. Leur terre ancestrale qu'ils appellent *Sapmi* recouvre le nord de la péninsule fenno-scandinave. Ils sont entre 40 000 et 60 000 individus en Norvège, entre 15 000 et 25 000 en Suède, entre 6 000 et 9 000 en Finlande dans la région de Lappi (Laponie) et enfin 1 990 dans la péninsule de Kola en Russie. Les Sames sont reconnus comme un peuple autochtone à part entière et se sont vus reconnaître des droits politiques et culturels spécifiques (protection de la langue same, de leur art, de leur culture et mode de vie). Les trois États scandinaves ont établi des institutions politiques spécifiques connues sous le nom de Parlements sames. Ce sont des institutions politiques consultatives qui ne donnent pas aux Sames une autonomie politique mais qui sont plutôt une forme d'institutionnalisation de leur reconnaissance en tant que peuple spécifique et distinct des Scandinaves. Ils servent principalement de lien entre l'État central et les Sames sur des questions d'importance. Ces Parlements, élus directement par les Sames sur des listes autochtones, permettent une représentation distincte de celle portée par les parlements nationaux. En 1989 le Parlement same de Norvège a été établi à Karasjok et une zone d'administration en langue same a été instituée en 1990. Par la suite, des Parlements sames

---

6   Else Grete Broderstad, "The promises and challenges of indigenous self-determination. The Sami case", *International Journal*, numéro spécial *The Arctic is hot – part II*, Canadian International Council, Toronto, University of Toronto Press, vol. LXVI, n° 4, automne 2011, pp. 893-907 ; Christian Mériot, "La Laponie aux Lapons : du rêve à la réalité", Marie-Françoise André (dir.), *Le Monde polaire. Mutations et transitions*, *op. cit.*, pp. 115-133.

ont été instaurés en Suède en 1993 à Kiruna puis en Finlande en 1996 à Inari. Ces Parlements, financés par les budgets de leurs États centraux respectifs, sont des institutions politiques indépendantes en Norvège et en Finlande, quand le Parlement same suédois dépend directement du gouvernement central. Enfin, une Assemblée same de Kola a été établie en 2010 à Mourmansk et reconnue par les trois Parlements sames mais rejetée par les autorités fédérales russes.

Le modèle de gouvernance mis en place par les Sames apparaît clairement comme un modèle ethnique de représentation spécifique, mais avec des situations nationales très variables. Ainsi, si les droits des Sames sont les moins reconnus en Russie, les Sames finlandais ont un droit de négociation à travers leur Parlement, alors que les Sames de Suède subissent une marginalisation croissante dans le processus de prise de décision suédois. Les mieux lotis semblent être les Sames de Norvège, avec la loi sur le Finnmark de 2005 qui a établi une cogestion entre la Norvège et le Parlement same de Norvège dans le comté du Finnmark. Cette loi a reconnu le peuple same comme un peuple autochtone avec des droits substantiels, notamment le transfert à une administration régionale, l'Autorité du Finnmark, de la responsabilité et de la propriété de terres auparavant gérées exclusivement par l'État. Cette loi caractérise une avancée historique pour la reconnaissance et l'autonomie des Sames et est devenue un horizon enviable à atteindre pour les Sames des pays voisins.

L'Arctique nord-américain regroupe des territoires faisant partie des États-Unis, du Canada et du Danemark. Cet espace est peuplé par les Inuits, au nombre d'environ 150 000 individus répartis de façon homogène entre les trois pays (environ 50 000 chacun) et en incluant les Yupiks de Sibérie. D'autres populations y habitent, comme les nations Dénés, les Gwich'in ou les Aléoutes.

L'Alaska compte environ 45 000 Inuits (Inupiats et Yupiks), 22 000 Amérindiens (Dénés, Gwich'in au nombre environ de 5 000 individus) et 7 000 Aléoutes, soit 15 % de sa population. Le 23 décembre 1971, le Président Nixon a signé l'accord sur les revendications territoriales autochtones en Alaska, connu sous le nom d'ANCSA pour *Alaska Native Claims Settlement Act*. Il a entraîné l'extinction des droits ancestraux sur les terres revendiquées contre indemnisation financière et reconnaissance de la propriété pleine et entière de 180 000 km² de terres et de leurs ressources.

Aux termes de l'accord, l'Alaska a été divisé en douze régions gérées par treize sociétés régionales, *Alaska Native Regional Corporations*, dont les actionnaires sont les autochtones de la région et chargées pour une part de faire fructifier leur part de l'indemnisation reçue et des dividendes reçues de l'exploitation de leurs terres et d'autre part de veiller aux terres dont elles ont reçues la propriété en en surveillant l'exploitation. Par ailleurs, il existe aussi plus de deux cents sociétés de villages (*Alaska Native Village Corporations*) qui ont en charge les terres au sein des villages et localités autochtones. Certaines associations régionales font aussi œuvre éducative en insistant sur la transmission des savoirs et de la culture traditionnels ou en offrant des stages d'insertion professionnelle. Grâce à l'ANCSA, les autochtones alaskiens ont ainsi obtenu une autonomie essentiellement économique mais qui ne s'est traduite pas par une réelle autonomie politique. Celle-ci a correspondu au souhait de la majorité des autochtones d'Alaska d'avoir les moyens de ne plus être marginalisé et de profiter de toutes les commodités offertes par l'*Amercian way of life*, tout en essayant de préserver et d'adapter leurs cultures à cette nouvelle donne. En tout état de cause, le mode de gouvernance mis en œuvre est clairement à caractère ethnique.

Les peuples autochtones de l'Arctique canadien ont conclu un certain nombre d'accords avec les autorités régionales et fédérales. Les Inuits vont ainsi rechercher des statuts d'autonomie dans les régions où ils sont installés, à travers des accords sur les revendications territoriales (*Land Claims Agreements*). Ces accords possèdent des caractéristiques communes, notamment un volet d'indemnisation financière, un volet territorial avec la rétrocession de terres en pleine propriété et droit d'exploitation et un volet institutionnel avec la création d'une société dont les Inuits sont actionnaires et chargée de gérer l'exploitation des terres attribuées et l'argent reçu au titre des indemnisations.

Ainsi, les Inuits des Territoires du Nord-Ouest ont signé en 1984 un accord séparé, l'*Inuvialuit Final Agreement* (IFA), afin de profiter et d'orienter le développement des exploitations pétrolifères du delta du Mackenzie et en mer de Beaufort, dans un processus similaire à celui des Inuits d'Alaska. Le modèle est ici encore un modèle de gouvernance ethnique, avec comme en

Alaska une distinction entre un territoire régional (*Inuvialuit Settlement Region* – ISR) et une société gérant les intérêts inuits (*Inuvialuit Regional Corporation* – IRC), cette dernière agissant dans le cadre de la région définie.

Les Inuits du Labrador, dépendants de la Province de Terre-Neuve-et-Labrador, ont quant à eux négocié un véritable gouvernement autonome au sein de Terre-Neuve-et-Labrador. L'accord sur les revendications territoriales des Inuits du Labrador (LILCA, *Labrador Inuit Land Claims Agreement*) de 2005 a en effet permis la création d'un territoire autonome géré par les Inuits, le Nunatsiavut. Ce dernier, dénommé *Labrador Inuit Settlement Area*, compte environ 5 000 habitants et comprend des terres accordées en pleine propriété aux Inuits et un droit d'utilisation sur les autres terres du territoire, des eaux côtières. Le gouvernement du Nunatsiavut a pour objectif la préservation de la culture, de la langue et de l'environnement inuits. Ce gouvernement régional inuit se constitue d'une Assemblée du Nunatsiavut, qui a pour tâche de représenter les Inuits du Labrador et d'assurer la gouvernance du territoire. Les Inuits du Labrador élisent le Président du Nunatsiavut qui dirige le Conseil exécutif du Nunatsiavut. Ici encore, le modèle de gouvernance est clairement un modèle ethnique, mais dans un cadre autonome plus large que pour l'ISR. À noter l'absence d'une société inuite privée chargée de veiller sur les intérêts des Inuits du Labrador et au respect du LILCA, puisque ces missions sont prises en charge par le gouvernement régional autonome.

Autonomies territoriales

Les modèles suivants, situés également dans l'Arctique nord-américain, s'éloignent de la matrice ethnique en créant une dualité entre une autorité chargée du territoire régional et une société privée chargée exclusivement des intérêts autochtones, alliant ainsi gouvernement public dans la gestion quotidienne et ethnicité dans la gestion des intérêts patrimoniaux.

Le premier cas concerne le Nunavik, situé dans la région du Nord-du-Québec[7], qui compte environ 11 000 habitants à 90 % Inuits. Le Nunavik[8] a été créé à la suite de la Convention de la Baie James et du Nord québécois (CBJNQ) de 1975, qui traduit une approche globale, économique, politique, environnementale, sociale et culturelle. Le Nunavik est ainsi géré par une administration publique régionale, l'Administration régionale Kativik (ARK), représentant tous les habitants du territoire du Nunavik de façon non discriminatoire. Quant à la Société Makivik, elle représente les intérêts des Inuits dans leurs relations avec les gouvernements québécois et canadien et gère notamment les indemnités financières issues de la CBJNQ. Des projets prévoient la fusion des trois organismes publics existants (Administration régionale Kativik, Commission scolaire Kativik et Régie régionale de la santé et des services sociaux du Nunavik) en une seule entité nommée Gouvernement régional du Nunavik. Ainsi, à la différence de l'ANCSA ou de l'IFA qui portent plus sur les droits fonciers, les Inuits du Québec bénéficient d'une autonomie à la fois politique et économique basée sur l'auto-développement et l'auto-administration mais aussi et surtout sociale, culturelle et linguistique au sein de la Province du Québec. Mais le modèle de gouvernance continue à allier ethnicité et gouvernement public.

Le Nunavut[9] est un Territoire fédéral créé le 1er avril 1999. Il vise à accorder une autonomie politique substantielle aux Inuits de l'Est canadien et regroupe environ 31 500 habitants, dont 80 à 85 % se déclarent Inuits, répartis en vingt-six communautés. Le Nunavut est issu de deux lois fédérales du 9 juillet 1993.

La première est la Loi concernant l'Accord sur les revendications territoriales du Nunavut (*Nunavut Land Claims Agreement Act*). Cette Loi a entériné l'Accord sur les revendi-

---

7   Jacques-Guy Petit, Yv Bonnier-Viger, Pita Aatami et Ashley Iserhoff (dir.), *Les Inuit et les Cris du Nord du Québec. Territoire, Gouvernance, Société et Culture*, Rennes, Presses Universitaires de Rennes, 2010.

8   Édouard Roberson et Yohann Cesa, "Sociétés et économies inuit en devenir", Marie-Françoise André (dir.), *Le Monde polaire. Mutations et transitions*, *op. cit.*, pp. 53-66.

9   Françoise Morin, "La construction de nouveaux espaces politiques inuits à l'heure de la mondialisation", *Recherches amérindiennes au Québec*, vol. XXXI, n° 3, 2001, pp. 25-36 ; Natalia Loukacheva, *The Arctic Promise. Legal and Political Autonomy of Greenland and Nunavut*, Toronto, University of Toronto Press, 2007.

cations territoriales du Nunavut (*Nunavut Land Claims Agree-ment*) formellement signé en 1992, qui prévoit la création d'un territoire inuit (*Nunavut Settlement Area*), qui sera aussi un Terri-toire fédéral, et qui accorde aux Inuits la pleine propriété d'environ 10 % des terres du Territoire (*Inuit Owned Lands*), soit environ 350 000 km² ainsi que de l'exploitation des ressources. Sur le reste des terres du Territoire, les Inuits reçoivent des droits d'utilisation en termes de droits traditionnels de chasse et de pêche. L'Accord prévoit une indemnisation financière de la part du gouvernement fédéral. L'Accord a désigné un organisme inuit, la *Nunavut Tunngavik Inc.* (NTI), chargé de gérer et protéger les intérêts patrimoniaux et financiers des Inuits. La NTI exerce aussi une mission de promotion du bien-être économique, social et culturel et assure un certain nombre de programmes à destination spécifique des Inuits.

La seconde loi est la Loi sur le Nunavut (*Nunavut Act*) qui officialise la création d'un nouveau Territoire au sein de la Confédération canadienne et en organise le fonctionnement. Le Nunavut est ainsi constitué en un gouvernement public non ethnique, représentant l'ensemble des habitants du Nunavut de façon non discriminatoire. Un Commissaire du Nunavut y représente le gouvernement fédéral et une Assemblée législative du Nunavut est élue au suffrage universel. Un gouvernement est mis en place, avec un Premier ministre et un gouvernement res-ponsable devant l'Assemblée. Par ailleurs, un Conseil consultatif des Aînés a été créé par le gouvernement du Nunavut afin de l'aider à intégrer la culture et les savoirs traditionnels inuits dans les politiques et pratiques gouvernementales. Un processus de négociations afin d'obtenir une plus grande dévolution a été entamée avec le gouvernement fédéral.

Ainsi, le Nunavut, tout comme le Nunavik au Québec, allie un modèle de gouvernance ethnique (NTI) et de gouverne-ment public (gouvernement du Nunavut) la principale différence résidant dans son statut d'entité fédérale, ce qui lui confère un accès privilégié au gouvernement fédéral et au Parlement fédéral.

Enfin, le Groenland[10] (*Kalaallit Nunaat*) est la dernière composante régionale de l'Arctique nord-américain. Politique-

---

10   Joëlle Robert-Lamblin, "La société inuit groenlandaise en mutation", Marie-Françoise André (dir.), *Le Monde polaire. Mutations et transitions, op. cit.*, pp. 99-113 ; Natalia Loukacheva, *The Arctic Promise. Legal and Political*

ment rattaché au Danemark, il est peuplé d'environ 57 000 habitants dont environ 50 000 Inuits.

Un statut d'autonomie interne (*Home Rule*) a été négocié et est entré en vigueur en 1979. Le Groenland s'est doté d'un Parlement et d'un gouvernement dirigé par un Premier ministre. Le Danemark reste représenté par un Commissaire du Royaume. En 1979, les autorités groenlandaises ont reçu des compétences larges pour tout ce qui concerne la vie locale du territoire. Le territoire a adopté son propre drapeau aux couleurs danoises en 1980. De façon générale, le Danemark conserve ses prérogatives en matière de défense et d'affaires étrangères, de police et de justice, de politique monétaire et d'exploitation des ressources. Depuis l'obtention de ce statut, l'île se situe dans un processus évolutif dont l'indépendance à l'égard du Danemark doit être l'aboutissement. Le Groenland a ainsi quitté la CEE en 1985. La Déclaration d'Itilleq en 2003 a amené le Danemark à associer le territoire autonome aux questions étrangères et de sécurité le concernant.

En 2009 est entré en vigueur un statut d'autonomie renforcée (*Self Rule*), conçu comme la dernière étape avant une indépendance de l'île. Il accorde des pouvoirs élargis aux autorités autonomes en assurant le transfert progressif de trente-trois nouveaux domaines, dont la police et la justice ou l'exploitation et le contrôle des ressources minérales. Le Groenland assure la mise en application administrative des mesures concernant tout le Royaume et dispose d'un droit de regard et d'association pour les questions internationales le concernant. Le Danemark ne conserve que la politique monétaire, la politique de défense et de sécurité, les affaires étrangères autres que les questions groenlandaises et la justice de dernier ressort. De plus, le groenlandais est reconnu comme langue officielle du Groenland en lieu et place du danois. Le peuple groenlandais est reconnu en tant que tel au sens du droit international. Le statut reconnait aussi le droit à

Autonomy of Greenland and Nunavut, op. cit. ; Dossier spécial *Quel avenir pour le Groenland ?*, *Nordiques*, Paris, Choiseul, n° 18, hiver 2008-2009, pp. 21-96 ; Damien Degeorges, "Le Groenland, enjeux et nouveaux défis", *Nordiques*, Paris, Choiseul, n° 14, été-automne 2007, pp. 111-120 ; Damien Degeorges, "Le Groenland, enjeu climatique et géopolitique de l'Arctique", *Nordiques*, Paris, Choiseul, n° 20, automne 2009, pp. 109-118 ; Damien Degeorges, "The Role of Greenland in the Arctic", *Laboratoire de l'IRSEM*, n° 7, avril 2012, pp. 1-60.

l'autodétermination du peuple groenlandais conformément au droit international tout en fixant les modalités d'une telle indépendance à terme de l'île[11]. Cependant, le Groenland demeure encore économiquement dépendant des subventions danoises, même si l'exploitation des ressources minérales doit lui assurer une certaine autonomie financière.

La vie politique groenlandaise se déploie dans un cadre parlementaire avec un Parlement élu au suffrage universel et un gouvernement autonome dirigé par un Premier ministre. Elle s'est progressivement structurée autour de partis politiques locaux qui n'ont que peu de liens avec leurs homologues danois et qui se concentrent surtout les enjeux groenlandais, au premier rang desquels figure l'indépendance. Le modèle de gouvernance mis en place au Groenland est clairement ici un modèle territorial de gouvernement public.

RECONNAISSANCE IDENTITAIRE À L'ÉCHELLE INTERNATIONALE

Au-delà des autonomies acquises dans le cadre national, qui demeurent les plus importantes, cette reconnaissance de l'identité des peuples autochtones arctiques se développe aussi à l'échelle internationale et passe par des réseaux transnationaux, mais aussi par la coopération avec les États arctiques.

Réseaux transnationaux autochtones

Les trois Parlements sames ont établi en 2001 une Conférence parlementaire same afin d'assurer un suivi des affaires communes aux trois Parlements. Cette Conférence, ouverte aux observateurs des organisations sames de Russie et du Conseil same, se compose de l'ensemble des parlementaires sames et se réunit annuellement. Entre les sessions, un Conseil parlementaire

---

11   Sur les problématiques de l'indépendance du Groenland, voir entre autres : Marc Auchet, "L'indépendance du Groenland : à quel prix ?", *Chronique Nord-Nord-Ouest*, n° 2, décembre 2010 ; Marc Auchet, "Greenland at the crossroads. What strategy for the Arctic ?", *International Journal, op. cit.*, pp. 957-970 ; Julian Fernandez, "À propos des conditions d'accession à l'indépendance du Groenland (Kalaallit Nunaat)", *Annuaire Français de Droit International*, Paris, CNRS Éditions, vol. LVI, 2010, pp. 413-435.

same restreint maintient le dialogue et la coopération. Par ailleurs, les Sames ont créé en 1956 un Conseil same, élargi en 1992 aux Sames de Russie. Le Conseil same est une organisation qui regroupe et représente neuf organisations nationales représentant les Sames dans leurs pays respectifs (trois associations norvégiennes, trois associations suédoises, une association finlandaise et deux associations russes).

Quant aux peuples autochtones nord-américains, ils sont regroupés au niveau international en quatre associations. Les Inuits sont regroupés depuis 1977 au sein du Conseil Circumpolaire Inuit[12] (CCI – *Inuit Circumpolar Council*), dénommé auparavant Conférence Circumpolaire Inuite et qui unit l'ensemble des populations inuites du Groenland, du Canada (Nunatsiavut, Nunavik, Nunavut et Inuvialuit), d'Alaska (Inupiats et Yupiks) et de la Tchoukotka russe (Yupiks de Sibérie). Le CCI a pour but d'affirmer l'unité des Inuits, de promouvoir et défendre leurs droits et intérêts et d'assurer le développement de la culture inuite. Le CCI se réunit en assemblée générale tous les quatre ans et élit à cette occasion un Président international. Ce dernier préside un Conseil exécutif du CCI formé des quatre présidents des CCI de Russie, d'Alaska, du Canada et du Groenland. L'organisation est ainsi structurée à la base en quatre bureaux distincts (CCI Russie, Alaska, Canada et Groenland). Ces quatre entités se réunissent au niveau international et ont un statut d'ONG.

Les Amérindiens sont quant à eux principalement regroupés au sein du Conseil Athabaskan Arctique (CCA – *Arctic Athabaskan Council*), qui compte dix-huit organisations membres représentant environ 45 000 individus, dont 12 000 en Alaska, 10 000 au Yukon et 20 000 dans les Territoires du Nord-Ouest. Mais tous les Amérindiens ne sont pas regroupés au sein du CAA puisque le peuple Gwich'in, environ 9 000 individus, a choisi d'avoir sa propre organisation en 1999, le Conseil International Gwich'in (*Gwich'in Council International*), qui regroupe des communautés en Alaska, au Yukon et dans les Territoires du Nord-Ouest. Enfin, les Aléoutes d'Alaska et de Russie (péninsule du Kamtchatka), soit presque 18 000 personnes, sont regroupés

---

12   Peter Jull, "L'internationalisme arctique et inuit", *Études internationales*, vol. XX, n° 1, mars 1989, pp. 115-130 ; Françoise Morin, "La construction de nouveaux espaces politiques inuits à l'heure de la mondialisation", *Recherches Amérindiennes au Québec, op. cit.*

au sein de l'Association Internationale Aléoute (*Aleut Internatio-nal Association*) depuis 1998.

Les peuples autochtones arctiques se regroupent dans des réseaux d'associations transnationales afin de défendre leurs intérêts et de peser face aux États, qui sont aussi leurs partenaires.

Gouvernance arctique et identités autochtones

Les peuples autochtones sont en effet associés aux États dans bon nombre d'organisations régionales en Arctique, par exemple au sein du Conseil nordique pour les Parlements sames, ou bien encore au sein de la Région Euro-Arctique de Barents (BEAR). Cette dernière coopération s'inscrit dans l'esprit de la Déclaration de Kirkenes de 1993 signée par les cinq pays nordiques (Islande, Norvège, Danemark, Suède et Finlande), par la Fédération de Russie et par la Commission européenne et se développe à un double niveau. Au niveau intergouvernemental, c'est le Conseil euro-arctique de Barents (BEAC) qui agit et regroupe de façon périodique les ministres des Affaires étran-gères et les Premiers ministres des États membres. Au niveau interrégional, c'est le Conseil régional de Barents (BRC) qui est à la manœuvre, avec treize régions et comtés des États membres. Cet organe a été institué en 1993 parallèlement à la Déclaration de Kirkenes à la suite d'un protocole d'accord signé entre les gouverneurs des régions de la mer de Barents et les représentants des peuples autochtones de la région de Barents, principalement les Sames, les Vepses et les Nénetses. Les Komis sont quant à eux représentés par le gouverneur de la république des Komis. L'objectif de cette coopération à deux niveaux est d'assurer le développement économique et social de la région et d'en amé-liorer la compétitivité au sein de l'Europe. Les principaux thèmes débattus sont ceux de la bonne gouvernance, de la croissance durable et de la cohésion sociale. En Amérique du Nord, la côte Pacifique s'est regroupée en une Région économique du Pacifique du Nord-Ouest. En son sein s'est développé un groupe de travail nommé Caucus Arctique qui regroupe les TNO, le Yukon et l'Alaska. Le but du Caucus Arctique est de travailler avec le Conseil arctique et le Conseil Circumpolaire Inuit en vue d'accroître les opportunités pour les États et les gouvernements territoriaux dans le développement arctique.

Mais le partenariat principal entre peuples autochtones et États a été noué au sein du Conseil de l'Arctique. La Déclaration d'Ottawa de 1996 a établi en effet le Conseil de l'Arctique[13] comme un forum intergouvernemental de haut niveau visant à promouvoir la coopération, la coordination et les interactions entre les États signataires sur des sujets d'intérêt communs, en premier lieu le développement durable, la protection de l'environnement et des populations autochtones de l'Arctique. Les huit États membres du Conseil de l'Arctique sont donc les huit États circumpolaires (États-Unis, Canada, Islande, Norvège, Danemark, Suède, Finlande, Russie). Le Danemark représente aussi le Groenland et les îles Féroé, même si les autorités danoises ont pris soin d'associer étroitement le Groenland aux travaux du Conseil de l'Arctique. De façon unique, le Conseil de l'Arctique associe également les peuples autochtones représentés à travers leurs organisations respectives, qui se sont vues accorder le statut de Participant permanent équivalent à celui des États membres en termes de participation active aux activités du Conseil. Les Participants permanents sont au nombre de six, représentant les principaux peuples arctiques : l'Association Aléoute Internationale ; le Conseil Athabaskan Arctique ; le Conseil International Gwich'in ; le Conseil Circumpolaire Inuit ; le Conseil Same et le Conseil Parlementaire Same ; l'Association Russe des Peuples Autochtones du Nord, de Sibérie et d'Extrême Orient. Le Conseil a établi un Secrétariat des Peuples autochtones à Copenhague afin d'aider ces organisations à suivre les réunions du Conseil.

Toutefois, en réponse aux prétentions des États côtiers sur la gouvernance arctique, manifestées par la Déclaration d'Illulissat de 2008, et au nom d'une conception différente de la souveraineté[14], le Conseil Circumpolaire Inuit a émis deux déclarations précisant la façon dont les Inuits conçoivent la souveraineté et l'exploitation des ressources en Arctique[15] en mettant

---

13   Frédéric Dopagne, "Remarques sur les aspects institutionnels de la gouvernance des régions polaires", in *Annuaire Français de Droit International*, Paris, CNRS Éditions, vol. LV, 2009, pp. 601-614.

14   Antoine Dubreuil, "Vers une redéfinition de la souveraineté en Arctique ?", *Les Cahiers de la Revue Défense Nationale*, numéro spécial *L'Arctique, théâtre stratégique*, octobre 2011, pp. 7-14.

15   Conseil Circumpolaire Inuit, *Déclaration Circumpolaire Inuit sur la Souveraineté de l'Arctique*, avril 2009 ; Conseil Circumpolaire Inuit,

l'accent sur la nécessaire implication et collaboration des populations autochtones dans le développement durable de l'Arctique. Il s'agit donc pour eux de replacer les populations autochtones au centre des préoccupations internationales sur l'Arctique et d'infléchir le sens traditionnel de la souveraineté vers une plus grande ouverture des frontières et un plus grand respect des cultures autochtones tout en assurant une meilleure répartition en leur faveur des revenus tirés de l'exploitation des ressources situées des terres autochtones, laquelle exploitation, associée à leurs connaissances ancestrales du milieu arctique, doit être basée sur un mode de développement durable.

Il apparaît donc que l'avenir de la gouvernance de l'Arctique fait débat entre les acteurs impliqués, sans évoquer les acteurs extérieurs, comme l'implication croissante de la Chine ou les projets européens d'en faire une région sanctuarisée et internationalisée.

CONSÉQUENCES IDENTITAIRES LOCALES

Mais c'est localement que la sécurité sociétale des peuples autochtones de l'Arctique est la plus atteinte, en dépit d'un fort activisme international et de mécanismes nationaux d'autonomie. C'est à ce niveau que ce font ressentir le plus fortement sur les populations autochtones les effets du changement climatique et les divergences quant à l'avenir de la région.

Défi du développement économique

Les populations autochtones sont notamment confrontées à la question de leur développement économique, dans le respect de leur culture et de leur environnement. C'est ainsi que le manque d'infrastructures lourdes pénalise le développement économique de ces régions par des liaisons difficiles avec le reste de leurs pays, exceptées par voie aérienne. Par exemple, le seul port arctique du Canada est le port de Churchill, dans le Manitoba, au fond de la baie d'Hudson. L'économie est dépendante des transferts de fonds des États centraux et reste traditionnelle, en

Déclaration Circumpolaire Inuit sur les Principes du Développement des ressources dans l'Inuit Nunaat, mai 2011.

dépit d'un fort développement de la fonction publique ou des activités artistiques. C'est ainsi que l'interdiction des produits issus de la chasse du phoque par l'Union européenne en 2009 pose des conséquences économiques majeures pour les Inuits. Le tourisme peut représenter une alternative économique, mais d'une part il nécessite des infrastructures de transport et d'accueil encore peu développées, d'autre part sa massification impliquerait des conséquences sociales et environnementales fortes dans un espace fragile. Les populations autochtones doivent donc adapter leur développement économique à leurs besoins, tout en évitant la maladie hollandaise, c'est-à-dire le piège d'une économie de rente (revenus issus de l'exploitation de ressources, transferts financiers, tourisme) allié au déclin des activités traditionnelles (chasse, élevage de rennes, etc.).

Défi de la permanence culturelle

Ces défis économiques se traduisent aussi par des défis au maintien de l'identité culturelle et sociale des peuples autochtones, soumis à de nombreux changements. Le plus urgent de ces changements concerne les effets du changement climatique à l'œuvre en Arctique. Ainsi le changement climatique fait-il sentir ses effets sur les cultures autochtones, avec par exemple la fonte du pergélisol qui menace les habitats traditionnels, le retrait et l'amincissement de la banquise qui raccourcit les périodes de chasse tout en les rendant plus dangereuses et lointaines, ou bien encore la modification du régime alimentaire des rennes dans les élevages et l'accroissement de la distance parcourue du fait de l'évolution de la flore.

À ces mutations socio-économiques qui impactent la culture traditionnelle s'ajoute la modification brutale et très rapide des modes de vie autochtones, avec le passage en un demi-siècle à peine d'une civilisation millénaire à un mode de vie moderne. Un exemple typique est la cohabitation, voire le remplacement, du mode de déplacement traditionnel des Inuits (chiens de traineau, kayaks) par des moyens modernes (motoneiges, bateaux à moteur) qui impliquent une dépendance accrue à une technologie extérieure. Ou bien encore l'abandon des habitats traditionnels au profit d'appartements et de grands ensembles.

Ces mutations radicales ont entrainées l'apparition de sociétés autochtones duales, avec d'un côté des individus fascinés par le mode de vie occidental, qui aspirent à un même niveau de prospérité que leurs concitoyens du Sud et qui se confrontent par le biais d'Internet à la mondialisation culturelle. Mais d'un autre côté, un certain nombre d'individus se sentent exclus de ce mouvement de modernisation et subissent des pertes de repères identitaires profondes, que l'on peut repérer à travers des forts taux de chômage, d'alcoolisme ou de suicide. La dénaturation du lien social traditionnel entraine des conséquences sociales et sociétales que ces sociétés doivent apprendre à gérer, par l'éducation et la formation professionnelle, la prévention, mais aussi et surtout la transmission et l'adaptation des valeurs traditionnelles au monde moderne dans lequel elles sont jetées, sous peine de perdre leurs identités autochtones distinctes.

$$* $$
$$* \quad *$$

En conclusion, les stratégies de reconnaissance identitaires variées mises en œuvre par les peuples autochtones de l'Arctique aux niveaux nationaux et internationaux ont dans l'ensemble abouti à la reconnaissance de leur spécificité par des États qui les avaient longtemps niés, à tel point dorénavant que ces peuples ont été associés aux décisions concernant leur région par le Conseil de l'Arctique. Mis à part quelques peuples arctiques sibériens dont la survie apparaît compromise, la sécurité sociétale des populations autochtones semble ainsi s'être améliorée. Mais c'est à l'échelle individuelle, locale, que les menaces identitaires sont maintenant les plus fortes, mettant en péril la cohésion sociale de ces peuples. C'est déjà massivement le cas en Alaska où le rêve américain l'a emporté sur la culture traditionnelle. Mais les institutions dont ils se sont dotés réagissent et, globalement, l'optimisme est de mise, puisqu'ils considèrent, en dépit d'efforts douloureux inévitables, être capable de s'adapter à ce nouvel environnement arctique, eux pour qui l'adaptation au monde extérieur a toujours été une question de survie. Les nouvelles identités arctiques qui émergent seront totalement renouvelées (politiquement, économiquement, culturellement, etc.) et le défi consiste dans le maintien de certaines de leurs spécificités au sein de ces identités remaniées, dont le choix sera objet à débats, tensions, questionnements et dont une partie des réponses dépendront de l'articulation entre les divers niveaux où s'expriment ces identités autochtones.

BIBLIOGRAPHIE

André (Marie-Françoise) (dir.), *Le Monde polaire. Mutations et transitions*, Paris, Ellipses, 2005, 187 p.

Canobbio (Éric), *Mondes arctiques. Miroirs de la mondialisation*, Paris, La Documentation française, 2010.

Dubreuil (Antoine), "L'Arctique au défi de la sécurité humaine et sociétale", *Points de Mire*, Montréal, UQAM – CEPES, vol. 12, n° 2, mars 2011.

Dubreuil (Antoine), "The Arctic of the regions. Between indigenous peoples and subnational entities – Which perspectives ?", *International Journal*, numéro spécial *The Arctic is hot part II*, Canadian International Council, vol. LXVI, n° 4, automne 2011, pp. 923-938.

Dubreuil (Antoine), "Vers une redéfinition de la souveraineté en Arctique ?", *Les Cahiers de la Revue Défense Nationale*, numéro spécial *L'Arctique, théâtre stratégique*, octobre 2011, pp. 7-14.

Lasserre (Frédéric) (dir.), *Passages et mers arctiques. Géopolitique d'une région en mutation*, Québec, Presses de l'Université du Québec, 2010, 490 p.

Loukacheva (Natalia), *The Arctic Promise. Legal and Political Autonomy of Greenland and Nunavut*, Toronto, University of Toronto Press, 2007, 266 p.

Therrien (Michèle), *Printemps inuit. Naissance du Nunavut*, Montpellier, Indigène Edition, 1999, 141 p.

Les diasporas et la création de nouveaux espaces d'innovation

Souchinda SANGKHAVONGS

O bserver directement une innovation organisationnelle soulève la question préalable du caractère
territorial ou non d'une organisation, ce qui a conduit à chercher à approcher cette question par l'analyse de diasporas. En effet, l'étymologie du terme diaspora (dispersion) renvoie à une image de diffusion et de dissémination (Prévélakis,
1996), qui s'effectue dans différents pays où des territoires se
reconstituent et s'organisent. Aussi la question se pose-t-elle de
savoir si les diasporas créent des innovations sur ces nouveaux
territoires où elles se fixent.

Dans cette acception, l'innovation peut être déduite d'une
rupture dans la transmission des valeurs qui fondent l'organisation familiale (quelque chose de nouveau y est introduit), et
cette rupture peut être saisie au travers des observations que l'on
peut faire, selon une approche ethnologique, sur l'évolution des
pratiques cultuelles en termes de rites.

Parmi les diasporas, la diaspora laotienne constitue un
terrain privilégié d'étude. Tout d'abord, la culture laotienne a fait
l'objet de nombreuses études, qui justifient le rôle organisationnel
des pratiques cultuelles dans la transmission de la culture laotienne au Laos, et auxquelles se réfèrent les travaux sur la diaspora
laotienne (Condominias, 1980) et plus particulièrement les travaux ethnologiques et anthropologiques sur la diaspora laotienne
en France (Rigaud, 2010, Choron-Baix, 1986). De plus, la profondeur temporelle du phénomène (1975) permet de comparer le
comportement des premières générations de réfugiés à celui des

jeunes laotiens de la diaspora nés en France. La méthode d'observation utilisée s'inspire de celle suivie par Marie-Hélène Rigaud
(Rigaud, 2012) lors de ses recherches sur la minorité asiatique de
Montpellier : une démarche ethnologique d'observation des
gestes au quotidiens et d'observation participante lors des fêtes et
cérémonies religieuses.

Les spécificités de la transmission de la culture laotienne
par l'organisation familiale sont présentées dans un premier
temps, afin de mettre en exergue le contexte socio-culturel qui
donne son sens particulier au culte de Prabang. Ce culte est lui-
même représentatif à la fois de la culture mais aussi de la constitution de la nation Lao. Il devient alors possible de montrer en
quoi l'établissement du culte dans la communauté des Lao de
France puis son évolution depuis 1975 indique une profonde
innovation, au-delà de la reconstitution de la tradition sur un
nouveau territoire.

ENTRE INNOVATION ET POURSUITE DE LA TRADITION : LE CAS DE LA DIASPORA LAOTIENNE EN FRANCE

L'innovation organisationnelle engendrée par le double
processus d'inscription dans le tissu social d'un territoire d'accueil et de réorganisation à l'intérieur de celui-ci pourrait s'évaluer en termes d'adaptation à la temporalité du travail salarié
(extrait 1).

"Les Lao sont peu habitués à comptabiliser leur temps. Avec la légendaire « heure lao », qui fait leur réputation d'éternels retardataires, ils parviennent avec peine à se plier à la rigidité des horaires salariés. Seule la volonté de ne pas se faire remarquer, et de préserver un emploi fragile, les aide à s'y soumettre. La séparation travail/loisir est, elle aussi, difficile à intégrer. Dépourvue de sens dans la société rurale dont ils sont issus, elle entraîne ici une opposition très marquée de leurs rythmes et de leurs espaces de vie. D'un côté, le temps programmé, à l'usine ou à l'entreprise, est celui des efforts d'adaptation. De l'autre, le temps libre, à l'intérieur du foyer, est celui du repli familial et ethnique, qui autorise la continuation des pratiques culturelles les plus irréductibles.

Cette dualité, constatée chez la plupart des migrants, est très sensible parmi les Lao durant les premiers mois de leur installation. S'efforçant toujours de se regrouper, ceux-ci recréent, dans les grands ensembles, à la périphérie des villes, des relations de voisinage et des formes de sociabilité qui leur sont propres. Grâce à une incessante circulation entre les immeubles et les étages de leur cité, ils retrouvent, d'un foyer à l'autre, les rapports interpersonnels, les émotions, les sensations, les gestes, qui leur sont coutumiers".

Extrait de Choron-Baix[1], 1987 : 30.

Extrait 1 : Les Lao et le temps

Pourtant l'adaptation au nouveau territoire apparaît individuelle et extérieure à la vie de la communauté, elle ne permet pas d'aborder la question de l'innovation organisationnelle dans le territoire reconstitué. Il faut donc au contraire étudier la transmission des pratiques sociales à l'intérieur du territoire reconstitué car la communauté laotienne apparaît comme formée avant tout de la famille, restreinte ou élargie, et d'amis.

---

[1] Catherine Choron-Baix, "Bouddhisme et migration. La reconstitution d'une pagode lao dans la banlieue parisienne", in AFA (association française des Anthropologues), Vers des sociétés pluriculturelles : études comparatives et situation en France. Actes du Colloque international de l'AFA, Paris, 9-11 janvier 1986, Paris / Editions de l'Orstopm, pp. 337-340.

LES APPROCHES ETHNOLOGIQUES : FAMILLE ET CULTE, LA TRANSMISSION CULTURELLE

La transmission des normes et valeurs culturelles est assurée par la famille pour les jeunes Lao. La notion de *"piep"* se définit comme le fait de perdre la face, de prestige social devant le jugement d'autrui sur l'aspect intérieur comme les humeurs et les pensées. *"L'importance accordée au* piep *ou de boun (mérites) est aussi renforcée par la théorie du Karma qui veut que tout acte produise des fruits dans cette existence et dans les suivantes. L'homme n'est ainsi que la somme de ses actes, et toute position sociale, entraînant l'estime ou à l'inverse le mépris des autres, n'en est que la démonstration"* (Choron-baix, 1994 : 242).

D'après Brisbois (Brisbois, 1994 ; 51-53), *"la société laotienne se règle sur les lois de la nature, selon une logique immuable. Il y a le lignage père* (néo phô) *et le lignage mère* (sûa mè) *qui se divisent en branches aînées* (sûa ay) *et en branches cadettes* (sûa nong). *Quand l'adolescent entre dans le monde du travail il fait immédiatement la distinction entre son supérieur hiérarchique* (ay) *et son subordonné* (nong)*"*. Le respect des règles de conduite dicte les diverses attitudes à tenir ; le salut aux aînés en usant des termes appropriés, et dans le doute devant une personne nouvellement présentée, le silence suivi d'un sourire. Ne pas se mettre en colère, courber le dos en passant devant les aînés. Le réflexe hiérarchique *"se manifeste dès les premiers contacts entre sujets sociaux, il permet à l'asiatique toujours soucieux de se montrer docile, sage, courtois, silencieux, serviable, attentif et modeste de minimiser le temps de négociation et de discussion. Ainsi toute divergence d'opinion susceptible de conduire à une dispute sera évitée"*. (Le Huu Khoa, 1996 : 118)

La gestion de la transmission culturelle est un des éléments essentiels de la perpétuation de la tradition familiale Lao par les aînés exilés, elle s'appuie sur la piété filiale (Rigaud, 2010). Carine Hahn aborde la hiérarchie des rangs et des âges : *"c'est elle qui donne des droits et génère des obligations. Alors, l'ordre des naissances compte… les générations se placent dans la pyramide des devoirs. Les cadets doivent respect aux aînés dont ils reçoivent à la fois amour et protection. L'enfant doit référence et gratitude à ses parents dont il s'occupera quand ils seront vieux"*. (Hahn, 1999 : 184).

Les règles de conduite, les interdits et les transgressions, les disciplines, les croyances sont des repères pour les jeunes. Des phases de la conscience de l'individu de sa propre identité permettent une organisation sociale et une hiérarchie familiale. L'ordre de naissance, le rang social, la subordination des cadets aux aînés est le fondement de toutes les relations (Rigaud, 2010 : 133). La transmission de ces valeurs est affaire de cuisine, une question de dosage des deux parties (Muxel, 2002 : 92), l'aîné et le cadet. Malgré tout, la transmission culturelle par les parents, ces "savoirs emblématiques" (Choron-Baix 2000) font partie du savoir-vivre et de piété filiale ; ils peuvent également faire craquer chez l'enfant "*la consistance intérieure de sa hiérarchie d'attentes*" (Erikson 1972 :166).

Il est à préciser que l'organisation familiale (extrait 2) lao se base sur un système de descendance indifférencié. La famille du côté du père et celle du côté de la mère ont égale importance.

> "*John F. Embee avait été frappé par le caractère « loosely structured » de la culture Lao. C'est peut-être dans l'organisation familiale que ce trait est le plus apparent, par l'absence de rigueur dans l'énoncé des règles et la nonchalance de leur application. Or on retrouve la plupart des caractéristiques de cette organisation familiale dans les autres grandes cultures sud-est asiennes. Au niveau populaire, pas de grandes unités bien délimitées du type clan ou lignage. Le système de descendance est de type indifférencié : les familles paternelle et maternelle ont la même importance pour l'individu. Un clivage existe cependant : le système de parenté distingue dans chaque génération aînée et cadette ; mais cette opposition n'a que peu de conséquences ici, contrairement à ce qui se passe ailleurs en Asie du Sud Est, où ce trait se retrouve à peu près partout. Cette dichotomie au Laos entraîne en principe pour un homme un interdit de mariage avec une parente de la branche (süa) aînée, mais l'enfreindre ne déclenche aucune sanction*".

Extrait de Condominias, 1980 : 170

Extrait 2 : L'organisation familiale lao

Une grande importance est donnée à l'appellation des grands-parents, oncles et tantes, tandis que les prénoms de l'enfant soulignent la place et l'identité de la personne, sa reconnaissance, son cadre identitaire au sein de la communauté. Enfin les ancêtres, détenteurs de la connaissance du monde et de soi, font figure d'autorité. "*Le culte des ancêtres a pour fonction de maintenir dans l'esprit des Asiatiques l'unité familiale, la cohésion de parenté*" (Le Huu Khoa, 1996 :71). Le rituel du palladium de Prabang s'inscrit dans cette culture.

LE RITUEL DU PALLADIUM DE PRABANG : UNE INNOVATION DANS LA TRADITION ?

Le Phra Bang (écrit aussi "*Prabang*" "*Phrabang*" ou "*Pra Bang*") signifie littéralement "*le très vénéré*". C'est une statue haute de 83 cm, de 43,4 kg, recouverte de feuilles dorées d'un alliage à trois composants, principalement de l'or.

Le récit de l'origine de Prabang remonte au temps de Bouddha : à l'époque, deux camps s'affrontaient pour l'accès à la source d'eau. Une guerre allait éclater et Bouddha stoppa ces hostilités en plaçant ses deux bras en signe d'arrêt. Il demanda aux deux camps de partager la rivière en alternance. Grâce à cette mesure, la paix revint et chacun put profiter de la source.

Selon la légende, la statue aurait été élaborée au Sri Lanka (Ceylan, d'où vient le Bouddhisme Therravada) entre le Ier et le IXe siècle. Elle aurait été offerte au roi Khmer Indravarman Ier, le bâtisseur d'Angkor, au début du IXe siècle, avant d'être offerte en 1355 à Fa Ngum, fondateur du "Royaume du Million d'Éléphants et du Parasol Blanc", qui légitima son pouvoir en établissant le Bouddha Prabang comme protecteur spirituel du royaume.

Chaque année, au 3e jour du Nouvel An Lao, une statuette de Prabang prend place dans la cour du Temple Vat Maï pour y être exposée à la population, qui la célèbre en procession.

En France, la communauté Lao de France met à l'honneur depuis 1999 la célébration de Prabang par le biais de ses associations et sous le patronage du prince Sauryavong Savang[2]. Les associations ont décidé de célébrer la journée commémorative le jour de la Pentecôte afin que les fidèles (entre 1 000 et 2 000 selon les années) puissent assister à cette représentation. Une organisation active, bénévole et transgénérationnelle (4 générations se côtoient lors de cette journée) caractérise cette fête. Pour

---

2   Sauryavong Savang est le fils cadet du défunt roi Savang Vattana, dernier roi du Laos, exilé en France depuis 1975. Différentes manifestations culturelles et cultuelles sont placées sous son patronage.

la première génération d'exilés, ce rassemblement signifie une journée de commémoration du lien qui les relie à leur terre natale. Le symbole mythique de ce lien est une statuette de Prabang, reconstituée pour l'occasion par le vénérable Viengsay Sudaros[3], moine bouddhiste de la pagode Buddhametta de Choisy le Roi. Les présidents des associations Lao de France familiales, culturelles, cultuelles, amicales, sportives, coopératives et de soutien, rassemblent leurs membres, tous les ans et participent ensemble à la confection des repas, à l'aménagement des lieux de la cérémonie, au nettoyage, à la sécurité, au service d'ordre et au déroulement de la fête. Chaque membre organisateur a un rôle spécifique et effectue des tâches précises, selon des décisions prises en assemblée plénière. L'ordre du jour de chaque réunion est fixé à l'avance, et des procès-verbaux sont constitués et envoyés à chaque président.

CULTURE ET PRATIQUE CULTUELLE : UN INDICATEUR D'INNOVATION ORGANISATIONNELLE DE LA DIASPORA ?

Le cas de la célébration de la statuette de Prabang montre l'intérêt de l'étude d'une pratique cultuelle dans la réflexion sur l'innovation organisationnelle dans une logique de territorialisation.

En ce qui concerne l'innovation organisationnelle, deux phénomènes se produisent, qui conduisent à une temporalisation de la notion d'innovation, concomitamment à sa territorialisation.

Le premier phénomène est celui de la transmission de la culture aux jeunes de la diaspora. D'un côté l'organisation familiale perdure formellement, mais d'un autre sa signification sur le nouveau territoire change. En effet, l'observation participante aux cérémonies indique une réinvention des significations des rites anciens. Selon la tradition ancestrale, pour les participants le cérémonial de procession et le droit d'arrosage de la statue de "Prabang" suit un ordre de grade, de naissance, de position. Or en

---

3 Le vénérable Viengsay Sudaros a intégré la pagode de Buddhametta en 1978. Artiste, sculpteur et dessinateur, il a élaboré une grande statue blanche de Bouddha assis sur un lotus. Il avait fait le vœu d'intégrer la communauté monastique à la fin de son œuvre, ce qu'il fit. Il est devenu lui-même vénérable et chef spirituel de cette pagode.

France, il en est autrement lors du défilé, chacun pouvant être à n'importe quelle place puisque l'ordre n'est pas établi de la même façon que celui du Laos d'ancien régime, sauf en ce qui concerne la position du prince Sauryavong (que l'on appelle encore son altesse royale), juste après les vénérables, bonzes et nonnes qui doivent arroser la statuette.

Il existe un contraste entre un respect des valeurs et la disparition, sur un territoire différent, des conditions d'application de ces valeurs, ce qui en transforme la nature. Il y a donc une innovation de fait dans la transmission des rites ancestraux, malgré une recréation du rite fondée sur une reconstitution scrupuleuse de la statuette. De ce point de vue, le rite indique une concomitance entre, d'une part, une continuité avec le maintien de l'organisation familiale et de son rôle dans la transmission de la culture, et, d'autre part, une innovation organisationnelle de rupture avec la déstructuration des ordres de préséance. Cet ordre de préséance est toutefois conservé pour une personne : le prince Sauryavong, héritier politique du royaume en exil. Or, ce même prince est à l'origine du second phénomène : la scission en 2012 de la communauté.

Le compte rendu de clôture de la cérémonie de l'année 2011 indique que la cérémonie ne sera pas célébrée en 2012 à cause de la vente de la pagode, devenue trop éloignée, et de la construction d'une nouvelle pagode, plus petite, plus près et conforme à l'architecture ancestrale, dans la banlieue de Bussy St Georges. Or, à la pentecôte de la même année, le prince Sauryavong publie sur le site communautaire une invitation à participer à la 13ᵉ célébration de Prabang. Le vénérable Viengsay Sudaros ayant refusé de lui confier la statue de Prabang honorée depuis 1999 (le Prabang Cakayamouni), il propose de célébrer le Prabang Phouthalavanh, une nouvelle statue. Un clivage sévit depuis dans la communauté : les uns approuvent l'initiative du prince Sauryavong Savang et de ses conseillers, les autres désapprouvent l'acte de leur prince. Une scission s'est donc effectuée au sein de la communauté lors de la 13ᵉ commémoration de son palladium. Une partie de la communauté suit les rites de son prince, tandis que l'autre s'émancipe de la traditionnelle procession pour vouloir créer une journée de la diaspora et montrer une volonté de rassemblement des laotiens exilés.

Il semblerait ainsi que se dessine une rupture historique à la suite de l'innovation organisationnelle : d'un côté la faction qui suit le prince reste attachée à l'ordre de préséance ancestral et politique, recréant un lien entre politique, religion et organisation qui évoque les débuts du royaume de Fa Ngum, l'autre achevant au contraire de couper ce lien. L'innovation organisationnelle réside-t-elle alors dans la création d'un royaume exilé fondé sur la transmission familiale traditionnelle des valeurs et des comportements sociaux, ou bien dans la commémoration d'une origine éloignée – dans le temps comme dans l'espace – comme lien organisant par un temps cyclique une communauté par ailleurs complètement intégrée dans ce qui est désormais son territoire ?

La territorialisation de l'innovation organisationnelle s'accompagne d'une historicisation : le retour à la tradition est en lui-même une innovation, et cette innovation devient indéniable après la scission de 2012. Deux scénarios se dessinent alors : l'un évoque la reconstitution d'un royaume – ou plus généralement d'un mode de gouvernement – déterritorialisé, tandis que l'autre évoque la commémoration identitaire d'une origine extraterritoriale. Ces deux scénarios pourraient être comparés à d'autres cas d'innovation organisationnelle, dans l'espace et dans le temps : le premier à l'organisation du gouvernement tibétain en exil, le second à l'exode des colons en Amérique.

CONCLUSION ET PISTES DE RECHERCHE

Cette note de recherche porte sur l'innovation organisationnelle, en référence à l'organisation du territoire d'origine de la diaspora. Plus précisément, on s'est concentré sur l'organisation cultuelle : les rites sont-ils susceptibles d'indiquer une innovation organisationnelle ? Après avoir justifié la relation entre diaspora, transmission culturelle et nouveau territoire, on a rappelé la manière dont l'organisation familiale laotienne transmet les traditions aux jeunes générations avant de poser les bases d'une étude sur le rôle d'une pratique cultuelle comme maintien de la tradition et indice d'innovation.

La génération des plus jeunes semble remettre en cause le sens et l'utilité des croyances ancestrales, au travers de la gestuelle et les règles fondamentales d'une fête bouddhiste particulièrement chargée de valeur culturelle et politique chez les Lao. Avant la scission de 2012, c'est le changement de territoire qui semble créateur d'innovation, dans une logique de retour à une tradition. Ainsi, l'approche culturelle constitue un indicateur de

l'innovation organisationnelle engendrée par l'exil, et par conséquent de réfléchir plus généralement en termes de territorialisation de l'organisation.

BIBLIOGRAPHIE

Brisbois (Eleonore), *Le Laos*, Peuples du Monde, Paris,
1994.

Choron-Baix (Catherine), "Bouddhisme et migration. La
reconstitution d'une pagode lao dans la banlieue parisienne", in
AFA (Association française des Anthropologues), *Vers des sociétés pluriculturelles études comparatives et situation en France.
Actes de Colloque international de l'AFA,* Paris 9-11 janvier
1986, Éditions de l'ORSTOM, Paris, 1987, pp. 337-340.

Choron-Baix (Catherine), "Le karma de l'exil des Lao en
France", in Jacques Gutwirth et Colette Pétonnet (dir.), *Chemins
de la ville. Enquêtes ethnologiques*, Comité des Travaux Historiques et scientifiques, Paris, 1987, pp. 35-51.

Choron-Baix (Catherine), "Un pays, un rêve, un espoir. Le
Laos des enfants exilés", in Koubi (Jeanine) et Massard Vincent
(Josiane) (dir.), *Enfants et sociétés du Sud-est,* Paris, l'Harmattan,
1994.

Choron-Baix (Catherine), "Retour au Laos : le mirage de la
mémoire", *Ethnologie française*, juillet-septembre 2000, XXX,
n° 3 pp. 370-387.

Condominias (Georges), *L'Espace social. À propos de
l'Asie du Sud-Est*, Flammarion, Paris, 1980.

Desforges (Marc), Gilli (Frédéric), Cordoba (Vanessa),
Territoires et innovation, Travaux n° 17, La Documentation
française, Datar, 2013.

Erikson (Erik H.), *Adolescence et crise d'identité. La quête
de l'identité*, Champs Flammarion, 1991, édition originale 1972.

Hahn (Carine), *Le Laos*, Karthala, Paris, 1999.

Le Huu Khoa, *L'Immigration confucéenne en France. On
s'exile toujours avec ses ancêtres. Essai de sociologie de l'exil*,
L'Harmattan, coll. Minorités et Sociétés, Paris, 1996.

Muxel (Anne), *Individu et mémoire familial,* Paris, Nathan,
2002.

Prévélakis (Georges), *Les Réseaux des diasporas*,
L'Harmattan, Paris, 1996.

Rigaud (Marie Hélène), *Les Jeunes d'origine Lao*, L'Harmattan, Paris, 2010.

Rigaud (Marie Hélène), *Enfants de migrants lao, transmission et réinterprétation culturelles*, L'Harmattan, Paris, 2012.

Institut de Stratégie Comparée

Stratégique est sur
http ://institut-strategie.fr
Le site de la stratégie

➢ Tables générales depuis le n° 1
➢ Contenu intégral des n° 49 à 99

ISC – Contact : Isabelle Redon - 01 44 42 43 58
mail : institut.strategie@gmail.com

Institut de Stratégie Comparée – B.P. 30447 – 75327 Paris Cédex 07

Quand la tradition fait une place à la modernité : le cas d'Amatlán de Quetzalcoatl, Mexique

Daniel MONTES DE OCA

Tout au long de l'histoire, les sociétés du monde ont développé des mécanismes de reproduction sociale[1] dans le but d'atteindre une meilleure qualité de vie. La Révolution industrielle, née de la pensée économique européenne et du développement technologique, a engendré des changements socio-économiques et culturels dans la plupart des communautés rurales au Mexique.

Dans les années 1950, les États-Unis ont cherché à étendre leur modèle de développement à toutes les sociétés du monde. Ce modèle, précurseur de la théorie de la modernisation économique et du progrès, a profité de l'évolution de la pensée économique européenne. Cela s'est produit dans un contexte international spécial et visait à offrir une amélioration présumée de la qualité de vie, aussi bien dans les pays en reconstruction que dans les pays nouvellement indépendants qui sont restés traditionnels

---

[1] La Reproduction sociale est l'ensemble des processus biologiques, démographiques, sociaux, économiques et culturels qui proviennent de l'existence d'une société et des différents groupes et classes sociales qui la composent (Guzmán, 2005).

(Peemans, 1992). De plus, ce projet est parti de l'hypothèse selon laquelle l'accumulation de richesse et de capital fournirait bien-être social et progrès. À l'époque, une seule logique de développement était reconnue : les pays sous-développés devaient adopter les mécanismes économiques ainsi que les technologies créés par les pays développés (Rist, 2001).

Le Mexique a adhéré rapidement à cette nouvelle logique internationale du développement. Il a cherché à consolider un projet économique pour sortir du sous-développement. Il a donc décidé de mettre en place un secteur moderne capable de s'imposer progressivement face au secteur traditionnel. Cela ne garantissait aucun avenir aux peuples et communautés paysannes, puisqu'il fallait augmenter la productivité agricole afin de soutenir le développement industriel (Quintana, 1997).

Amatlán, une communauté paysanne aux racines nahuas, composée de 1020 habitants et située à proximité de grandes villes, a fait face à la pression économique et sociale des politiques de modernisation du pays. Au fil du temps, elle a connu des transformations économiques, sociales et culturelles qui ont à la fois entrainé des pertes et créé de nouveaux espaces économiques et sociaux.

Depuis les années 1940, Amatlán s'est fortement développée sur le plan de l'économie et de l'infrastructure. Avant cette période, le village n'avait ni électricité, ni moyens de communication. La première route reliant Amatlán au réseau routier national et la première école ont vu le jour dans les années 1960. Dès lors, le village a entamé un processus de développement influencé non seulement par les politiques économiques nationales, mais aussi par son propre intérêt pour le progrès. Cette ouverture au progrès ne signifiait pas la recherche d'une transformation complète, mais démontrait plutôt la capacité du village à entamer un processus de modernisation adapté à son rythme et à ses besoins. Ce processus de modernisation propre, qui conserve le traditionnel tout en y intégrant quelques aspects du moderne, a donné naissance à toute une série de nouveaux espaces sociaux et économiques sur le territoire d'Amatlán.

AMATLÁN ET SON CONTEXTE

Amatlán de Quetzalcoatl se situe à 20 km de Cuernavaca et à 90 km de la ville de Mexico. C'est une communauté qui fait partie des 25 villages de la région de Tepoztlán et qui se distingue par son histoire précolombienne "nahua" encore présente dans son activité économique, sociale et culturelle. Malgré ses caractéristiques géographiques peu favorables à la pratique agricole, le village reste basé sur l'agriculture, plutôt pour des raisons culturelles qu'économiques. Il s'agit d'une agriculture mixte traditionnelle utilisant certaines techniques agricoles modernes.

Depuis les années 1950, la structure, la taille et l'apparence du village ont complètement changé. La population a triplé et les maisons construites avec des matériaux traditionnels n'existent plus. Le rôle de l'homme et de la femme s'est modifié substantiellement et se rapproche désormais davantage du rôle que l'on retrouve dans la société urbaine. Néanmoins, les rapports sociaux de nature collective, la prise de décisions d'intérêt communautaire et l'héritage de la terre, entre autres exemples, restent toujours ancrés dans la culture nahua. Le village d'Amatlán a toujours été ouvert aux changements liés aux transformations économiques et sociales du pays sans pour autant perdre son identité nahua.

L'organisation sociale et politique est l'une des caractéristiques culturelles très importante du village. Une structure sociale complexe, qui repose essentiellement sur la famille, fait fonctionner le village en tant que groupe communautaire. C'est un système de prise de décisions local nommé *"sistema de cargos"* qui organise et délimite symboliquement l'utilisation de l'espace communautaire (Rodríguez, 1995). À Amatlán, ce système est divisé en deux. D'une part, il y a les "cargos civiles", c'est-à-dire tout ce qui est en rapport avec le système politique national et, d'autre part, les "cargos morales", soit tout ce qui est en rapport avec le territoire et le calendrier des fêtes du village. Il existe aussi d'autres organes comme les "comités" qui sont en charge de la gestion du développement du service public et les "bienes communales" qui sont en charge de la gestion des terres.

Tout individu d'âge adulte peut prendre position dans ce système pendant un an. Il offre son service à la communauté avec le soutien de sa famille. Ces postes de service communautaire engendrent un prestige social important. Les "cargos civiles" représentent le système politique national. Ils participent officiellement à tout débat politique de la municipalité.

Ce système de gestion propre permet d'axer les décisions politiques, économiques et sociales sur le bien-être de la communauté.

L'INFLUENCE DU DÉVELOPPEMENT DANS LA COMMUNAUTÉ D'AMATLÁN

La Révolution mexicaine a été l'un des premiers événements modernisateurs sur le plan économique et social du XXe siècle dans la société mexicaine. Cet événement a transformé la structure politico-sociale et économique du pays, ce qui a largement bénéficié à l'instauration du système capitaliste. Depuis, de nouveaux espaces d'échange économique, social et politique ont vu le jour, par exemple l'"ejido" (propriété collective attribuée à un groupe de paysans) qui a été créée dans le but de transformer le système agricole en regroupement de communautés rurales paysannes. Tout ceci a fortement bénéficié aux paysans et aux producteurs agricoles[2] qui ont alors joué un rôle fondamental dans le développement du pays (Gordillo, 1980).

Néanmoins, entre les années 1930 et 1960, le secteur industriel est devenu le secteur privilégié à développer. Il a donc fallu investir massivement dans les ressources la plupart provenant du secteur agricole. Pour les paysans, ce fut le début du déclin de leur participation au développement économique du pays en tant que groupe social. Les producteurs agricoles ont rapidement compris la situation et ont adapté leur agriculture aux besoins nationaux. Ils ont donc développé une agriculture moderne, capable de produire en quantité et qualité pour l'exportation. Pendant plus de 40 ans, le secteur agricole a soutenu le développement industriel et économique du pays, tout en recevant en contrepartie un soutien économique destiné principalement à la production agricole pour l'exportation, c'est-à-dire aux producteurs agricoles (Rello, 2007).

---

2   Il existe une différence entre les paysans et les producteurs agricoles. Les paysans ont bénéficié de la Réforme agraire et leur rapport avec la terre et l'agriculture n'est pas exclusivement de nature économique, il est aussi de nature socioculturelle. Les producteurs agricoles, quant à eux, ont un rapport avec l'agriculture purement économique et la plupart d'entre eux étaient propriétaires d'haciendas avant la Révolution mexicaine.

En revanche, les paysans, qui ont bénéficié de peu de technologie et d'un faible soutien économique, ont fourni aux villes les aliments de base à prix bon marché, tout en réduisant leurs bénéfices. Il a été difficile pour eux de moderniser leur agriculture pour différentes raisons (taille des parcelles, coûts financiers, conditions du marché, etc.). Mais c'est l'instauration du modèle néolibéral qui a complètement exclu les paysans de la scène économique, alors qu'ils vivaient déjà une grave crise structurelle. La diminution de leur productivité, le manque d'investissements en technologie agricole, l'ouverture du marché et la dévalorisation artificielle des prix du grain ont entrainé une forte diminution du prix des semences à l'échelle internationale. De nombreux paysans ont ainsi fait faillite et se sont trouvés dans une situation de précarité économique (Rubio 2006, Ramírez 2012).

Malgré ce contexte économique peu avantageux, les paysans n'abandonneront pas leurs activités agricoles car elles sont directement liées à leurs fondements culturels. Ils chercheront plutôt d'autres sources économiques, par exemple en travaillant comme ouvriers ou paysagistes en ville ou en tant que travailleurs agricoles à l'étranger afin de continuer à vivre dans une logique de reproduction sociale.

Comme la plupart des communautés rurales du centre du Mexique, Amatlán a vécu ce développement économique dès les années 1950 ainsi qu'une détérioration économique et sociale dès les années 1970. Une grande partie des paysans d'Amatlán ont quitté leur lieu d'origine pour se rendre aux États-Unis ou au Canada afin de trouver un travail saisonnier qui leur permette de continuer à vivre en tant que paysans. Leur départ massif à l'étranger a permis de soutenir de nombreuses familles mexicaines. En 2004, l'envoi de fonds depuis les États-Unis et le Canada par des travailleurs mexicains est devenu la deuxième source économique du pays après la vente d'hydrocarbures.

LES TRANSFORMATIONS DE L'ESPACE À AMATLÁN

À Amatlán, l'envoi de fonds internationaux a permis à la communauté et aux familles paysannes d'améliorer leur situation économique, leur niveau de confort et leur accès aux biens et services modernes. Cela ne veut pas dire que cette pratique soit viable car elle engendre de nombreux problèmes sociaux et culturels.

Vingt ans après les premiers départs des paysans, de nombreuses transformations économiques et sociales ont vu le jour. Par exemple, l'apparence du village n'est pas du tout la même qu'il y a 30 ans. Les structures des maisons ont été grandement modifiées, le commerce s'est considérablement élargi.

Les chemins en terre du village ont été remplacés par des rues pavées. Celles-ci continuent toutefois d'être des espaces publics servant aux voitures, aux véhicules de transport, aux personnes et aux animaux. Elles sont aussi utilisées pour le marché traditionnel annuel lors de la fête du village. Celui-ci s'installe pendant dix jours et occupe 90 % de la rue principale. Les rues et les espaces publics sont des lieux de croisement et de rencontre où tout peut se passer. Ce ne sont toutefois pas des lieux anonymes. Les paysans sont bien conscients du rythme de la vie au village et ils interviennent rapidement s'il y a des événements hors du commun. Ils maîtrisent parfaitement leur territoire. Par exemple, en cas de cambriolage, un processus d'urgence se déclenche, la cloche de l'église se met à sonner avec un son et un rythme particuliers et les rues principales sont fermées.

Seules quelques vieilles maisons conservent encore des matériaux traditionnels (murs en adobe et toits en tuile). Aujourd'hui, les nouvelles maisons sont construites avec des matériaux et des techniques modernes. Leur conception se rapproche de celui des maisons urbaines et même nord-américaines. Ces dernières maisons ne sont pas majoritaires dans le village et se différencient fortement des autres.

Construire une maison dans le village n'est pas aussi simple qu'il y paraît. La durée de construction varie entre 12 et 17 ans. La famille débute avec la construction d'une chambre avec une porte et une fenêtre. Ensuite, dès que la famille grandit et que les ressources économiques le permettent, une chambre est ajoutée et ainsi de suite. Étant donné que la construction s'étale sur plusieurs années et qu'elle dépend des revenus de la famille, on y trouve tout type de matériaux (murs en torchis et en briques rouges ou grises, toit en tuile et en ciment, etc.). Il en va de même pour les techniques de construction.

Alors que les anciennes maisons possédaient des espaces restreints et peu illuminés, les nouvelles maisons disposent désormais de grands espaces avec de grandes fenêtres. La plupart de leurs propriétaires sont des personnes qui travaillent aux États-Unis et au Canada. En dépit de ces changements, l'utilisation de l'espace reste presque le même.

Malgré l'évolution de sa taille et de son volume, la maison s'adapte aux besoins et au travail de la famille et non à l'image de la société moderne selon laquelle un espace ne peut être dédié qu'à une seule utilisation. Le salon peut devenir un espace de travail ou un grand dortoir pendant les fêtes. Des espaces réservés et intimes peuvent ainsi devenir des lieux de retrouvailles lors d'occasions spéciales. Par exemple, lors de la fête des morts, la famille prépare un autel dans la chambre et les invités peuvent venir l'admirer.

Le salon garde une utilisation polyvalente. Il peut servir de salle à manger, de salle des fêtes et même d'espace de travail. En cas de mauvais temps après les récoltes, il peut aussi servir de lieu de stockage, de séchage et d'égrainage du maïs.

On ne peut parler de maison sans parler de la cuisine. C'est une pièce essentielle. Elle aussi se modernise. On y installe des réseaux électriques et des appareils ménagers. Mais il y a une chose qu'elle conserve toujours : le "tlecuil" ou le "fogón", à savoir un feu de bois surmonté d'un gril en terre cuite. C'est autour de cet endroit que s'articulent l'économie et l'administration familiales. C'est là où les décisions les plus importantes sont prises. La cuisine reste l'endroit où se côtoient quotidiennement la tradition et la modernité.

L'économie est le domaine le plus marqué par les transformations. Malgré la taille du village, il existe tout un éventail de services proposés par les habitants (santé, art, commerce, etc.).

La première "tiendita" (épicerie) a vu le jour en même temps que l'aménagement du premier axe routier d'Amatlán. Elle proposait des produits de première nécessité. Ensuite, elle est devenue un emplacement téléphonique communautaire. Pour communiquer avec quelqu'un du village, il fallait s'annoncer et rappeler plus tard. Elle est donc devenue un lieu de rencontre important où les dernières nouvelles de l'extérieur arrivaient.

Au fur et à mesure que l'économie du village s'est renforcée, les produits industriels des entreprises multinationales (Coca-Cola, Bimbo, Barcel, etc.) ont fait leur entrée. Les épiceries se sont multipliées, elles sont devenues moins traditionnelles et la cabine téléphonique communautaire a disparu. Néanmoins, elles sont devenues une source économique d'appui pour les familles qui ne pouvaient plus vivre de leur revenu agricole. Aujourd'hui, il existe une épicerie tous les 300 m et le choix de produits industrialisés est vaste.

Un phénomène similaire s'est produit avec le moulin à maïs. Avant les années 1980, les femmes allaient moudre leur maïs très tôt le matin afin de préparer ensuite les tortillas de la journée. C'était le moment de la journée où elles se racontaient tout, où elles se passaient des messages et des informations. Elles pouvaient savoir si quelqu'un n'allait pas bien ou si d'autres avaient besoin d'aide. Dix ans plus tard, avec l'argent envoyé des États-Unis, les familles ont acheté leur propre petit appareil à moudre le maïs et le moulin communautaire a finalement fermé. C'était un centre d'échange d'informations qui a disparu avec l'accroissement du pouvoir d'achat et l'accès à la technologie.

Dernièrement, les jeunes familles qui ont investi dans l'éducation de leurs enfants commencent à développer des entreprises familiales. Elles fabriquent leurs produits selon les standards de qualité exigés par le gouvernement. Leurs produits ont un rapport direct avec leurs traditions. Elles vendent des tortillas ou des liqueurs utilisées dans certaines cérémonies religieuses.

Pour ne pas tomber dans l'idéalisme paysan, il est important de signaler certains changements dans le domaine de la terre. À Amatlán, la terre est une ressource précieuse et un concept social profondément ancré. C'est une caractéristique culturelle du village. Malgré la précarité économique, la parcelle agricole représente un moyen de subsistance pour la famille paysanne d'Amatlán. Néanmoins, cette caractéristique culturelle commence à subir quelques modifications dues en particulier à l'influence du système économique mexicain.

CONTRÔLE DES RESSOURCES CULTURELLES

Toutes les cultures du monde sont confrontées au changement à court ou long terme. La capacité d'une société à assimiler et à intégrer des éléments culturels modernes dans sa culture exige un processus complexe d'appropriation. Ce processus peut être abordé sous l'angle de la théorie du contrôle culturel de Bonfil Batalla.

Selon cette théorie, toutes les sociétés du monde portent en elles une culture et font usage de leurs éléments ou de leurs ressources culturels pour exercer chacune des pratiques sociales : l'activité de la vie quotidienne, la satisfaction des besoins, la définition et la résolution de problèmes, la formulation et l'accomplissement de souhaits, etc. Chaque élément culturel est nécessaire pour réaliser n'importe quelle action dans la vie. Pour ce faire, il est impératif d'avoir une capacité de décisions sur ces éléments. Dans son étude, l'auteur classifie cinq types d'éléments culturels : éléments matériels, d'organisation, de savoir, symboliques et émotifs. Ces éléments culturels peuvent être inhérents à la société, engendrés et hérités par des générations précédentes tout en restant actuels, ou étrangers, c'est-à-dire appartenant à un autre groupe social : à savoir des éléments qui font partie de la culture dans laquelle vit le groupe social mais qui n'ont pas été créés par ce groupe et qui ont été imposés ou intégrés par des forces externes (Bonfil Batalla, 1988).

En ce qui concerne la prise de décisions sur ces ressources, il existe tout un éventail de possibilités. Les décisions peuvent être prises de manière individuelle, en famille ou sein de la communauté. Le contrôle culturel se constitue justement de l'ensemble des formes et des mécanismes de prise de décisions à propos d'éléments culturels d'une société donnée. Autrement dit, le contrôle culturel est un système à partir duquel s'exerce la capacité sociale de prise de décision sur les éléments culturels (Bonfil Batalla, 1995).

Aujourd'hui, après plusieurs siècles d'existence, la communauté d'Amatlán a des éléments culturels inhérents ou étrangers et peut prendre des décisions à propos de ces éléments. Dans le cas spécifique où les ressources culturelles appartiennent à un autre groupe social et que la communauté est capable de les intégrer à sa culture, on parle d'une culture *réappropriée* (Bonfil Batalla, 1988)

L'appropriation est facilement vérifiable dans la communauté d'Amatlán car elle utilise tous les jours des appareils électroménagers ou de divertissement pour produire des aliments ou organiser des fêtes qui sont directement liés à sa culture et à sa tradition. L'utilisation de technologies agricoles est un autre exemple d'appropriation visible. Les semences et les produits chimiques font partie de la culture moderne (ce sont des éléments culturels modernes qui appartiennent à autrui), mais dès que l'agriculteur décide de les utiliser pour cultiver son maïs, il les utilise avec l'ensemble de ses connaissances agricoles traditionnelles (éléments culturels inhérents). Malgré les informations techniques, il exerce son pouvoir de décision sur ces ressources culturelles modernes.

Le territoire, les rues et les maisons d'Amatlán sont tous des ressources culturelles inhérentes à la communauté. Les nouveaux matériaux utilisés pour leur réaménagement ne lui appartiennent pas. Par contre, la communauté a un pouvoir de décision sur ces ressources et elle décide comment et où les utiliser. Dans le cas de réaménagement de maisons privées, il s'agit de décisions individuelles. Lorsqu'il s'agit d'investir ou de paver les rues du village, la prise de décisions est alors communautaire. Dans tous ces cas, la communauté s'est réappropriée des ressources culturelles d'autrui pour améliorer sa qualité de vie.

Malgré ce changement d'apparence, l'utilisation de l'espace, que ce soit dans les maisons ou dans les rues, reste adaptée aux besoins de la communauté et des familles. La fête du village occupe la majeure partie de l'espace public pendant toute sa durée, les familles peuvent avoir un réfrigérateur, une radio ou des appareils ménagers dans la chambre à coucher.

Grâce à son esprit ouvert, la population d'Amatlán continue à utiliser de nombreuses technologies ou ressources culturelles modernes. Celles-ci sont constamment mises à l'épreuve et ne sont réappropriées que si elles produisent de "bons" résultats. Ce processus de réappropriation est essentiel pour la continuité du village, spécialement pour faire face à la relation asymétrique qu'il a avec le système capitaliste.

CONCLUSIONS

Au Mexique, les territoires ruraux se sont transformés depuis 30 ans. Leur parcours et leur influence politico-économique dans le pays ont été marquées par les différentes politiques de développement. Alors que les territoires ruraux constituaient des espaces premier plan sur la scène internationale pendant la période révolutionnaire, ils sont désormais considérés comme un espace oubliés et marginalisés.

Néanmoins, face à cette réalité et grâce à ses propres mécanismes culturels et à sa capacité d'autogestion, la communauté du territoires d'Amatlán a réussi à se réapproprier des ressources culturelles modernes que la politique économique nationale a imposées au cours du temps. La communauté d'Amatlán a donc réussi à intégrer la modernité dans sa tradition tout en créant de nouveaux espaces qui expriment cette mixité. Mais jusqu'à quel point une communauté paysanne d'origine nahua peut-elle intégrer des éléments culturels modernes sans abandonner ses traditions et sa culture ?

BIBLIOGRAPHIE

Bonfil (Guillermo), "La teoría del control cultural en el estudio del proceso étnicos", *Anuario Antropológico/86 Editorial*, 1988, Editora Universidad de Brasilia, pp. 13-53.

Bonfil (Guillermo), *Etnodesarrollo : sus premisas jurídicas, políticas y de organización* Obras escogidas de Guillermo Bonfil Batalla, 1995, pp. 464-480.

Gordillo (Gustavo), "Pasado y presente del movimiento campesino en México", *Cuadernos Políticos 23*, 1980, pp. 74-88.

Guzmán (Elsa), *Resistencia, permanencia y cambio : estrategias campesinas de vida en el poniente de Morelos,* México, D.F : Plaza y Valdés, 313 p.

Peemans (Jean-Philippe), "Revoluciones industriales, modernizacion y desarrollo", *Historia crítica 6*, 1992, pp. 15-33.

Peemans (Jean-Philippe), "Modernisation capitaliste et destruction de la paysannerie : quelle alternative pour le XXIe siècle ?", *ministère du Pouvoir populaire pour la culture, Caracas,* 2005, 13-19 octobre, 28 p.

Quintana (Rodrigo), "El sector agropecuario y los paradigmas del desarrollo económico mexicano", *Economía Teoría y práctica, Nueva época 7,* 1997, pp. 1-7.

Ramírez (Erika) 2012, *El campo mexicano en tiempos del neoliberalismo,*En línea] http ://caminatuspensamientos.blogspot. ch/2012/04/0-0-1-1753-9647-unam-80-22-11378-14.html, Fecha de acceso, 3 mayo 2012

Rello (Fernando), Saavedra (Fernando), F., *Dimensiónes estructurales para la liberalización en la agricultura y el desarrollo rural el caso de México*, Banco Mundial, 2007, 219 p.

Redfield (Robert), *Tepoztlán a Mexican Village, a study of folk life,* The university of Chicago Press, Chicago, 1930.

Gilbert Rist, *Le Développement : histoire d'une croyance occidentale,* Paris, Presses de Sciences Po, 2001.

Teresa Rodríguez, "Sistema de cargos y cambio religiosa en la Sierra de Zongolica, Veracruz", *Alteridades 5*, 1995, pp. 63-69.

Blanca Rubio, "De la crisis hegemónica y financiera a la crisis alimentaria, Impacto sobre el campo mexicano", *Nueva Epoca, 21*, 2008, pp. 35-52.

Nouvelles ruralités

Arnaud MARTY

L a démarche *"nouvelles ruralités"* de l'Assemblée des Départements de France (ADF), qui est avant tout le reflet d'une vision politique, vise à mettre en lumière une approche renouvelée de la ruralité et des territoires. La toile de fond de cette démarche trouve son origine à travers les éléments suivants : la croissance démographique des espaces ruraux (même si elle n'est pas totalement généralisée et peut prendre des formes différentes suivant les territoires), la possibilité de répondre "au désir de campagne d'une partie de la population, le besoin d'éviter le sentiment d'abandon et de relégation d'une partie des individus vivant dans les zones rurales et péri-urbaines, la nécessité de travailler sur le développement de nouvelles fonctions économiques au sein des espaces ruraux. Les territoires concernés regroupent les villes petites et moyennes qui ont un rôle de structuration de l'espace rural, les bourgs et villages, ainsi que les campagnes. Globalement, ces campagnes sont de trois types : les campagnes à proximité des villes, du littoral, et des vallées urbanisées, les campagnes vieillies à très faible densité, les campagnes industrielles et agricoles[1]. La démarche pose également les enjeux liés aux relations diverses, à la fois existantes et à construire que peuvent entretenir les territoires ruraux avec les métropoles. Potentiellement, la démarche, portée par la mission "nouvelles ruralités" de l'Assemblée des Départements

---

[1]   Datar, "typologie des campagnes françaises et des enjeux spécifiques (littoral, montagne et DOM)", *Travaux en ligne n° 12,* 2012.

de France, concerne 60 % de la population française (population totale du pays à laquelle on soustrait la population des métropoles ainsi que les navetteurs qui vont vers ces métropoles)[2]. La démarche ne reste donc pas cantonnée à l'unique sujet de la ruralité mais donne des points de vue aussi bien sur les campagnes que sur la ville et la métropole.

Le texte qui suit, abordera dans un premier temps la nécessité affirmée par la mission "nouvelles ruralités" de changer de registre dans la manière de percevoir et d'appréhender les espaces ruraux. Certains aspects "plus concrets" de la démarche seront ensuite abordés : les services au public (mais plus spécifiquement les services publics), l'enjeu de l'organisation du développement à l'échelle locale, et enfin, dans un dernier temps, celui de la planification urbaine au regard des deux enjeux suivants : possibilité d'attirer de nouvelles populations et nécessité de préservation des biens agricoles et écologiques.

LES "NOUVELLES RURALITÉS" : CHANGER DE REGISTRE DANS LA MANIÈRE DE PERCEVOIR LES CAMPAGNES ET LES ESPACES FAIBLEMENT MÉTROPOLISÉS

Parler de nouveaux territoires à travers les "nouvelles ruralités" c'est avant tout changer de registre dans la manière de percevoir les territoires, aussi bien à l'échelle nationale et communautaire qu'aux échelles locales. En effet, en matières d'espaces faiblement métropolisés, deux visions de leur développement peuvent être adoptées.

Une première vision est *"celle d'une approche résignée de la ruralité, qui la voudrait condamnée "au vide et au vert" et dont le salut ne serait assuré que la perfusion nationale ; approche consistant à présenter le rural comme un espace résiduel, à la marge, qui n'existerait que par opposition à l'espace urbain"*[3].

D'une manière générale et probablement un peu caricaturale, vu de Bruxelles et de Paris, l'Auvergne se résume souvent à Michelin et à la Chaîne-des-Puys, voire peut-être aussi à

---

2   Référence indirecte aux travaux du géographe Christophe Guilluy.

3   Assemblée des Départements de France, *Mission nouvelles ruralités : rapport d'analyses et de propositions pour l'avenir des territoires,* 2013, 75 p.

Clermont-Ferrand et à son équipe de rugby. Si ces "images" de l'Auvergne peuvent effectivement être considérées comme des atouts pour cette région, et même comme des "locomotives de son développement", il convient d'admettre que cette vision du territoire régional reste réductrice. De même, pour Gérard-François Dumont, "*vu de Bruxelles, la Bretagne ne semble exister qu'à travers Rennes et Brest, et même une ville comme Lorient n'attire pas réellement l'attention*"[4]. Ce lissage, cette simplification des représentations, laisse penser que seul l'archipel des plus grandes villes et les sites touristiques les plus prestigieux ont un avenir. Pourtant, et bien que l'activité se déplace globalement vers les territoires les plus attractifs, en matière d'activité industrielle, sujet qui alimente aujourd'hui très largement les débats "sur le redressement productif", deux-tiers des emplois sont localisés au sein des espaces ruraux et péri-urbains. Cette production industrielle, qui se situe largement dans des espaces considérés comme peu attractifs (petites et moyennes villes des plateaux du Nord-Est par exemple, mais également Montluçon, Decazeville, etc.) est pourtant l'un des moteurs des exportations de la balance commerciale de la France[5]. Or il semble essentiel, comme le souligne Pierre Veltz, d'éviter que "*la France ne se laisse aller au confort d'une résidentialisation méditerranéenne et atlantique, et dont on s'aperçoit, mais trop tard, qu'elle ne peut fournir à elle seule le carburant dont le pays a besoin pour assurer le maintien de sa productivité et de sa compétitivité, c'est-à-dire, in fine, de son niveau de vie*"[6]. Néanmoins, pour Dominique Vollet, "*les conditions de maintien de l'activité en milieu rural dépendent beaucoup du contexte de mondialisation. Il s'avère donc nécessaire de se protéger de la concurrence internationale avec un cadre européen. Il semble en effet illusoire de penser que l'industrie française et européenne peut concurrencer au sein de son propre espace communautaire des produits manufacturés dont le coût de production est dérisoire et qui proviennent de pays qui n'encadrent pas le travail ou la protection de l'environnement (faibles salaires permettant à peine de se*

---

4   Gérard-François Dumont, in *ibid.*

5   Référence indirecte à l'ouvrage, Hervé Le Bras et Emmanuel Todd, *Le Mystère français,* Éditions du Seuil et La République des Idées, 2013, 311 p.

6   Pierre Veltz, *Paris, France, Monde : repenser l'économie par le territoire,* Éditions de l'Aube, 2012.

nourrir, travail des enfants, absence de normes environne-
mentales...)"[7]. Globalement, tous les espaces sont "impactés par
l'économie monde", mais à l'exception des métropoles, la relation des territoires à cette économie ne semble pas avoir été
véritablement pensée[8]. Cela reste donc un chantier d'avenir.

À l'échelle de l'Union européenne, Martin Malvy souligne
que *"les règles en cours d'élaboration en matière de politique
régionale, c'est-à-dire qui comportent les notions de « régions en
développement » et de « régions en transition » vont avoir un
impact sur le développement rural. Une région en développement
se verra interdire un certain nombre d'interventions, notamment
en matière économique (elle sera probablement privée des zones
d'aides à finalité régionale (AFR)). Or, la Région peut être en
développement dans sa globalité sans que tout le territoire
régional soit dans cette situation. Une région en développement
peut l'être grâce à une grande ville qui a un poids économique
important et qui dispose d'un PIB/habitant élevé, alors que dans
le même temps, le reste de cette même région peut avoir des
caractéristiques qui se rapprochent davantage des critères liés à
la notion de Région en transition : c'est par exemple le cas de la
Région Midi-Pyrénées avec Toulouse"*[9]. Cette approche risque au
finale de pénaliser les PME rurales qui sont localisées au sein des
régions en développement.

Les approches cartographiques et sémantiques jouent également un rôle en matière de perception des espaces et d'imaginaire : d'un point de vue grand public, la présentation de la carte
des aires urbaines de l'INSEE peut donner le sentiment *"à ceux
qui ne font pas partie d'une aire urbaine"* qu'ils *"ne comptent pas
vraiment"*. De même, la notion longtemps employée de diagonale
du vide (semi-diagonale du vide désormais), même si elle peut
avoir du sens d'un point de vue de la démographie, semble contribuer à entretenir une forme de confusion entre les notions de
"vide" et de "rien". Or il n'y pas rien au sein de ces territoires.

---

7   Dominique Vollet, in *Mission nouvelles ruralités : rapport d'analyses et
de propositions pour l'avenir des territoires, op. cit.*
8   Rencontre avec Christophe Guilluy dans le cadre de la mission "nouvelles
ruralités" de l'ADF.
9   Martin Malvy, dans, *Mission "nouvelles ruralités" : rapport d'analyses
et de propositions pour l'avenir des territoires, op. cit.*

Toujours dans le même registre, comment dire aujourd'hui à un citoyen qu'il vit au sein d'un espace interstitiel ? Si d'un point de vue scientifique et technique elle est peut être justifiée (il y a débat), la notion même d'espace interstitiel ne va très certainement pas dans le sens d'une volonté de développement et de mise en désir des territoires concernés. Elle alimente l'idée qu'il serait impossible d'innover et de créer en dehors des espaces les plus denses.

Dans un autre registre, l'uniformisation des modes de vie qui est très souvent mise en avant par différents acteurs mérite également d'être nuancée : uniformisation ne veut probablement pas dire que chaque individu souhaite vivre exactement de la même manière que son voisin. En effet, si dans les faits, les urbains et les ruraux ont des modes de vie de plus en plus similaires (pour Jean Viard *"nous allons presque tous au supermarché, nous regardons presque tous la télévision, 82 % des agriculteurs habitent à moins d'une heure d'un centre-ville"*[10], etc. ...), cela ne doit pas aboutir à la conclusion que les individus ont tous les même aspirations : *"les énonciations du style « tout est urbain » semblent en effet faire l'hypothèse – fausse – de l'uniformité des modes de vie. Le poids économique des activités qui se développement en ville ne doit pas oblitérer la diversité des modes de vie, par exemple entre ceux qui ne se sentent bien que dans la ville dense, ceux qui attachent plus d'importance à leur confort spatial familial tout en restant proche du marché urbain de l'emploi, ou encore ceux, par exemple, les retraités ou certains contemplatifs, qui ont pour priorité le calme, le paysage ou le climat. Dans ces conditions, le territoire français peut être considéré comme un ensemble au fonctionnement toujours plus intégré grâce à toute les mobilités, matérielles comme immatérielles, mais aux territoires toujours plus diversifiés, voir spécialisés dans une ou plusieurs fonctions dominantes. Il ne peut y avoir de place pour une politique en forme de slogan qui ne regarderait qu'un volet du système – les villes denses –, en ignorant les autres et en postulant que les populations en place accepteront*

---

10   Intervention de Jean Viard, *actes du colloque "Campagnes : le grand pari"*, 2013, 72 p.

sans broncher toute densification décrétée "d'en haut »[11], insiste Olivier Piron.

Les débats sur l'acte III de la décentralisation et la réforme territoriale semblent eux aussi s'être largement fondés depuis leur origine sur une partie limitée du territoire nationale : les métropoles. Il est possible d'être en faveur de la constitution des métropoles (qui n'ont-elles même pas toutes les même caractéristiques et fonctions, ce qui induit que leur construction doit certainement passer par des partenariats locaux adaptés à chaque "situation métropolitaine") qui ont un rôle fondamental, notamment en matière de création de richesses et de sa redistribution sur le territoire national (sous forme de transferts publics, sociaux, et privés) ; mais il faut aussi se préoccuper du "reste du territoire" et au même moment. Le fait de parler presque uniquement de la structuration des métropoles pourrait créer un "appel d'air" et attirer de manière probablement démesurée les entreprises et activités. Pour Alain Griset, *"à l'époque où le terme de « banane bleue » est apparu pour désigner le cœur de l'Europe productive, à savoir sur un territoire fortement urbanisé et industrialisé allant de Londres à Milan en passant par l'Allemagne, une très large part des acteurs économiques se sont alors persuadés qu'il fallait nécessairement s'installer au sein de cet espace"*[12]. Plus globalement, et au regard de la réforme territoriale qui a récemment été annoncée, réforme dont certaines mesures sont avancées sans qu'aucun débat ni diagnostic appronfondi sur l'organisation et la gouvernance territoriale de notre pays aient été menés, une réflexion globale devrait être conduite, y compris par les collectivités qui se doivent d'éviter le corporatisme. En effet, pour être une réussite, la réforme territoriale doit être a minima dictée par une véritable pensée de l'aménagement du territoire ainsi que par la définition d'un mode de gouvernance permettant la prise en compte de la diversité géographique du territoire français. Or, pour l'heure, l'absence de méthodologie apparente pour mener à bien cette réforme donne le sentiment qu'elle ne se fonde sur une aucune vision d'avenir et qu'il n'y pas pour objectif de mieux développer les territoires et la citoyenneté.

---

11   Olivier Piron, "Des territoires toujours plus diversifiés", *Constructif,* 2013.
12   Alain Griset, dans, *Mission "nouvelles ruralités" : rapport d'analyses et de propositions pour l'avenir des territoires,* 2013, 75 p.

Il serait important que se tienne un véritable débat sur ce sujet si important pour l'avenir de la France et de ses territoires.

De plus, l'une des questions centrales qui est celle du niveau et du type de services auxquelles auront accès à l'avenir les populations des territoires implantées en dehors des métropoles, n'a pas véritablement était posée au cœur du débat. Or, la définition de cette notion de service semblerait pouvoir être l'un des préalables indispensables à la question de la réorganisation de notre système territorial.

Une seconde approche, que défend la mission "nouvelles ruralités" de l'ADF, " *est celle qui consiste à faire de la ruralité un marqueur de l'identité du territoire. Une identité non pas construite par rapport à un schéma classique et binaire ville/ campagne, mais au contraire comme un vecteur d'unité qui inscrit le territoire en complémentarité avec l'espace urbain. Autrement dit, en se présentant comme attractifs, porteurs de solidarité et de qualité de vie, les territoires ruraux prennent toute leur place dans l'espace national, dès lors que celui-ci n'est plus perçu comme binaire, mais comme un ensemble de territoires en réseaux, qui s'enrichissent mutuellement*"[13]. Il s'agit d'une approche positive, offensive, et ouverte, la ruralité n'étant évidemment pas la "propriété" des Départements, même si ces derniers ont un rôle déterminant en milieu rural. L'idée, peut-être ambitieuse, est de faire évoluer la manière de penser le développement dans le monde rural et de passer d'une logique qui a longtemps été défensive, à une vision d'avenir et de modernité. La notion de "bouclier rural", un temps mise en avant, doit être enrichie d'une approche volontariste. La démarche doit permettre de diversifier les socles qui valorisent l'espace rural. Cette approche nécessite certes, comme évoqué précédemment, de revoir la manière de penser les territoires depuis les principaux centres de décisions politiques et économiques, mais nécessite parallèlement, que les décideurs locaux passent aussi et de manière généralisée à une posture qui soit capable de répondre aux enjeux actuels et à venir de développement des territoires. Cet enjeu est celui de mieux développer la citoyenneté et de redonner un avenir économique aux Hommes et aux territoires. Le repli constituerait

---

13 Assemblée des Départements de France, *Mission "nouvelles ruralités" : rapport d'analyses et de propositions pour l'avenir des territoires*, 2013, 75 p.

probablement une erreur à l'heure ou une majorité des individus de la planète sont reliés entre eux, notamment par Internet. Si en matière de représentation, les territoires ruraux doivent peut-être aujourd'hui se positionner comme pouvant être une alternative à "l'urbain métropolisé", notamment pour exister davantage dans le débat politique et médiatique, d'un point de vue de la gouvernance et de l'élaboration même des politiques publiques d'aménagement et de développement, il semble indispensable de ne pas opposer rural et urbain, rural et métropole. Tous ces territoires doivent être en mesure de se connecter et de s'articuler entre eux. En ce domaine il semble être nécessaire de veiller à ne pas affirmer que la ruralité est une alternative à l'urbain et à la métropole, car elle ne peut absolument pas fonctionner de manière indépendante et déconnectée du monde. La révolution digitale bouleverse l'idée de bons et de mauvais lieux et peut laisser présager une possible redistribution de la population sur l'ensemble du territoire national : les territoires ruraux doivent pouvoir y saisir leur chance en couplant ouverture sur le monde et ancrage local. En effet, si d'une manière générale les réseaux (routiers, ferroviaires, aérien, …) créent à la fois de la concentration et de la désertification, le réseau numérique tel qu'il se développe depuis quelques années peut probablement redistribuer beaucoup de cartes du développement territorial[14] . Avec le numérique, le monde est aujourd'hui davantage "horizontal" que par le passé (il est possible de communiquer depuis Bourges, Guéret, Moulins, ou Nevers vers la Chine sans passer par Paris ou Londres, mais directement grâce aux TIC). Plus la société sera horizontale, plus les territoires ruraux vont avoir une chance de se développer[15]. Cette hypothèse nécessite de s'emparer de ce sujet localement, mais également que la politique nationale d'aménagement du territoire, si il y en a une, donne la priorité à l'aménagement numérique de l'ensemble du territoire. Outre le numérique, beaucoup d'autres secteurs peuvent être source de développement pour la ruralité, comme l'agriculture qui va se trouver très rapidement (si ce n'est déjà) au cœur d'enjeux considérables tels que nourrir la planète Terre qui connait une croissance démogra-

---

14   Bernard Stiegler, in *Mission nouvelles ruralités : rapport d'analyses et de propositions pour l'avenir des territoires, op. cit.*
15   Jean Viard, *ibid.*

phique sans précédent, assurer la transition des énergies fossiles vers de nouvelles sources énergétiques, etc. Néanmoins, si la recherche de renforcement et de diversification des bases économiques des territoires ruraux est essentielle, le développement et l'attractivité des campagnes nécessitent qu'elles bénéficient d'un niveau de services au public performant, et plus globalement d'une politique d'accueil qui soit globale et réactive.

L'ORGANISATION DES SERVICES PUBLICS ET AU PUBLIC : UN ENJEU CENTRAL POUR L'AVENIR DES CAMPAGNES

En matière d'accueil de nouvelles populations, mais également de lutte contre le sentiment d'abandon des populations, les enjeux de pérennisation des services publics et au public sont prépondérants. L'inversion de l'évolution démographique constatée depuis deux recensements de la population change la donne pour les territoires ruraux. Aujourd'hui, il existe un besoin de réinvention des services publics qui prenne en compte la pérennité du phénomène de croissance démographique de ces espaces. Deux mouvements viennent percuter cette dynamique démographique : la suppression des monopoles qui est liée à la libéralisation des services publics marchands et une décentralisation incomplète[16]. La suppression des monopoles qui permettaient d'assurer la péréquation à l'échelle nationale ne permet plus au seul marché de garantir le service dans les zones à faible densité de population : ce risque concerne 80 % du territoire national. Le second mouvement, qui est celui de la décentralisation, aurait pu amener à décentraliser vers les collectivités territoriales tous les services liés aux besoins de proximité. Cela a été le cas pour ce qui est de l'eau, de l'assainissement, ... mais pas pour ce qui est des monopoles publics qui ont subsisté jusqu'à l'année 2011. Ces transferts se sont arrêtés à la fin des années 1990 avec l'attribution aux Régions du statut d'Autorité Organisatrice des Transports (AOT). Le résultat a été plutôt positif en termes de services à la population et pour l'entreprise publique, mais très couteux pour les collectivités locales. Les autres services publics qui ont été libéralisés avant ou après la fin des années 1990 n'ont pas

---

16   Jacques Savatier, *ibid.*

bénéficié de ce processus de décentralisation et il n'y pas eu de mesure forte en subsidiarité. Ces deux mouvements sont extrêmement lourds de conséquences car ils sont fortement liés à la problématique du maintien des habitants en zone rurale. En effet, en matière de services, ceux que l'on appelle les néo-ruraux ont une demande de services qui sont de nature urbaine. Pour les ruraux "de souche", le retrait de services publics se traduit souvent par un sentiment d'abandon. Pour éviter l'absence de services, plusieurs pistes de travail sont envisageable dont celle qui consiste à profiter des possibilités offertes par le numérique à chaque fois que cela est possible. Mais cela n'est toutefois pas suffisant : un travail de répartition des emplois publics en faveur des métiers de contact "avec la population" doit être effectué. Cela revient, d'une manière générale, à alléger les activités de contrôle et de réglementation au sein des structures publiques ou parapubliques. Cette proposition permettrait de tenir compte du contexte de raréfaction des deniers publics, tout en se donnant l'objectif d'éviter que les populations, souvent les plus vulnérables, aient un sentiment d'éloignement progressif du service public, qui est l'une des causes du sentiment d'abandon et de relégation que peuvent ressentir certains ménages. De plus, le maintien de services publics en zones rurales est une des conditions indispensable pour donner aux territoires une chance de se développer économiquement.

Autre point, l'allégement des normes en zone rurale permettrait de faciliter la vie à la campagne et dans les villages, et éviterait d'imputer au contribuable local le coût de normes nationales souvent totalement inadaptées aux contextes locaux.

ORGANISER DU DÉVELOPPEMENT LOCAL

Il est parfois difficile d'organiser du développement au sein des territoires ruraux en raison du poids des navetteurs plus soucieux de leur tranquillité que du développement de leur territoire (ce que certains appellent la "démocratie du sommeil"). Cet état de fait ne permet pas de créer les conditions nécessaires au développement, telles que l'implantation de nouveaux projets, le développement de certaines infrastructures, etc. Ainsi, un certain nombre de responsables territoriaux ne cherchent-ils pas forcément à développer l'économie locale, préférant une stratégie de repli. Dans ces territoires, les élus souhaitent limiter les conflits d'usage en raison d'une dimension résidentielle marquée de leur territoire. De telles visées ou plutôt d'absences de stratégies constituent des visions dangereuses à long terme. Une intégration à une stratégie globale du type SCoT représente alors un premier pas dans la bonne direction. En effet, le risque pour les territoires ruraux est que le bilan soit positif en matière d'accueil de nouvelles populations, mais catastrophique en matière de PIB et de création de richesses. L'appauvrissement économique des territoires ruraux conduit ensuite à une augmentation des migrations pendulaires vers les principaux pôles d'emplois ce qui est contraire à l'esprit du développement durable. Dès lors, il est important de réorganiser les espaces ruraux autour des lieux de travail, afin d'établir des projets de territoires durables. Cette réorganisation relève également d'un meilleur développement de la citoyenneté et de la démocratie. En effet, le constat de 63 % de français ne travaillant pas dans la commune où ils votent[17] interroge. Il semble important que les différentes réflexions sur les périmètres électoraux prennent en compte cette pratique des territoires par les individus. Cela nécessite également un renforcement de la gouvernance territoriale partagée pour aménager les territoires, ainsi que le développement des exercices de planification en zone rurale.

CONCILIER ATTRACTIVITÉ DU TERRITOIRE ET PRÉSERVATION DES BIENS ÉCOLOGIQUES ET AGRICOLES

En matière de densification urbaine, il est nécessaire d'assurer une valorisation du foncier et d'adopter une approche renouvelée de l'urbanisme en milieu rural. En effet, l'étalement urbain est en partie provoqué par l'incitation financière qui est faite aux communes d'attirer de nouvelles populations. Afin de ralentir et de maîtriser ce phénomène d'étalement, il est nécessaire de mieux considérer l'espace en lui-même. Un maire qui protège les terres agricoles d'une commune est pénalisé financièrement. Par ailleurs, le départ de populations d'une commune fait chuter le niveau de dotation globale de fonctionnement (DGF)

---

17   Référence aux travaux de Jean Viard.

alors que le nombre de kilomètres de voirie reste le même[18]. Il semble donc judicieux de repenser l'aménagement du territoire pour que les acteurs n'aient pas systématiquement le sentiment d'être obligé de remplir l'espace. Il est important de ne pas sanctuariser de manière globale les espaces ruraux. Adoptons une approche différenciée de ces espaces : pour certains d'entre eux, il est nécessaire de préserver les espaces agricoles et sylvicoles, dans d'autres les espaces non cultivés (coteaux secs, tourbières etc.). Dans ces cas de figure, il faut être en mesure de plaider pour le "vide", pour la préservation des biens écologiques ou pour préserver la vocation productive du pays. Inversement, dans d'autres espaces moins fragiles d'un point de vue écologique ou moins favorables à la production agricole, il est possible d'effectuer des opérations d'urbanisme et de construction à la condition qu'elles s'inscrivent dans une stratégie globale et prospective. Il pourrait ainsi être imaginé des répartitions de DGF différentes entre collectivités, sur des espaces qui contractualisent entre eux cette répartition, par exemple, à l'échelle d'un SCoT, pour péren-niser un espace naturel, agricole ou forestier, au bénéfice de tous[19].

CONCLUSION

L'ensemble des éléments évoqués dans ce texte peuvent potentiellement conduire à penser qu'il est nécessaire de ren-forcer les éléments de connaissance des territoires, et de s'inter-roger sur la notion de subsidiarité en matière de vision politique de développement des territoires et d'élaboration des politiques publiques. La ruralité et l'aménagement du territoire dans son ensemble doivent être évoqués en termes de perspectives et de choix stratégiques d'organisation et de développement.

Le développement démographique toujours plus important des espaces déjà saturés, qui est conforté par le mode de répar-tition des dotations financières et fiscales de notre système terri-

---

18   Vanik Berberian, dans, Assemblée des Départements de France, *Mission nouvelles ruralités : rapport d'analyses et de propositions pour l'avenir des territoires,* 2013, 75 p.

19   Dominique Vollet, dans, Assemblée des Départements de France, *Mis-sion nouvelles ruralités : rapport d'analyses et de propositions pour l'avenir des territoires,* 2013, 75 p.

torial, ne sera probablement à terme profitable pour personne (si certaines métropoles ont encore besoin de voir leur population croître pour peser à l'échelle mondiale, ce mouvement ne pourra pas être infini, d'autant qu'il n'est absolument pas suffisant au rayonnement de la métropole. De plus, la concentration des activités et des hommes au sein d'une métropole, si elle permet potentiellement d'obtenir un marché du travail fluide, une offre culturelle étoffée, etc. finit par créer ce que les économistes nomment des déséconomies d'échelles en raison des saturations et de la congestion dans ces espaces : à Paris, la perte de temps dans les transports est estimée à 2,5 jours de travail par an.). Ayons à l'esprit que la qualité d'un lieu n'est pas uniquement liée à son poids démographique mais aussi à sa diversité et à la créativité de ses forces vives.

L'équité territoriale en faveur des espaces ruraux apparaît ainsi comme fondamentale pour éviter la sur-concentration des activités, des hommes et des nuisances de toutes sortes au sein de quelques grands centres urbains (pollution, congestion urbaine, couts élevés du logement, etc.), ainsi que pour éviter la relégation de territoires et citoyens qui seraient toujours plus à la marge et isolés du reste de la société. L'équité territoriale est aussi légitimée par les services que rendent les campagnes accessibles au reste de la société.

Globalement, *"l'ensemble des acteurs n'insiste pas assez sur les atouts du rural français en Europe. La France dispose pourtant du plus vaste territoire d'Europe occidentale. Dans un contexte où notre pays ne bénéficie pas de ressources naturelles comme le pétrole ou le gaz, son territoire constitue alors une ressource importante. En milieu rural, la proximité des acteurs permet une réactivité et une possibilité d'échange (de manière formelle ou informelle) beaucoup plus simple et rapide que dans une grande ville"*[20]. L'espace rural français est également le mieux équipé au monde.

L'un des enjeux fondamentaux est d'arriver à mettre en avant des potentiels qui existent, mais qui sont dispersés géographiquement et donc plus compliqués à appréhender de manière globale que ce qui relève de la concentration. Même si l'exercice est difficile, il est essentiel de parvenir à élaborer et mettre en

---

20   Gérard-François Dumont, *ibid.*

œuvre des politiques publiques qui permettent la prise en compte de cette dispersion, ceci afin de ne pas passer à côté des atouts et des diverses initiatives qui foisonnent au sein de campagnes, mais également des difficultés de personnes isolées.

Pour finir, et pour en revenir au rapport "nouvelles ruralités" en lui-même, au-delà du débat qu'il espère susciter, il s'efforce de présenter des pistes de travail et des propositions qui relèvent aussi bien du registre législatif et réglementaire que de l'élaboration de projets locaux de développement. D'un point de vue opérationnel, des acteurs locaux, en l'occurrence des présidents de Conseils généraux, ont entrepris de faire part aux autres décideurs politiques d'une vision structurée de l'aménagement du territoire. Il s'agit d'une approche "ascendante" du développement territorial. Il n'est pas uniquement question de revendiquer, mais surtout de proposer ; ceci dans l'espoir de parvenir à faire évoluer le regard sur des territoires parfois banalisés (comme ceux du centre de la France) et semble-t-il méconnus par une partie de la classe politique et de la haute fonction publique. Il s'agit aussi de tenter de faire émerger une vision stratégique dont l'origine se situe relativement proche des réalités de terrain. Inversement, la démarche permet à des responsables de collectivités locales, de prendre le temps de travailler, d'apprendre et de s'approprier des enjeux territoriaux, qui ne sont pas immédiatement visibles et perceptibles dans l'action quotidienne de gestion d'une collectivité territoriale.

BIBLIOGRAPHIE

Assemblée des Départements de France, *actes du colloque "Campagnes : le grand pari",* 2013, 72 p.

Assemblée des Départements de France, *Mission nouvelles ruralités : rapport d'analyses et de propositions pour l'avenir des territoires,* 2013, 75 p.

Datar, "typologie des campagnes françaises et des enjeux spécifiques (littoral, montagne et DOM)", *Travaux en ligne* n° 12, 2012.

Guilluy (Christophe), *Fractures françaises,* Flammarion, 2013.

Le Bras (Hervé) et Todd (Emmanuel), *Le Mystère français,* Éditions du Seuil et La République des Idées, 2013, 311 p.

Piron (Olivier), "Des territoires toujours plus diversifiés", *Constructif,* 2013.

Veltz (Pierre), *Paris, France, Monde : repenser l'économie par le territoire,* Éditions de l'Aube, 2012.

Viard (Jean), *Nouveau portrait de la France : la société des modes de vie,* Éditions de l'Aube, 2012.

Bibliothèque stratégique
Hervé COUTAU-BÉGARIE

TRAITÉ DE STRATÉGIE

Traditionnellement définie comme l'art du général ou la science des hautes parties de la guerre, la stratégie a connu un élargissement continu au cours du XXe siècle. Elle se développe maintenant en temps de paix comme en temps de guerre, la stratégie d'action a été doublée par une stratégie de dissuasion et la dimension opérationnelle a été enrichie par des dimensions techniques, sociale et idéologique. Ce traité est le premier à tenter une approche globale de la stratégie dans toutes ses dimensions. Il a été récompensé par le prix Fréville de l'Académie des sciences morales et politiques.

Hervé Coutau-Bégarie était directeur d'études à l'École Pratique des Hautes Études et directeur du cours d'introduction à la stratégie à l'École de guerre. Il était directeur de la revue Stratégique *et président de l'Institut de Stratégie Comparée. Il a consacré une vingtaine d'ouvrages aux questions stratégiques.*

ISC-Économica - 1 204 pages   7e édition revue et augmentée
                                                                    Prix : 39 €

La surveillance
des nouveaux territoires spatiaux : vers un catalogue orbital européen partagé entre civils et militaires

Olivier ZAJEC

Dès l'origine de la conquête spatiale, et au fur et à mesure que cette dernière se couplait de plus en plus étroitement à une problématique militaire, les états-majors ont utilisé des capteurs de surveillance (radars ou optiques) afin de distinguer entre des objets spatiaux "neutres" et des véhicules balistiques potentiellement destructeurs. Pour l'Amérique, ce fut toute la problématique stratégique posée par Spoutnik à partir de 1957. La "grande peur" de la société américaine découvrant les progrès soviétiques allait déboucher sur la création d'un "Space Object Catalogue", qui fut par la suite mis à jour scrupuleusement, suivant les données du *Space Surveillance Network*[1]. Après la chute de l'URSS, ce besoin a évolué avec les progrès contemporains enregistrés en matière de défense anti-missile : le bouclier spatial faisant l'objet d'un financement croissant, il devient en effet nécessaire de faire la différence entre des

---

[1] Le SSN dispose aujourd'hui de 25 sites dans le monde entier. À partir de ses données, deux catalogues sont mis à jour, sous la responsabilité du Commandement Stratégique Américain (USSTRATCOM) : l'un est géré par l'*US Air Force*, l'autre par l'*US Navy*.

débris spatiaux (devenus de plus en plus nombreux) et – par exemple – des véhicules de rentrée. De nos jours, enfin, se profilent de nouvelles dimensions pour la surveillance spatiale, avec l'émergence possible de doctrines offensives dans l'Espace, de la part d'anciennes comme de nouvelles puissances internationales, de la Chine aux États-Unis en passant par la Russie.

Du côté européen, la surveillance de l'espace (SSA) est aussi un enjeu particulièrement stratégique, les états-majors des États membres de l'UE se préoccupant précisément du nombre exponentiel de puissances spatiales émergentes, lesquelles disposent de capacités de plus en plus modernes. Le risque est celui d'une arsenalisation galopante de l'espace, avec un certain nombre de conséquences aisément compréhensibles pour les armées dont les performances opérationnelles (du renseignement jusqu'à la conduite de la manœuvre) dépendent aujourd'hui de leurs capacités spatiales. Comme le résume Joseph Henrotin, *"cette spatiodépendance apparaît comme extrêmement tentante pour qui voudrait s'en prendre à une force occidentale et sans doute faut-il se garder d'accorder trop de foi aux déclarations politiques sur la nécessité d'utiliser l'espace à des fins pacifiques"*[2]. Le fait marquant de la période post-guerre froide est ceci dit à chercher du côté du spatial civil, qui s'est considérablement développé. La surveillance n'est pas moins essentielle pour lui que pour le *"secteur militaire"*. Les interférences radioélectriques, mais aussi la nécessité de mieux comprendre les perturbations liées à la météorologie spatiale, sont des facteurs potentiellement dégradants de l'environnement spatial, qui préoccupent les acteurs privés opérateurs de flottes de satellites. De manière très significative, la Commission européenne, dans sa "Stratégie spatiale commune" de 2011, propose d'ailleurs de *"mettre en place un système protégeant les satellites de communication et les autres infrastructures spatiales essentielles des radiations solaires, des débris spatiaux et des astéroïdes"*. Des trois menaces mentionnées par la Commission, le phénomène qui inquiète au premier chef tant les responsables militaires que civils est sans conteste le nombre exponentiel de débris polluant l'espace et menaçant l'intégrité des satellites. *"Les débris spatiaux,* s'alarme

---

2   Joseph Henrotin, "ASAT : quel est l'état de la menace ?", *Défense et Sécurité Internationale*, hors-série n° 28, février-mars 2013.

clairement la Commission dans un autre document, *sont devenus la plus grave menace pesant sur la viabilité de nos activités spatiales*"[3].

LA PROBLÉMATIQUE DES DÉCHETS SPATIAUX, RÉVÉLATEUR DE L'URGENCE D'UNE SURVEILLANCE SPATIALE PARTAGÉE

Si l'Europe tente aujourd'hui de développer les capacités partagées des États membres en matière de "surveillance de l'espace et suivi des objets en orbite" (*SST – Space surveillance and tracking*[4]), c'est que les risques de collision augmentent de manière inquiétante. En arrondissant les chiffres, on compte environ 800 satellites officiellement actifs dans l'espace (400 en orbites basses, 400 en orbite géostationnaire). Reste que les objets spatiaux détectés, eux, sont plus de 13 000, d'après les données américaines[5]. Parmi ces derniers, une grande majorité est en réalité constituée de débris dont la taille varie entre 10 centimètres et 10 mètres. D'autres, plus petits, n'apparaissent même pas sur les écrans. Ces objets spatiaux d'un à dix centimètres, non catalogués, seraient aujourd'hui estimés à 300 000. Mais à 10 kilomètres-seconde, un débris de 10 centimètres seulement possède la même énergie qu'un camion de 3,5 tonnes roulant à 190 kilomètres-heure, et peut causer des dégâts plus qu'importants à un satellite. Pour ce qui est des sources ouvertes dans le domaine, la Nasa publie régulièrement un catalogue historique des fragmentations satellitaires survenues en orbite. Il y en avait 75 en 1984, date de la première édition. Dans la dernière édition de 2008, ce chiffre est monté à 194, auquel s'ajoutent 51 "anomalies". Entre 2004 et 2008, le nombre de débris en orbite a augmenté de 69 %,

---

3   "Vers un secteur de la défense et de la sécurité plus compétitif et plus efficace", Communication de la Commission au Parlement européen, au Conseil, au Comité économique et social européen et au Comité des régions, 24 juillet 2013.

4   La SSA est partagée par l'ESA (*European Space Agency* – Agence Spatiale Européenne) en trois segments : La météorologie spatiale (*Space Weather* – SWE), la surveillance des astéroïdes pouvant impacter la Terre (*Near-Earth Objects* – NEO) et la SST proprement dite.

5   Source : Orbital Debris Program Office, NASA, 2013.

une progression due en grande partie à la destruction volontaire par la Chine de son satellite Fengyun 1C le 11 janvier 2007, dans le cadre d'un test d'armement anti-satellite (ASAT)[6]. Devant les risques induits par cette pollution croissante, il s'agit non seulement d'enlever le maximum de déchets en orbite, mais également d'éviter d'en créer de nouveaux. Il importe donc de réduire les risques en procédant à un "nettoyage" relatif de l'espace, par exemple en développant les capacités de désorbitation des satellites en fin de vie[7] ; et même si la disparition totale des débris spatiaux est une vue de l'esprit, il s'agit *a minima* de disposer de la vision la plus précise et la plus anticipée possible de la nature des objets en orbite, ainsi que de leur trajectoire.

Quelles sont les solutions dans ce domaine ? À l'heure actuelle, il n'existe pas de capacités autonomes de *Space surveillance and tracking* du côté européen. L'Europe a longtemps privilégié l'accès à l'espace (le succès d'Ariane en est le résultat) mais le prix à payer, par effet d'éviction, a été une relative négligence de la surveillance spatiale[8]. Le résultat, comme le reconnaissent les autorités européennes, est que les opérateurs de satellites et les services de lancement *"dépendent des données fournies par les États-Unis pour les alertes anticollisions"*[9]. La combinaison des différents programmes de radars américains (PAWS/BMWS, Haystack, Goldstone, Cobra Dane entre autres) permet au Joint Space Operations Center (JSPOC) de disposer des moyens les plus performants du monde en terme de

---

6   Voir Nicholas L. Johnson (dir.), *History of On-Orbit Satellite Fragmentations, 14th Edition*, Orbital Debris Program Office, NASA Center for AeroSpace Information, 2008.

7   Certains travaux évoquent la mise en place de lasers basés à terre pour "nettoyer" l'orbite basse de ses débris. Voir Claude R. Phipps *et al.*, "Removing orbital debris with lasers", *Advances in Space Research*, vol. 49, n° 9, mai 2012, pp. 1283-1300.

8   De manière plus précise, il faut ici rappeler le rôle des États-Unis dans le cadre de l'OTAN, qui n'ont accepté de laisser se développer l'accès autonome à l'espace des Européens qu'en échange d'un démantèlement partiel des capacités de surveillance spatiale de ces derniers, dont le programme français Stradivarius installé au CELAR (Centre d'électronique de l'armement, aujourd'hui DGA Maîtrise de l'armement) de Bruz constituait une première mouture prometteuse.

9   "Vers un secteur de la défense et de la sécurité plus compétitif et plus efficace", *op. cit.*

surveillance, de trajectographie, d'identification et d'imagerie spatiale. Les investissements américains en matière de Défense Antimissile Balistique (DAMB) ont concouru au renforcement de telles capacités, l'antimissile *"cousinant"* naturellement avec le domaine spatial et le domaine nucléaire[10]. Une nouvelle génération de capacités est actuellement en développement : le programme *Space Fence* ("barrière spatiale") comportera trois radars, pour un coût supérieur à 3 milliards de dollars. Avec son catalogue orbital TLE ("Two Lines Elements"), sans cesse complété et mis à jour depuis le début de la Guerre froide, le Pentagone dispose en définitive d'une base de données de 17 000 objets spatiaux. Le monde entier en est dépendant pour mesurer les risques potentiels de collision. L'Europe ne dispose d'aucun catalogue équivalent.

Quelques programmes et équipements permettent néanmoins à l'Europe de jouer un rôle minime dans le domaine de la surveillance, de l'identification et de la trajectographie des objets spatiaux : il s'agit du radar TIRA en Allemagne, de GRAVES[11] en France et des installations de Fylingdales au Royaume-Uni, auxquelles peut s'ajouter le *Space Debris Telescope* de l'Agence spatiale européenne à Tenerife. Pour autant, les capacités alignées par les pays européens sont bien loin de se monter à la hauteur des enjeux actuels et futurs en matière de sécurité spatiale. Au niveau de l'Europe institutionnelle, on assiste donc à une prise de conscience dans ce domaine : la surveillance de l'espace est devenue une nouvelle priorité, censée former le "troisième pilier" de la politique spatiale européenne, avec le système de positionnement par satellites Galileo et le GMES (Global Monitoring for Environment and Security). Les initiatives de l'Europe pour faire converger les programmes nationaux de SSA et leur donner une suite articulée et partagée ne datent véritablement que de 2004, mais les annonces en la matière n'ont, il est vrai, pas cessé depuis. Le tableau suivant les résume très schématiquement (figure 1).

---

10   Nous nous permettons de renvoyer à notre article. Voir Olivier Zajec, "Dissuasion, Espace, Défense antimissiles : enjeux politiques", *Les Cahiers de la Revue de Défense Nationale*, novembre 2010.

11   Grand Réseau Adapté à la Veille Spatiale. Ce radar a été développé par l'ONERA (Office national d'études et de recherches aérospatiales).

Initiatives européennes en matière de SSA	Date
Rapport : "European Security and Defence Policy (ESDP) and Space"	2004
Agence spatiale européenne : initiative SSA via un "programme préliminaire"	2008
Agence européenne de défense (EDA) : formulation de besoins militaires européens en matière de SSA	2010
Déclaration de la Commission européenne : "Vers une stratégie spatiale de l'Union Européenne au service du citoyen"	2011
Communication de la Commission : "Vers un secteur de la défense et de la sécurité plus compétitif et plus efficace"	2013
Décisions sur l'avenir d'Ariane à la conférence ministérielle de l'ESA	2 décembre 2014

Figure 1. Initiatives européennes en matière de Space Situational Awareness. O. Zajec, 2014.

La coordination entre les différentes agences et les organismes chargés de la SSA au niveau européen n'est pas toujours optimum, mais les initiatives progressent. La "Phase 2" du programme de SSA de l'ESA (2013-2016) est financée à hauteur de 46.5 million d'euros par les 14 États qui l'ont lancée (un montant qui peut néanmoins être considéré comme plutôt insuffisant au regard des enjeux)[12]. Le Traité de Lisbonne, en dotant l'Union européenne d'une compétence partagée en matière spatiale (article 4, §3 et article 189), a plus généralement ouvert des possibilités intéressantes, puisqu'il donne mandat à l'UE pour *"coordonner les efforts nécessaires pour l'exploration et l'utilisation de l'espace"*, établir une "politique spatiale européenne" et développer un "programme spatial européen". Cette feuille de route a été déclinée par la Commission européenne sous des aspects civils généraux ("Vers une stratégie spatiale de l'Union Européenne au service du citoyen", 2011) puis sous un aspect plus sectoriel ("Vers un secteur de la défense et de la sécurité plus

---

12 Les États concernés : Autriche, Allemagne, Pologne, Belgique, Italie, Luxembourg, République tchèque, Suède, Danemark, Norvège, Suisse, Finlande, Royaume-Uni. La France est absente de la liste.

compétitif et plus efficace", 2013[13]). Le propos de ce dernier document est à terme de réunir dans un réseau commun l'ensemble des capacités européennes. 70 millions d'euros seraient débloqués à cet effet pour la période 2014-2020. Certains pays européens disposent de savoir-faire réels en matière de surveillance spatiale, qui pourraient théoriquement leur permettre de dépasser leur état de dépendance actuel pour progresser sur la voie d'une autonomie plus crédible. La France, grâce à l'expérience des industriels de la Dissuasion nucléaire, est particulièrement bien placée en la matière. Il n'en reste pas moins que, nonobstant leurs atouts particuliers, toutes les capitales doivent compter avec les contraintes budgétaires engendrées par la crise économique systémique de 2008, et sont désormais placées devant un choix stratégique :

- soit poursuivre leurs programmes nationaux en recherchant des coopérations bilatérales (y compris en transatlantique) ;
- soit faire progresser l'Europe spatiale et économiser des moyens en connectant ces programmes nationaux dans le cadre des initiatives de l'Agence Spatiale Européenne.

Les déclarations de la Commission sont relativement claires : *"L'Union européenne est prête à soutenir la mise sur pied d'un service SST européen basé sur un réseau de ressources SST existantes détenues par les États membres, éventuellement dans une perspective transatlantique. Ces services devraient être accessibles aux opérateurs publics, commerciaux, civils et militaires et aux autorités. Il faudra pour cela que les États membres qui possèdent des ressources de cette nature s'engagent à coopérer et à fournir un service anticollision au niveau européen"*[14]. Les contraintes budgétaires actuelles, ainsi que la progression rapide des autres puissances spatiales, soulignent donc l'urgence

---

13 "Vers un secteur de la défense et de la sécurité plus compétitif et plus efficace"   http ://ec.europa.eu/enterprise/policies/space/files/policy/comm_ pdf_com_2011_0152_f_communication_fr.pdf

14 "Vers un secteur de la défense et de la sécurité plus compétitif et plus efficace", *op. cit.*, juillet 2013.

d'un choix clair. Pour autant, le sujet n'en est pas moins délicat, et ce d'autant plus que cette convergence souhaitée et souhaitable entre pays européens devrait se doubler d'une convergence entre civils et militaires, quel que soit le pays concerné. Ceci entraîne bien évidemment la nécessité d'une politique partagée et sécurisée d'accès à des données sensibles, ce qui n'est pas la moindre des difficultés de ce sujet. *A fortiori* lorsque la Commission mentionne une *"perspective transatlantique"* éventuelle. Le sujet des débris spatiaux, une fois encore, montre que la menace peut servir d'accélérateur fonctionnel dans ce domaine. Tout comme la piraterie maritime, les débris ne concernent pas un pays en particulier : tous vivent avec cette épée de Damoclès au-dessus d'eux. Les débris ne font pas de différence entre satellites chinois et américains, ou entre un satellite civil et un satellite militaire. La coopération, dans cette situation, est donc possible et souhaitable, y compris entre nations concurrentes.

Dans cette perspective qui nécessite un partage des connaissances et des données de trajectographie orbitale, la dépendance envers les catalogues américains pose problème, et pas seulement aux états-majors européens. Les opérateurs civils non américains souhaiteraient un accès indépendant et efficace aux données, leur permettant de réduire leurs risques. Ceci est d'autant plus critique que ces opérateurs vendent de manière croissante une *continuité de service* à leurs clients, et non pas uniquement la possession d'un matériel particulier. Leur intérêt est donc de garantir au maximum cette continuité de service, à laquelle sont rattachés des contrats d'assurance importants. Dans ce cadre, la problématique des débris n'est plus une simple gêne, mais un danger réel pour leur *business model*. Et la surveillance spatiale devient un passage obligé, à tel point qu'un groupe d'opérateurs, constitué d'Intelsat, d'Inmarsat et de SES Astra, ont formé la *Space Data Association* qui a lancé, via un processus contractuel, la mise sur pieds d'un *Space Data Center* censé leur fournir des données indépendantes concernant la gestion du trafic spatial et les risques de collision[15].

Du côté militaire, les progrès européens en matière de surveillance spatiale auraient un effet de levier positif concernant un certain nombre d'éléments opérationnels :

---

[15] Concernant la méthodologie utilisée par le SDA, voir David Vallado , AGI/CSSI, "SDA Orbit Determination Evaluations", October 24, 2012. Source : http ://www.space-data.org/sda/space-data-center/.

- la détection de lancements non déclarés ou l'identification d'objets spatiaux suspects[16] ;
- la capacité de suggérer à des nations tierces que l'Europe dans son ensemble est en capacité d'identifier la source d'une agression ou d'une intrusion inamicale ;
- la capacité à contredire éventuellement les analyses américaines concernant l'attribution à tel ou tel objet – ou débris – de dégâts survenus sur des satellites européens.

Les besoins militaires convergent avec les besoins civils : en matière opérationnelle, lors de la planification d'une intervention ou d'un engagement des forces, l'*Air Tasking Order* des armées de l'air ne suffit plus, il est nécessaire de lui adjoindre un STO (*Space Tasking Order*) pour établir une *Space Situation Picture* à jour. Dans une troisième dimension de plus en plus encombrée, obtenir une vision d'ensemble des aéronefs classiques n'est qu'une étape : il faut y adjoindre la défense antimissile et le spatial au sens large. L'Allemagne fournit un exemple pragmatique dans ce domaine. Son centre spatial destiné au SSA ("*Weltraumlagezentrum*"), créé en 2009, est interministériel et dual : le responsable du centre, situé à Kalkar, est un officier général de la Luftwaffe, tandis que son adjoint vient du DLR (Deutsches Zentrum für Luft- und Raumfahrt), une agence civile. La France, elle, capitalise sur l'expérience accumulée grâce à GRAVES, et ses états-majors collaborent de manière efficace avec les Allemands dans le domaine spatial. Ainsi, le drone spatial américain X37B a pu être détecté par GRAVES, avant que les informations transmises par les Français ne permettent au radar allemand TIRA de fournir une image du véhicule. Au travers de la problématique des débris, on voit en définitive que les capacités de SST, et la maîtrise des "*nouveaux territoires*" spatiaux, concernent tant les militaires que les civils, et sont dans

---

16   Les conventions des Nations-Unies interdisent en théorie le lancement non déclaré d'objets spatiaux. En pratique, les États-Unis, en particulier, continuent à le faire, sachant que la détection de tels objets est particulièrement difficile, et qu'ils sont les seuls pour le moment à pouvoir aujourd'hui disposer d'une capacité de SST suffisante.

l'intérêt de l'ensemble des pays européens, quelles que soient par ailleurs leurs priorités particulières en matière spatiale. La convergence dans ce domaine n'entraîne pas l'abandon des politiques spatiales nationales : elle permet au contraire de rationaliser les moyens affectés à ces dernières, en mutualisant les ressources dans un domaine – la surveillance – où le besoin s'impose d'évidence à tous les États membres. Les économies réalisées pourraient éventuellement permettre de dégager des marges de manœuvre dans d'autres compartiments capacitaires déficitaires (transport, ravitaillement, ou ISR). Pour assurer la production et la mise à disposition différenciée de telles données (en leur attachant des niveaux différenciés de confidentialité, faisant la part des choses entre civils et militaires), des analystes en nombre croissant se font les avocats d'un système européen de contrôle des trafics spatiaux.

L'UE ET LA SURVEILLANCE PARTAGÉE DES NOUVEAUX TERRITOIRES SPATIAUX : VERS UN CATALOGUE ORBITAL EUROPÉEN ?

Le retard accumulé par l'Europe dans le domaine de la surveillance a un effet positif paradoxal : l'urgence du besoin oblige l'Union à se tourner vers les solutions les plus simples et les moins coûteuses. Un mot semble résumer cette équation : dualité. Les moyens militaires existants ne suffisant pas (malgré son utilité évidente, la France n'a jamais su lancer une suite au pourtant très efficace radar GRAVES[17]) et les budgets actuels ne laissant pas espérer un renouvellement conséquent des programmes à moyen terme, il sera sans doute nécessaire de s'appuyer sur la fourniture de services de SST reposant sur des programmes civils duaux. Ces derniers pourraient permettre de mettre enfin en place un catalogue orbital européen, qui réduirait le monopole du TLE américain, d'autant que les données accessibles de ce

---

[17]   Alors même que la capacité de GRAVES à générer un catalogue orbital français indépendant, même très limité, a forcé les États-Unis à une négociation plus équilibrée avec Paris, débouchant sur le retrait des orbites Hélios du TLE américain.

dernier ne sont pas toujours des plus fiables[18]. Les industriels, dans ce domaine, ont vocation à passer du statut de simples fournisseurs de satellites à celui de fournisseurs de services satellitaires. Cette évolution prévisible entraîne un certain nombre de conséquences. Pour que l'Agence spatiale européenne (European Space Agency – ESA) puisse jouer son rôle dans une telle perspective, il pourrait s'avérer nécessaire de faire converger sa planification et ses expressions de besoin avec ceux de l'Agence européenne de défense. Le programme préliminaire de Surveillance spatiale de l'ESA, lancé en 2008 et auquel collaborent les industriels Astrium et Indra, pourrait être ainsi accéléré en se voyant complété sur le versant militaire.

Le grand obstacle à cette convergence des besoins, programmes, équipements et services civils et militaires reste néanmoins la *data policy*. Comment faire en sorte que les données militaires les plus sensibles soient sécurisées, dans le cadre d'une relative mise en commun européenne de moyens de surveillance spatiale ? Le problème apparaît surmontable. La plupart des industriels européens impliqués dans les nouveaux territoires spatiaux sont déjà des partenaires de confiance des institutions militaires. L'obligation de mise au point de plates-formes de filtrage des données, ainsi que de procédures de négociation et de *caveat*[19] sur telle ou telle donnée, ne doit pas être un prétexte pour empêcher l'Europe de se doter d'une véritable doctrine de sécurité spatiale. L'UE ne dépassera en effet le stade des incantations et des *policy papers* qu'à partir du moment où la convergence des moyens civils et militaires sera passée dans les faits en matière de SST, ouvrant la voie à la constitution d'un catalogue orbital européen. La logique d'autonomie qui a permis à Galileo d'émerger – malgré difficultés et remises en questions permanentes – peut certainement être répliquée en ce qui concerne le

---

18   Paul J. Cefola, Brian Weeden, Creon Levit, "Open source software suite for Space Situational Awareness and Space Object Catalogue Work", *European Space Astronomy Centre*, Madrid, 3-6 mai 2010, p. 1.

19   Le *"caveat"* (du latin "il doit faire attention") correspond à une demande de report d'une procédure opérationnelle en attendant de prévenir un tiers. Par extension, le terme correspond aux "lignes rouges" et exceptions formulées par des États membres d'une coalition ou d'une Alliance, dans le cadre d'une opération particulière.

défi urgent de la surveillance spatiale européenne. À condition de penser de manière pragmatique, et d'entrer dans une logique complémentaire et sécurisée de services assurés par des opérateurs civils, de manière à renforcer l'éventail pour le moment incomplet des moyens européens détenus en propre par les nations.

Décision politique, prospective et territoires
Une approche par les scénarios d'action stratégique

Anne Marchais-ROUBELAT,
Fabrice ROUBELAT, Jean-Pierre SAULNIER

L a réforme territoriale bouscule les découpages qui structurent l'action politique et les compétences décisionnelles qui leur sont attachées. Se pose alors la problématique prospective de l'évolution dans le temps des territoires et de leurs périmètres, ainsi que des processus d'action qui conduisent à les former, les déformer, les transformer. Au-delà des questions de découpage, les territoires se définissent par ce qui s'y passe, par les interactions entre les différentes parties prenantes qui conduisent tantôt à définir, tantôt à déborder le cadre de l'action politique. Dans un tel contexte, la décision politique est indissociable du territoire, mais le territoire ne suffit pas à la périmétrer, ni en termes de choix, ni en termes de mise en œuvre, ni même en termes de réflexion. Il conviendra donc de comparer l'intérêt et les insuffisances d'une approche de la décision politique comme choix réifié, périmétré par les limites des territoires et des compétences décisionnelles préétablies qui leur sont associées, avec celle d'une approche de cette même décision politique comme un processus d'action se transformant dans le temps.

Du point de vue de la décision, la construction territoriale s'inscrit dans des découpages institutionnels préétablis qui la rendent modélisable en termes de décision réifiée. Dans l'action, ces territoires se transforment, ces transformations nécessitant le recours à une analyse symbolique. D'un point de vue prospectif, la construction territoriale participe d'un double mouvement, à la fois de création de frontières et de transformation de ces frontières, dans des scénarios d'action stratégique dont il convient d'évaluer les limites à la fois spatiales et temporelles. Pour discuter cette problématique de la transformation territoriale dans sa relation avec la décision politique, nous proposerons d'analyser le cas du canal de Berry, projet d'aménagement économique et touristique du Conseil général du Cher.

REPENSER LA DÉCISION DANS SA RELATION AU TERRITOIRE : UNE APPROCHE PAR L'ACTION

De la décision réifiée à l'action comme réalisation qui se déroule dans le temps : une approche symbolique de la construction territoriale

Le découpage territorial constitue une question politique à la fois très ancienne et toujours d'actualité. Aujourd'hui l'étendue du territoire est d'abord définie par ce qui la délimite – ses frontières –, l'articulation entre décision politique et territoire consistant à rechercher le découpage territorial le meilleur possible pour cadrer et appliquer le choix politique. Il apparaît toutefois que les limites du territoire ne cadrent pas avec les problématiques décisionnelles. Au niveau national, l'interconnexion des économies par exemple limite la marge de manœuvre des États. À l'échelle des communes, les moyens manquent souvent. Entre les deux et au-delà, les superpositions de niveaux administratifs semblent rendre la décision politique encore plus opaque car elle dépend non seulement des compétences respectives des différentes parties prenantes, mais encore des négociations aux différents niveaux entre des acteurs qui ne sont pas toujours les mêmes et qui évoluent dans le temps en fonction des problèmes de décision et des transformations institutionnelles.

À l'échelle locale – de la commune ou du département par exemple – les compétences du décideur politique dépendent de la définition du territoire dans lequel elles s'appliquent. La décision politique apparaît ainsi comme un choix, déclenchant une mise en œuvre, dans un territoire donné. Comme ce choix s'effectue entre diverses priorités d'aménagement et sous contrainte financière, il semble pouvoir s'analyser à la manière d'une décision de gestion, dans une logique de gouvernance. Or, la conception de la décision en gestion est une conception de la décision réifiée (Chia, 1994, Cabantous et Gond, 2012), c'est-à-dire un objet conceptuel particulier qui est un choix effectué à un moment donné.

Cet objet conceptuel se construit à partir d'une coupure entre la pensée abstraite, appartenant à un monde idéal, et l'action qui elle est imparfaite (Dewey, 1929). La pensée abstraite utilise une rationalité instrumentale, c'est-à-dire au service d'objectifs qu'il s'agit d'atteindre par des moyens cohérents entre eux (Allais, 1953) et de la manière la plus efficiente possible. Cette rationalité instrumentale appartient au domaine de la pensée comme *"calcul des conséquences"* au service de la science (Arendt, 1983). L'ensemble conduit à une conception analytique de la relation entre décision et action, où la décision est une étape logique entre réflexion et action, la réflexion pouvant s'élargir à la sélection d'une portion du monde qui va permettre de créer et de périmétrer le problème décisionnel de choix selon un modèle réflexion-décision-action. Le temps est linéaire, séquencé en une succession d'étapes plus ou moins clairement formalisées. Les approches classiques de la décision présentent l'avantage de permettre de faire le point à un moment donné. Encore faudrait-il le relativiser, car la décision se déroule au cours du temps et son jugement dépend largement du moment et des conditions dans lesquels il s'effectue.

Parce qu'elle organise la vie publique, la décision politique renvoie à la problématique du mode de gouvernement et donc du niveau de démocratie, mais aussi de la vision d'avenir. Cette question est déjà au cœur de la vie politique dans la cité grecque (la *polis*) de la période classique où les discours politiques débattent des futurs à envisager et des projets à mener. La *polis* s'étend sur un territoire qu'elle gère et qu'elle protège, et à partir duquel elle-même entretient des relations avec d'autres entités politiques, d'autres *polis*. Dans le territoire de la *polis*, des citoyens respectant des contraintes communes aussi bien d'appartenance familiale que de pratiques religieuses ou de relations sociales, s'engagent pour une partie notoire de leur temps dans le fonctionnement de leurs institutions pour faire respecter les règles établies de vie collective, débattre de leur avenir commun et légiférer. L'étranger, fût-il citoyen ailleurs, ne bénéficie pas sur ce territoire des

mêmes lois que le citoyen de la *polis* tant que leurs cités respectives n'ont pas signé d'accord (Gauthier, 1972). Ce territoire n'est
d'ailleurs pas homogène, puisqu'y vivent ensemble des citoyens,
des métèques (étrangers), des esclaves – parfois autrefois citoyens
de cités désormais vaincues –. La fragile durée des frontières
résulte des actes des hommes qui séjournent sur le territoire ou le
traversent. Celui-ci n'est pas un objet dont la pensée se saisit pour
définir des problématiques décisionnelles, mais bien le reste plus
ou moins pérenne de faisceaux entremêlés d'actes, parmi lesquels
s'établissent ceux de la *polis* et de ses citoyens.

La décision politique est indissociable de la problématique
territoriale, ce dont témoigne la question du découpage territorial.
Toutefois, la conception réifiée de la décision qui la sous-tend
suffit-elle pour comprendre la décision politique ? On proposera
de compléter cette perspective par une approche symbolique de la
décision.

La décision politique progresse dans un univers dont les
logiques diffèrent de celles de l'univers où se prennent les décisions administrant sa mise en œuvre. Les approches classiques de
la décision, comme les approches qui les critiquent, ne permettent
pas d'en tenir compte. Il faut alors quitter le domaine de la décision réifiée pour entrer dans celui de la décision comme symbole,
le symbole étant compris ici dans son acception d'origine, c'est-
à-dire un objet incomplet qui doit être complété pour prendre tout
son sens.

Ce changement épistémologique accepte une conception
pré-moderne de la pensée comme *"l'habitude d'examiner tout ce
qui vient à se passer ou à attirer l'attention, quels que soient le
résultat et le contenu spécifique"* (Arendt, 1981, p. 5). Il permet
de concevoir la décision individuelle comme la participation
déterminée d'une personne à l'action en même temps que la
personne se forge un jugement. Celui-ci discerne et sépare
progressivement des possibilités enchevêtrées pour en définir une
tout en l'isolant. Considéré ainsi, un jugement ne constitue pas un
début à l'action mais un point d'orgue dans un flux d'événements
entrelacés où la personne est immergée et dans lequel elle
"pense" et agit. On ne peut pas démêler l'action qui suit du
contexte historique dans lequel le jugement émerge et se maintient un certain temps, voire doit continuer à être entretenu. Le
schéma analytique réflexion-décision-action s'anime en un
enchaînement ininterrompu de cheminements connectant les

différentes dimensions du processus décisionnel (figure 1) : remémoration/mémorisation, jugement, délibération, décision, acte (Marchais-Roubelat, 2012).

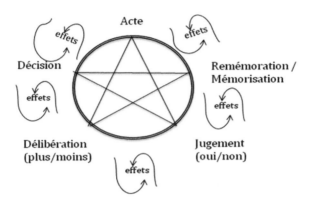

(Source : A. Marchais-Roubelat, 2012).

Dans cette représentation, les décideurs sont avant tout engagés dans l'action, où ils persévèrent à défendre et à promouvoir des projets. Ces projets ne sont pas donnés, leurs contenus tout autant que les objectifs qu'ils servent évoluent au gré des négociations, des avancées propres au projet, et de la formation des jugements des décideurs qui y participent.

Du point de vue non plus des décideurs mais de l'action elle-même dans son déroulement historique comme enchaînement d'événements sans début ni fin et auquel participent des personnes, le processus de décision politique diffère du processus d'inscription dans le territoire de l'action politique. Les deux processus s'entrelacent dans le temps et chacun se déroule selon plusieurs temporalités : les temporalités des différentes échéances politiques et les temporalités plurielles des logiques administratives (plans quadriennaux, budgets annuels…). Il faut par conséquent distinguer les règles des négociations politiques et celles des logiques administratives qui servent de toile de fond temporelle à l'émergence et au déroulement d'un projet politique. Dans le même temps, le projet politique produit, en fonction de l'évolution de ses propres contraintes de progression, des contraintes de mise en œuvre.

Dans ce contexte, la décision n'est pas le choix collectif mais l'acte annonçant qu'un choix a été effectué et que sa mise en œuvre est en cours ou le sera. Les modalités de construction et de publication de l'acte confèrent au choix annoncé le pouvoir d'être exécuté. La publication de l'acte peut être datée, mais pas la décision elle-même dont les symboles doivent être complétés par les règles et les scénarios d'action stratégique pour guider le processus décisionnel.

Transformer les territoires : une approche par les scénarios d'action stratégique

L'approche symbolique de la décision et de l'action conduit à chercher les compléments de l'analyse que l'on peut faire d'une politique ou d'une stratégie. Ces compléments sont à trouver dans l'action elle-même, son origine, son organisation, et les transformations qui peuvent survenir. Ainsi, d'un point de vue prospectif, l'action sur un territoire pourra être abordée par un ensemble de règles, chacune étant le complément des autres et l'ensemble permettant d'appréhender les processus dans lesquels les parties prenantes interagissent. Une telle approche permet de centrer la construction de scénarios prospectifs sur la mise en interaction des parties prenantes (Wright et Cairns, 2011), tout en proposant une analyse des dynamiques des territoires sous l'angle des processus d'action. Ainsi les frontières du territoire sont périmétrées, de manière évolutive, par l'action elle-même, de manière à faire émerger les enjeux qui conduisent les règles à se déformer et à se transformer. Dans le cadre de scénarios d'action stratégique (Marchais-Roubelat et Roubelat, 2009, 2014), il s'agit d'appréhender les territoires dans un monde où les règles et les acteurs se modifient sans cesse (Berger, 1957). Ainsi, un scénario pourra être appréhendé par un système de quatre règles (tableau 1).

Tout d'abord, la règle de l'action permet de s'interroger sur la frontière entre ce sur quoi les parties prenantes agissent et ce sur quoi elles n'agissent pas, le territoire étant délimité par les actes (et les "*non-actes*") des parties prenantes. La règle institutionnelle porte quant à elle sur les déclencheurs de l'action à travers ce qui la justifie d'un point de vue juridique, politique, éthique, ainsi que ce qui s'y oppose. De cette manière le territoire se trouve délimité par les valeurs et les politiques des différentes parties prenantes, offrant un complément qui permet de comprendre la frontière entre ce sur quoi les parties prenantes agissent et ce sur quoi elles n'agissent pas. La règle des opérations part des conditions de mise en œuvre de l'action, par exemple de la mise en place de dispositifs organisationnels ou techniques. Elle répond ainsi à la problématique de l'organisation du territoire à partir de contraintes d'action, qu'il s'agisse de contraintes propres aux opérations comme les contraintes techniques ou des contraintes issues de la règle institutionnelle, par exemple des contraintes économiques ou politiques.

Règles		*Logique de mouvement*	*Impact pour la prospective territoriale*
Règle de l'action	Les actes de l'action *Quoi ?*	Ce sur quoi les parties prenantes agissent Ce sur quoi les parties prenantes n'agissent pas	Construire le territoire par l'action
Règle institutionnelle	Ce qui déclenche l'action *Pourquoi ?*	Ce qui justifie l'action Ce qui s'oppose à l'action	Délimiter le territoire par les valeurs et les politiques des parties prenantes
Règle des opérations	Ce qui contraint les opérations *Comment ?*	Conditions de mise en œuvre de l'action	Organiser le territoire par les contraintes d'action
Règle de conduite	Ce qui permet aux parties prenantes de contrôler l'action *Et après ?*	Transformations de l'action : • Transfert • Enlisement • Oscillation • Déphasage	Évaluer les transformations du territoire : changements de paradigmes, changements d'échelles, gestion des irréversibilités, territoires interstitiels

Tableau 1. Scénarios d'action stratégique :
règles et transformation des territoires

Ces trois premières règles (règle de l'action, règle institutionnelle, règle des opérations) forment un ensemble à partir duquel un scénario peut être esquissé dans l'espace et le temps de l'action, avant de se transformer. Une approche de type réflexion-décision-action pourra être adaptée à l'intérieur d'un système de règles mais sera cependant remise en cause dès la modification d'une des règles. Chacune des règles n'a de sens que complétée par les deux autres, en fonction de l'action qu'il s'agit d'analyser, de créer, d'anticiper. Car le complément symbolique peut n'apparaître que dans la transformation de l'action.

Pour la prospective se pose cependant la question des transformations de l'action, et donc du scénario. Si la règle de conduite permet aux parties prenantes de contrôler l'action, de savoir si elles sont toujours dans le même scénario, la question qu'elle pose est celle de l'après. Conduit-elle à l'état final sur lequel repose une part importante de la littérature prospective ? Ou au contraire le territoire est-il amené, comme le suggérait Gaston Berger, à voir les règles se modifier sans cesse, et les parties prenantes se former, se transformer, apparaître, disparaître ? Ainsi la règle de conduite renvoie à la problématique de la transformation des territoires à travers des transferts, c'est-à-dire des changements de règles du jeu, paradigmes de nouveaux scénarios (Roubelat, 2006). Par exemple, les changements d'échelles qu'implique la réforme territoriale se concrétisent en référence à une nouvelle règle de l'action, une nouvelle règle institutionnelle, une nouvelle règle des opérations. L'enlisement (impossibilité à sortir d'un scénario) et les oscillations (va-et-vient entre deux ou plusieurs scénarios) posent la problématique de la gestion des irréversibilités. Peut-on revenir en arrière ? Un état final sans transformation ultérieure est-il envisageable ? Comment le territoire est-il susceptible de se transformer à nouveau ? Peut-on retrouver des formes déjà connues ou bien les évolutions sont-elles innovantes, si transformation il y a ? Le déphasage correspond quant à lui à des scénarios dans lesquels les parties prenantes ne jouent pas les mêmes règles, comme dans le cas de territoires fragmentés dans lesquels la règle de l'action, la règle institutionnelle ou la règle des opérations (voire les trois en même temps) varient d'une partie prenante à une autre. Les territoires interstitiels apparaissent ainsi comme des espaces dans lesquels les règles des scénarios ne s'appliquent pas ou du moins de manière déformée, ce qui ne signifie pas nécessairement qu'il s'agisse de territoires sans règles, même s'ils peuvent sembler être des territoires vides, ou au contraire apparaître comme des territoires en pleine expansion comme les zones économiques spéciales. En fait, derrière les déphasages se cache la question des relations de dominance entre les acteurs, ainsi que celle de la durée de ces territoires.

Les territoires interstitiels posent en effet la problématique de la durée des règles et des scénarios d'action qui leur correspondent. Si l'objectif n'est plus de rechercher un hypothétique état final, la durée du scénario devient stratégique pour évaluer les transformations du territoire, allant jusqu'à rendre éphémères certains scénarios à l'échelle des processus d'action. Pour les acteurs, le symbole peut être complété par certaines des règles en cours (règle institutionnelle, règle de l'action ou règles des opérations) mais aussi par des règles passées ou futures, fussent-elles interstitielles.

D'UNE DÉCISION PÉRIMÉTRÉE PAR LE TERRITOIRE À UNE DÉCISION CRÉATRICE DE NOUVEAUX TERRITOIRES : LE CAS DU CANAL DE BERRY

Décisions politiques et irréversibilités territoriales : découpages, fragmentation et recréation d'un canal de Berry

Le canal de Berry est ouvert à la navigation entre 1829 et 1841[1], il s'étend sur plus de 320 kilomètres. Formé de trois branches dans le Cher, il dessert à ses extrémités les villes de Montluçon (Allier), Marseilles-lès-Aubigny (Cher) et Noyers-sur-Cher (Loir-et-Cher). Ce dernier tronçon se prolonge jusqu'à Saint-Avertin (Indre et Loire) par le Cher canalisé puis jusqu'à Tours par un canal de jonction du Cher à la Loire. Il a été déclassé en 1955 puis cédé aux communes dans le cadre de leur patrimoine privé. L'entretien de cet équipement a été repris par plusieurs syndicats. Certaines sections du canal ont été vendues après son déclassement, parfois à des propriétaires privés, et l'entretien de celles restant à la charge des communes ne cons-

---

[1] Jean-Yves Hugoniot, "Le canal du Duc de Berry. Historique et généralités", *Bulletin d'information du département du Cher*, n° 154, août 1979, pp. 29-33.
Jacques Hugoniot, "Regard sur un passé encore proche. Le canal de Berry", *Bulletin des Amis du Musée Saint-Vic*, Saint-Amand-Montrond, 1979, n° 4, pp. 30-34 (La naissance) ; 1980, n° 5, pp. 43-46 (L'impact économique) ; 1981, n° 6, pp. 83-89 (L'aspect humain).

titue pas toujours une préoccupation prioritaire. Plusieurs sections ont été asséchées, voire comblées, et le canal présente une configuration paysagère fortement hétérogène, très éloignée de l'unité paysagère à laquelle on s'attend habituellement le long d'un canal, d'où le sentiment de fragmentation lié aux découpages du canal consécutifs à son déclassement.

En 2009, le Conseil Général du Cher lance des études d'avant-projet pour la création d'une piste cyclable le long du canal du Berry. Le projet est né du modèle que constitue l'expérience de la Loire à vélo initiée par la Région Centre. Ce projet peut être fédérateur. Si cette croyance en l'avenir est ferme, la conception du lien fédérateur est floue. L'hypothèse sur l'avenir qui sous-tend l'engagement dans le projet est que les effets de l'aménagement d'une piste cyclable le long du canal ne se réduiront pas à l'axe ainsi créé, mais se diffuseront en profondeur dans le territoire. Parmi les modalités de diffusion possibles, deux paraissent envisageables à court-moyen terme. La première est le développement de services touristiques en termes d'hébergement, de restauration et de loisirs. C'est elle qui a été à l'origine du projet. La seconde, apparue au fur et à mesure des discussions autour du projet, est l'attraction d'entreprises que pourrait constituer l'installation, au cours des travaux d'aménagement, de quatre fourreaux de télécommunication permettant des connexions à très haut débit. L'utilisation de l'aménagement du canal pour l'aménagement du département pourrait aussi corriger l'image d'inactivité et d'isolement souvent associée aux territoires ruraux : il s'agit d'un projet dont le caractère novateur peut être médiatisé à l'échelle nationale, voire internationale, et qui, localement, peut s'articuler avec des projets similaires dans les départements limitrophes. Ce troisième aspect est apparu lui aussi en cours de route.

Des projets préalables sont proposés par le service du tourisme du Conseil général qui travaille sur la mise en valeur du territoire à partir de l'ouvrage historique *le canal de Berry*[2], avec un fort parti-pris de mise en valeur paysagère. L'idée est soumise au président qui l'examine mais émet des réserves, compte-tenu des sommes à investir. À l'issue de négociations au sein du

---

2   Valérie Mauret-Cribellier, Robert Malnoury, *Le Canal de Berry*, AREP Centre Editions, Orléans, 2001.

conseil général, le projet est finalement retenu. Il constitue une priorité parmi les 82 fiches-projets de différents niveaux. En 2013 les négociations se poursuivent toujours. La permanence de la détermination des participants qui portaient le projet a constitué un facteur décisif dans la décision du conseil général de faire de ce projet une priorité. Désormais porteur institutionnel du projet, le conseil général doit amener les différents organes de décision (conseil général, municipalités, syndicats, conseil régional) à s'engager sur des décisions convergeant vers sa concrétisation. La piste cyclable ne peut pas s'interrompre lorsque le canal traverse des communes qui n'adhèrent pas au projet. Or, cette piste concerne trente-cinq communes qui doivent chacune décider en conseil municipal de leur participation ou non au projet. Celui-ci a commencé à être formulé en 2008, et après les études de pré-projet de 2009, il est présenté en 2010 à l'ensemble des communes du département, qui en acceptent toutes le principe. Les critères des modalités de mise en œuvre et la dimension financière restent à négocier.

À la suite de cette présentation, l'inscription de l'itinéraire *"véloroute"* est programmée dans le schéma national des véloroutes et voies vertes. Le projet est porté par le syndicat mixte de niveau départemental créé pour lui en 2002, et qui doit travailler avec les syndicats déjà existants au niveau local.

Le projet total étant évalué à 24 millions d'euros HT, se pose la question de la répartition de son coût. Trois tranches sont prévues pour la réalisation : 1) engager le processus de fusion des syndicats 2) présenter les dossiers de subvention aux partenaires 3) valider le plan de financement. Si ces tranches se succèdent, elles s'imbriquent aussi les unes dans les autres. La première est nécessaire au déroulement du projet, mais la seconde démarre avant qu'une décision ait été actée pour la première. La réalisation de la première tranche doit prendre en compte une contrainte légale : la règle de l'unanimité.

De mai 2013 à septembre 2014, les communes délibèrent sur leur inscription au projet. Une commune refuse d'y participer. Juste avant les élections municipales de mars 2014, une deuxième commune revient sur son accord initial. Les cycles de décision des différentes collectivités ne correspondent pas : le projet est inscrit dans les priorités du département et retenu par la région, et son report sur l'année suivante doit être renégocié. Dans ce contexte, la participation du FEDER (Fonds européen de développement économique et social) doit être rediscutée, les orientations établies pour la période 2007-2013 sont caduques et l'État modifie la répartition des fonds européens dans les programmes opérationnels. Or, la participation du FEDER s'élève à 30% du montant du projet. Toutefois, le nouveau FEADER[3] retient le projet au titre des projets régionaux de véloroutes et voies vertes.

En 2014 deux voies de résolution sont envisageables : rencontrer les maires pour les convaincre car leur poids exécutif est important, ou envisager une procédure de sortie. Celle-ci consisterait à dissoudre le syndicat puis à en créer un nouveau, sans les communes opposées - qui en sortiraient - ce qui modifierait le nombre d'acteurs et le périmètre du projet. Le problème des délais reste entier car le contrat de plan État-Région doit être fixé en juillet – août pour une signature par le président de région, le délai étant fixé par l'État. Il est possible aussi de viser le délai suivant, le nouveau document contractuel entre la région et le département devant être finalisé avant la fin de l'année 2014. En cas d'échec, le projet serait reporté de six ans. La décision suppose ainsi des négociations en continu dans un calendrier contraint.

Au cours de cette période, le projet existe, et en même temps il n'existe pas. Il existe parce qu'il est l'objet d'un engagement d'acteurs, notamment sur la dimension financière. Et il n'existe pas parce qu'il n'est pas finalisé. La décision de faire ce projet n'apparaît pas comme un choix rationnel à un moment donné, même si, avec le recul, elle peut être synthétisée ainsi. Elle réside avant tout dans une détermination à agir dans une direction particulière, détermination qui se concrétise par un engagement durable à la fois de personnes et d'un acteur institutionnel. Dans le cas du canal de Berry, l'engagement du conseil général entraîne l'engagement de la région. Mais les communes participent aussi à l'engagement financier du département, ce qui constitue éventuel-lement une raison de leur blocage car elles n'ont pas les mêmes priorités.

Dans le cas du canal de Berry, il est difficile d'établir une problématique de choix. En effet, la nature, les données, les

---

3   Fonds européen agricole pour le développement rural, instrument de financement de la politique agricole commune.

contraintes et les objectifs se modifient au cours du temps, rien n'étant fixé tant que la décision n'est pas actée. On ne peut pas parler d'une situation décisionnelle, ni d'un processus de négociation : les personnes comme les acteurs institutionnels évoluent au cours du temps, entrant et sortant du processus, et ces mouvements impactent les données du problème. La notion d'acteur ou de décideur doit être précisée. Au sein du Conseil Général le président du syndicat, vice-président en charge du tourisme, doit faire passer son projet comme prioritaire, notamment auprès du président. Celui-ci doit à la fois convaincre et arbitrer. La décision n'est ni un choix individuel à un moment donné, ni celui d'un acteur institutionnel, bien que vu de Sirius on puisse considérer que l'acteur est le Conseil Général. La décision est en devenir. Elle n'apparaît en tant que telle une fois actée, créant un jalon temporel.

C'est la décision politique qui donne des indications sur la décision de gestion. On constate en effet des vieillissements de critères, et des changements de logiques au cours du temps : les moyens deviennent des objectifs. On voit dans ce cas que le moyen (le syndicat du canal) est à l'origine du projet, ou plus précisément que son président est moteur (il négocie pour le faire inscrire en priorité), mais que le projet lui-même existait auparavant (il émerge de la démarche prospective Cher 2021). Le projet se concrétise progressivement en précisant l'intention de départ au fur et à mesure qu'elle apparaît faisable. La compréhension de ce processus suppose une analyse fine de la relation entre l'acteur (l'entité organisationnelle) et les agents (des personnes qui représentent un acteur dans certaines circonstances, cette représentation impliquant des contraintes particulières de comportement) (Marchais-Roubelat, 2000). Elle met en exergue le fait que l'objectif n'est pas donné *a priori*, il évolue beaucoup jusqu'à sa formalisation (dans le cas du canal de Berry : l'établissement d'un chemin, itinéraire cyclable et paysager). Cette formalisation semble définitive, mais elle comprend des éléments d'évolution à venir (bitumer le chemin, faire passer des réseaux…). Ils ne seront reconnus dans l'objectif que plus tard, sous réserve de la continuation des négociations en cours, donc de la persévérance des porteurs de projet et de l'adaptation *ad hoc* des entités organisationnelles qui en deviendront les futurs acteurs. On comprend alors pourquoi, dans un projet d'entreprise, les critères d'évaluation vieillissent (ils ne sont plus adaptés à la concrétisation en cours de l'objectif puisque celui-ci évolue de fait), et pourquoi l'objectif peut finalement disparaître (ou être indéfiniment reporté dans le temps, ce qui revient au même) au bénéfice des moyens de sa mise en œuvre, ces moyens devenant des routines qui s'auto-engendrent. Dans le cas du canal de Berry, les moyens ne remplacent pas l'objectif car les règles et les temporalités de l'action politique diffèrent des règles et des temporalités de l'aménagement opérationnel du territoire.

Si les débuts du projet méritent d'être étudiés dans les approches décisionnelles des organisations car ils définissent les critères de la performance recherchée, la fin doit aussi l'être car elle détermine la valeur de la mesure sur ces critères. En effet, l'évaluation de la décision politique de faire le projet du canal de Berry diffère entre mars 2014, où la négociation avec les communes semble reculer et le financement du projet doit être renégocié, et septembre de la même année où la problématique de la création du syndicat devient effective (l'organisation est définie, il s'agit d'en faire le montage technique) et les budgets sont en cours de finalisation.

La décision politique s'étend dans la durée des négociations, en se doublant d'un processus de préparation de la mise en œuvre qui ne se déroule pas en parallèle, mais qui interfère avec les négociations politiques dans la durée. Les approches classiques de la décision, comme les approches critiques, ne tiennent pas compte de cet entrelacement du décider et du faire dans la durée. Or, c'est ce phénomène qui explique comment la décision politique, *a priori* périmétrée par un territoire (ici le département), crée de nouveaux territoires : le canal unifié, voire, au-delà du département, un futur territoire. Il se produit donc, dans l'épaisseur temporelle de la décision et de sa condensation en acte, un changement irréversible de la représentation du monde, qui ne devient une irréversibilité pensée comme telle de façon partagée qu'à partir du moment où un acte se produit, signifiant que la décision a été prise et non pas qu'elle sera prise.

Le canal de Berry à vélo : un scénario d'action stratégique

Le projet du canal de Berry à vélo contribue à relier des territoires aux moyens et caractéristiques éloignés les uns des autres et qui n'auraient, sans ce projet, aucun lien de coopération. Ainsi, l'action *"Aménager une infrastructure canal de Berry à vélo*" conduit au réaménagement de territoires fragmentés et à la mise en interaction de territoires interstitiels. Dans ce scénario, l'action consiste à réaliser une infrastructure parallèle au canal originel, qui devient un symbole à mettre en valeur par la possibilité pour les cyclotouristes de cheminer d'un bout à l'autre du canal de Berry, sans nécessairement suivre l'intégralité des berges du canal. Ainsi, ce que font les parties prenantes consiste à proposer à des touristes un parcours "*autour*" du canal de Berry. Par contre, ce qu'elles ne font pas est de proposer un cheminement sans interruption "*le long*" du canal de Berry. D'ailleurs, le canal de Berry n'existant plus en tant que tel, du fait de la vente et du comblement de certaines portions, un tel projet conduirait à chercher à remettre en eau le canal de Berry, ce qui n'est pas nécessairement l'objectif des différentes parties prenantes du projet. Depuis son déclassement, le canal n'est en effet plus un canal et le canal de Berry à vélo ne peut plus s'appuyer que sur un symbole d'une époque passée, symbole qui, du moins dans le scénario d'action stratégique (tableau 2) "*canal de Berry à vélo*" n'a pas vocation à être complété pour recréer le canal d'antan.

Du point de vue de la règle institutionnelle, le scénario tire sa justification dans la volonté des parties prenantes de "*valoriser les territoires du canal de Berry*", qu'il s'agisse du conseil général du Cher ou des institutions européennes, avec les fonds européens pour le développement, en particulier le fonds européen pour le développement rural. Le canal de Berry qui autrefois permettait de valoriser les productions des territoires qu'il permettait de désenclaver est aujourd'hui devenu un élément du patrimoine local, tant en tant qu'ouvrage d'art qu'en tant que point d'entrée vers les territoires dont il écoulait autrefois les marchandises. Il convient ainsi aujourd'hui de dissocier le canal de Berry "*ouvrage d'art*" du canal de Berry à vélo qui dessert des territoires plus vastes que ceux que le canal mettait en interaction. L'ouvrage d'art étant aujourd'hui discontinu, l'une des règles les plus intéressantes de ce scénario est la règle des opérations qui consiste à "*coordonner les acteurs du canal de Berry à vélo*". Autant un canal encore en activité est-il organisé par une autorité dont la mission est d'assurer la continuité de circulation tout au long du parcours, autant un canal déclassé est-il fragmenté, découpé, composé de différentes logiques décisionnelles de type réflexion-décision-action sans coordination les unes avec les autres. D'où l'intérêt de créer des réseaux d'acteurs de manière à faire travailler ensemble des territoires dont l'hétérogénéité a été soulignée. Le projet ne s'inscrit ni dans une circonscription administrative, ni dans une intercommunalité. Il définit une aire qui lui est spécifique, en demandant la coopération de parties prenantes qui ne sont pas habituées à travailler ensemble. Son origine comme sa fin sont politiques, liées à la volonté de *"valoriser"* non seulement le *"canal de Berry"* mais aussi les territoires qui le bordent et qui constituent sa justification originelle. Et si le canal est aujourd'hui interrompu, ce n'est finalement pas si grave, puisqu'il ne s'agit plus de transporter des matières premières comme le minerai de fer ou la houille aux meilleures conditions économiques du moment, mais de permettre à des cyclotouristes de découvrir un patrimoine tout en cheminant, sur la majeure partie de leur parcours, le long de l'eau. En fait plus compliquée est la question des câbles à haut débit qui ne peuvent quant à eux souffrir de discontinuité. Dès lors qu'il ne s'agit plus seulement de *"valoriser l'ouvrage canal de Berry"* mais bien de *"valoriser les territoires du canal de Berry"*, la fragmentation du canal apparaît bien comme un facteur susceptible de reporter, voire de bloquer le projet, posant la problématique de la gestion des irréversibilités en matière de transfert de compétences décisionnelles.

"Rouler le long de l'eau", telle pourrait être l'application la règle de conduite du canal de Berry à vélo qui consiste à *"développer le canal de Berry à vélo"*. Mais si l'ouvrage permettant de naviguer sans discontinuité n'existe plus, le canal n'est qu'un symbole susceptible de transformations qui constituent autant de perspectives, plus ou moins plausibles et surtout plus moins souhaitables pour les acteurs. La première transformation, qui est d'ailleurs en phase avec la réforme territoriale en cours, consisterait à diluer le *"canal de Berry à vélo"* dans un ensemble plus vaste comme *"la Loire à vélo"*. Un ouvrage d'art et un fleuve encore *"presque"* sauvage sont de natures différentes, la valorisation du patrimoine n'ayant alors pas la même signification.

Règles	Enjeux territoriaux
Règle de l'action *Aménager une infrastructure "canal de Berry à vélo"*	Réaménagement de territoires fragmentés, mise en interaction des territoires interstitiels Création de flux dans les territoires : flux économiques touristiques, flux de données
Règle institutionnelle *Valoriser les territoires du "canal de Berry"*	Dissociation canal de Berry à vélo – canal à très haut débit / ouvrage canal de Berry
Règle des opérations *Coordonner les acteurs du canal de Berry à vélo*	Création de réseaux d'acteurs autour du territoire Canal de Berry à vélo
Règle de conduite *Développer le canal de Berry à vélo*	Transformations et risques à partir du scénario : - transfert : dilution du canal de Berry à vélo dans un ensemble plus vaste - enlisement : recherche de la continuité du canal de Berry à vélo - oscillation : à long terme, retour au canal - déphasage : focalisation sur la *"renaissance"* du canal de Berry

Tableau 2. Le canal de Berry à vélo : règles et enjeux

A contrario, si les parties prenantes choisissaient de se recentrer sur le canal, la recherche de continuité le long du canal de Berry pourrait constituer un enlisement, dès lors que cette continuité se heurte à la fragmentation du canal, sans parler d'une utopique remise en eau. C'est bien cet enlisement que l'on retrouve avec la question des lignes de télécommunication à haut débit. À plus long terme, la question de la reconstitution du canal pourrait d'ailleurs émerger pour certaines parties prenantes. Il s'agirait alors de coupler le cyclotourisme à une activité de navigation, au moins sur certaines portions du canal, ce qui impliquerait une modification de la règle des opérations et des moyens plus importants. Ce scénario se heurterait toujours à la discontinuité du canal. Cette problématique de la discontinuité conduit au déphasage lié à une *"focalisation"* que pourrait avoir certaines parties prenantes sur la *"renaissance"* du canal de Berry, renaissance aujourd'hui impensable en tant que moyen de transport. À chacun de ces scénarios correspond un territoire différent dans lequel le *"canal de Berry"* correspond à différentes logiques d'action, dans lesquelles le *"canal"* constitue un symbole sans cesse renouvelé, complété de différentes manières, qu'il s'agisse de naviguer *"au long du canal"* ou de cheminer *"autour"*, c'est-à-dire de s'en éloigner un peu pour mieux y revenir.

CONCLUSION. DÉCISION POLITIQUE ET TERRITOIRES EN MOUVEMENT

Ainsi que le montre le cas du canal de Berry, la construction territoriale s'accommode mal d'une représentation réifiée de la décision de type réflexion-décision-action. Les décisions n'ont en effet de sens que par rapport à l'action et aux transformations de celle-ci. À l'image des navigations entre remémoration/mémorisation, jugement, délibération, décision, acte, les scénarios d'action stratégique proposent une articulation entre la règle de l'action, la règle institutionnelle et la règle des opérations, puis une remise en question de la règle du scénario afin d'en analyser le fonctionnement, les dysfonctionnements, et d'en évaluer les transformations. Dans la décision politique, tant les échelles que les horizons apparaissent multiples et mouvants. Encore faut-il leur donner du sens afin de pouvoir orienter l'action : *"valoriser le canal de Berry"* n'a en effet pas le même sens que *"valoriser les territoires du canal de Berry"* et les scénarios d'action stratégique qui en découlent, s'ils peuvent être proches sur certains points, n'en sont pas moins différents en termes d'action, de justification, de mise en œuvre. Les nouveaux territoires ainsi créés par l'action seront différents, tout comme les transferts, enlisements, oscillations et déphasages qui pourront en découler. Pour le décideur, la question se pose de la manière d'appréhender la prospective, dans la mesure où la transformation des scénarios peut apparaître comme un processus sans fin puisque les éventuels états finaux varient aux rythmes des multiples échéances politiques et administratives des différentes parties prenantes.

La réforme territoriale est-elle la fin de l'histoire ? Les scénarios d'action stratégiques suggèrent que les territoires se transforment par l'action. Les projets de territoires se comprennent dans le temps long, à travers les multiples transformations imprimées par l'action, tout en accordant un intérêt particulier aux temps plus courts voire très courts des stratégies éphémères et des territoires interstitiels. Une telle perspective signifie que les parties prenantes ont à rechercher dans l'action leurs marges de manœuvre. La décision politique prend tout son sens par les compléments symboliques que lui apporte l'action, à travers les règles issues de la déformation et de la transformation des scénarios d'action stratégique.

BIBLIOGRAPHIE

Allais (Maurice), "Le comportement de l'homme rationnel devant le risque : critique des postulats et axiomes de l'école américaine", *Econometrica*, vol. 21, n° 4, 1953.

Arendt (Hannah), *La Vie de l'esprit.* Vol. 1) *La Pensée*, PUF, Paris, 1981.

Arendt (Hannah), *Condition de l'homme moderne*, Paris, Clamann-Lévy, 1983.

Berger (Gaston), "Sciences humaines et prévision", *La revue des deux Mondes*, (3), 1957, pp. 3-12.

Cabantous (Laure), Gond (Jean-Pascal), "Du mode d'existence des théories dans les organisations. La fabrique de la décision comme praxis performative", *Revue Française de Gestion*, n° 225, vol. 6, 2012, pp. 61-81.

Chia (Robert), "The concept of decision : a deconstructive analysis", *Journal of Management Studies*, vol. 31, n° 6, 1994, pp. 781-806.

Dewey (John), *The Quest for Certainty : a Study of the Relation of Knowledge and Action*, Minton, Balch & Company, New York, 1929.

Gauthier, Philippe, "Symbola. Les étrangers et la justice dans les cités grecques", *Annales de l'Est*, University of Nancy II, Mémoire n° 42, Nancy, 1972.

Germain (Olivier), Lacolley (Jean-Louis), "La décision existe-t-elle ?", *Revue Française de Gestion*, n° 225, vol. 6, pp. 47-59, 2012.

Hugoniot (Jean-Yves), "Le canal du Duc de Berry. Historique et généralités", *Bulletin d'information du département du Cher*, n° 154, août 1979, pp. 29-33.

Hugoniot (Jacques), "Regard sur un passé encore proche. Le canal de Berry", *Bulletin des Amis du Musée Saint-Vic*, Saint-Amand-Montrond, 1979, n° 4, pp. 30-34 (La naissance) ; 1980, n° 5, pp. 43-46 (L'impact économique) ; 1981, n° 6, pp. 83-89 (L'aspect humain).

Marchais-Roubelat (Anne), *De la décision à l'action. Essai de stratégie et de tactique*, Economica, 2000.

Marchais-Roubelat (Anne), *La Décision. Figures, symboles et mythes*, Apors Éditions, Bourges, coll. Bibliothèque prospective, 2012.

Marchais-Roubelat (Anne), Roubelat (Fabrice), "Futures beyond disruptions. Methodological reflections on scenario planning", *Futures*, vol. 43, 2011, pp. 130-133.

Marchais-Roubelat (Anne), Roubelat (Fabrice), *Générer des scénarios d'action stratégique*, Séminaire de présentation de l'ETO Sinus, Délégation aux Affaires Stratégiques – ministère de la Défense, juin 2009.

Mauret-Cribellier (Valérie), Malnoury (Robert), *Le Canal de Berry*, AREP Centre Editions, Orléans, 2001.

Roubelat (Fabrice), "Scenarios to challenge strategic paradigms : lessons from 2025", *Futures*, vol. 38, n° 5, pp. 519-527, juin 2006.

Roubelat (Fabrice), Marchais-Roubelat (Anne), "Dépasser les frontières des scenarios prospectifs : enjeux et propositions méthodologiques", in Guyot J.-L., Brunet S., *Construire les futurs. Contributions épistémologiques et méthodologiques à la démarche prospective*, Presses universitaires de Namur, 2014, pp. 149-161.

Wright (George), Cairns (George), *Scenario thinking : practical approaches to the futures*, Palgrave Macmillan, New York, 2011.

Chroniques

Decidere :
Les fils d'Ariane de la prospective

Fabrice ROUBELAT

2023, 2040, 2060. Et après ? Lorsqu'un décideur s'intéresse à un scénario prospectif, c'est parce qu'il s'y passe quelque chose. Des acteurs apparaissent, d'autres disparaissent ou se transforment. Des produits, des services et surtout de nouveaux comportements sont adoptés par des consommateurs d'un nouveau type. Quant au décideur, il devra lui-même s'y déplacer et suivre le fil d'Ariane de scénarios d'action stratégique...

Pour le prospectiviste, l'analyse des grandes tendances dialogue avec celle des mutations incessantes des règles du jeu. Les scénarios prospectifs apparaissent de moins en moins comme de grandes visions de futurs alternatifs. Ils deviennent les multiples couloirs de labyrinthes de plus en plus fragmentés. Comment le citoyen-consommateur pourra-t-il gérer et protéger les évolutions de ses multiples identités, physiques et numériques ? Quelles seront les nouvelles puissances émergentes ? Chaque entreprise, chaque foyer ne pourrait-il pas disposer de sa propre unité de production d'énergie ? Autant de questions qui appellent des innovations sociales, organisationnelles, et des innovations de produits.

Réfléchir à l'avenir ne signifie pas seulement rechercher de nouveaux cadres de référence, formalisés par de nouvelles règles et de nouveaux acteurs. Bien sûr, le prospectiviste pourra aider le décideur à construire des scénarios qui l'aideront par exemple à anticiper de possibles nouvelles réglementations ou à imaginer l'émergence de nouveaux réseaux intelligents. Mais ce serait manquer l'essentiel. Le monde est en mouvement et de ce mouvement naissent et se développent des innovations, tandis que des produits disparaissent avant parfois de renaître, sous une autre forme.

2023, 2040 ou 2060 ne sont rien de plus que des bornes virtuelles placées pour réfléchir à ce que sera un monde dans lequel les règles du jeu et les parties prenantes auront changé et continueront à se transformer. Le décideur sera confronté à ce qui pourrait subvenir au-delà de l'horizon de ses décisions : investissements, contrats, accès aux ressources, nouvelles technologies seront ainsi mises à l'épreuve du temps. Le consommateur gérera via des systèmes de communication intégrés à son corps ses différentes identités. La Chine aura éclaté en plusieurs puissances. Le solaire et les piles à combustibles auront remplacé le nucléaire. Penser les futurs possibles, c'est rechercher les transformations d'un monde dans lequel les frontières sont faites pour être franchies et déplacées.

Que l'on ne s'y trompe pas, il ne s'agit pas de prévoir. Il s'agit d'explorer de nouveaux enjeux, en utilisant des fils d'Ariane. Ces guides pour le décideur sont les scénarios d'action stratégique qui dessinent les transformations repérables ou imaginables de l'action. Les scénarios d'action stratégique permettent au stratège de se mouvoir dans l'action, d'évaluer si des retours en arrière – ou du moins des infléchissements vers des scénarios proches – sont possibles. Ou si au contraire les acteurs ont fermé certains futurs pour en ouvrir d'autres. Les vérifications d'identité et les réseaux électriques auront-ils disparus ? Co-existeront-ils dans des marchés fragmentés se transformant au rythme des innovations ?

Nouvelles règles, nouveaux jeux certes, nouveaux horizons et nouveaux territoires aussi, mais ne faut-il pas se poser parfois ? Oui, bien sûr, et choisir ce que l'on doit explorer en questionnant les organisations sous de multiples angles : politique, stratégique, social, éthique. Puis repartir, comme Thésée, vers de nouvelles aventures, en réfléchissant aux mouvements suivants… qui se forment dans l'action.

Notes de lecture

Hervé Coutau-Bégarie, Martin Motte (dir.), *Approches de la Géopolitique. De l'Antiquité au XXIe siècle,* **Paris, Economica, collection bibliothèque stratégique, 2013, 734 p.**

Le champ de la géopolitique mobilise, parfois pour le meilleur mais bien souvent pour le pire, des références hybrides qui contribuent à affaiblir sa portée. Cela peut expliquer que cette discipline fut longtemps décriée et qu'elle commence juste à reprendre ses droits depuis deux dizaines d'années. Ce ne sont pas moins de 25 contributeurs aux origines diverses (historiens, géographes et officiers supérieurs de l'armée) que l'on retrouve dans cet imposant et plus qu'utile ouvrage (734 pages) coordonné par Martin Motte et Hervé Coutau-Bégarie, trop tôt disparu. Ces derniers livrent ici la substantifique moelle de la pensée stratégique avec pour effet principal de remettre les choses à leur juste place, en s'éloignant des analyses hâtives des médias et en nous invitant à plonger dans l'histoire (la préhistoire même) d'une discipline qui fut longtemps mise à l'écart des enseignements universitaires. Construite autour de quatre chapitres, cette contribution collective présente surtout l'originalité de ne pas se contenter d'aborder la géopolitique autour des fondements et théories "classiques" des Mahan, Kjellen, Mackinder et Haushofer, mais d'introduire la pensée d'auteurs plus méconnus. C'est ainsi qu'en revenant à différentes conceptions, l'ouvrage alerte sur les nécessaires précautions à user lorsqu'on manie ces concepts à l'identité disciplinaire assez floue.

Dans un premier chapitre, les deux coordonnateurs de l'ouvrage réalisent une critique fine de la géopolitique, éclairée par l'étude de la genèse de celle-ci. On trouve alors un cadre épistémologique et méthodologique qui tranche avec la classique faiblesse de la discipline, permettant ainsi de rendre à cette dernière son statut opératoire. C'est ainsi qu'on y trouve des clefs

pour répondre aux interrogations fondamentales sur la géopolitique : toute géographie politique est-elle une géopolitique ? quel
degré de déterminisme peut-on attribuer au milieu naturel ? et
peut-on rattacher la puissance (notion au dynamisme intrinsèque)
à des données statiques ? Il faut donc couvrir un temps long de
l'histoire pour comprendre la discipline, et c'est dans le second
chapitre que l'on va y trouver sa dimension "préhistorique" par
l'étude des auteurs allant de la période de l'Antiquité jusqu'à la
fin du XIXe siècle. Sept textes reprennent ainsi les idées géopo-
litiques des Grecs et des Romains puis celles de Vauban, Montes-
quieu, Mably, Durando et List. Le troisième chapitre se consacre
à la période d'étude "classique" de la géopolitique : celle allant
de 1900 à 1945. Ainsi cette *Première Géopolitique* va au travers
de onze textes éclairer les analyses du fondateur suédois Kjellen,
du disciple allemand Haushofer et des créateurs des différents
types de concepts de puissance : maritime (Mahan), continentale
(Mackinder), ferroviaire (Kennedy) et aérienne (Renner). D'autres auteurs sont aussi mis en avant sur des sujets connexes au
précédent : Vallaux, Brunhes, Orsini d'Agostino et Castex. Enfin,
le quatrième et dernier chapitre vient parfaire l'œuvre entreprise
en abordant la *Géopolitique après la seconde guerre mondiale* à
l'aide de six textes qui montrent le passage à une nouvelle
géopolitique par la critique, portée entre autres par Gottman, de la
Geopolitik allemande et de son déterminisme doublé de son
caractère idéologique. On aborde ainsi les notions de représentations, de nationalisme paneuropéen au travers du prisme de
l'autrichien Von Lohausen, les visions russes de l'eurasisme et du
néo-eurasisme, la stratégie nucléaire (Gallois) et enfin la vision
géopolitique post guerre froide américaine incarnée par l'ancien
conseiller à la sécurité du président Jimmy Carter, Zbigniew
Brzezinski.

Ce livre éclaire ainsi le rôle des auteurs de la géopolitique
dans l'influence des acteurs politiques et les différences d'appropriation de celle-ci entre les pays. En effet, si en Allemagne et
dans le monde anglo-saxon les théories de la discipline furent
intégrées et parfois appliquées, il n'en est pas de même en France
où les géopoliticiens français peuvent souffrir, encore aujour-
d'hui, de ne pas être pris en considération par la classe diri-
geante ; certainement parce que le concept de sécurité nationale
n'existe pas dans la communication politique française alors

qu'elle se trouve au cœur de celle du "gendarme planétaire" que sont les États-Unis.

Deux regrets toutefois apparaissent à la fin de la lecture de cet imposant ouvrage. D'une part, celui de ne pas disposer d'éléments sur les évolutions de la discipline depuis la chute du mur de Berlin et de la montée des différents mouvements terroristes qui sont désormais au centre des affaires internationales et de la politique mondiale depuis le tristement célèbre 11 septembre 2001. D'autre part, la vision très européo-américaine des auteurs a éludé la production asiatique et sud-américaine, pourtant très prolifique, dans laquelle on peut trouver le théâtre d'applications de la politique étrangère qui ne se restreint pas pour autant à l'affrontement Chine-Japon ou Brésil-Argentine (n'oublions pas que le Général Pinochet fut enseignant de géographie politique à l'école militaire de Santiago).

Le principal enseignement que l'on retient à la lecture de ce livre, est que la stratégie, *a fortiori* la stratégie militaire, ne devrait pas concerner uniquement les écoles militaires, telles les Écoles militaires de Saint-Cyr Coëtquidan qui ont soutenu la publication de cet ouvrage, mais aussi, à l'instar des université américaines, l'enseignement universitaire français et européen afin de produire savoirs et expertises que la société contemporaine attend pour comprendre les événements qui surgissent en flux continu. Peut-être qu'à terme le travail mené pourra faire mentir la citation du colonel Noulens, ancien chef du département d'histoire de Saint-Cyr Coëtquidan, reprise par Martin Motte en conclusion, page 706 de l'ouvrage : *"nous autres historiens savons presque tout sur presque rien ; nos collègues géopoliticiens ne savent presque rien sur presque tout"*. Force est de constater que l'attente du grand public associée au succès croissant de la géopolitique (plusieurs émissions de radio lui sont consacrées, sans oublier *Le dessous des cartes*) traduit un mouvement de fond qui verra très certainement l'ostracisme universitaire disparaître au profit d'une renaissance nécessaire de la discipline afin de mieux comprendre les mutations rapides et radicales du monde actuel dans une société ou l'information circule de plus en plus vite, ne permettant pas toujours la prise de distance nécessaire à l'analyse critique d'une crise ou d'un conflit. Ainsi, ce livre devrait permettre d'éviter de retomber dans les travers de la géopolitique initiale qui fut productrice d'analyses erronées, voire de charlatanisme, dans un contexte sociétal ou l'histoire et la géographie devraient demeurer les piliers de l'éducation.

Si ce premier opus a pris près de 10 ans aux deux coordonnateurs avant d'éclore, espérons que le volume deux annoncé en préambule de l'ouvrage arrivera rapidement dans nos bibliothèques car on ne se lasse jamais de la vitalité intellectuelle quand elle se met au service d'une meilleure compréhension du monde. Cela serait plus qu'un formidable hommage à Hervé Coutau-Bégarie.

Olivier COUSSI

*
* *

Pascale Pizelle, Jonas Hoffmann, Céline Verchère, Miguel Aubouy (dir.), *Innover par les usages,* **Les éditions d'innovation, 2014, 299 pages.**

Innover par les usages, dirigé par Pascal Pizelle, Jonas Hoffmann, Céline Verchère et Miguel Aubouy, est issu d'un travail collectif orienté non pas par le produit mais parce ce que l'utilisateur, le consommateur, en fait. Il découle de cette approche non seulement que le succès ou l'échec de l'innovation dépendra de ses usages, mais aussi que le concepteur du produit nouveau ne pourra définir *a priori* les usages qui seront faits du produit mais qu'il devra compter avec le *"collège invisible"* des usagers. D'emblée, les auteurs annoncent *"l'injustice"* et donc l'imprédictibilité du succès ou de l'échec d'une innovation. *"Tel produit parfaitement conçu, à la pointe de la technologie, semblant répondre à un besoin, échoue à émerger. Tel autre produit, difficile à manipuler, affreux et mal conçu, réussit là où personne ne l'attendait"*. Et les directeurs de l'ouvrage de citer le succès des SMS, si peu pratiques à écrire, mais dont l'usage massif a poussé les constructeurs à innover et les opérateurs à faire évoluer leurs offres de manière à les proposer en illimité.

D'un design très soigné, très coloré et largement illustré, l'ouvrage mêle chapitres conceptuels et méthodologiques et témoignages de chercheurs et de praticiens de l'innovation par les usages. Ainsi, l'ouvrage défriche les significations des usages, les problématique de la création de valeur, du design ou de l'open innovation, des méthodes comme la méthode Cautic (conception assistée par l'usage pour les technologies, l'innovation et le changement, cette méthode ayant largement influencé l'ouvrage) ainsi que la scénarisation des usages, des méthodes comme Kano ou l'analyse conjointe par la méthode *trade-off*. Ainsi, le lecteur suivra le dégradé de couleur du vert vers le jaune, pour suivre la progression proposée ou choisira d'aller directement vers les chapitres et témoignages qui composent l'ouvrage dont il découvrira à la toute fin de l'ouvrage (page 297) les auteurs. La première partie d'*Innover par les usages* est consacrée à l'exposé des concepts et méthodes de mise en œuvre d'une "*démarche d'innovation orientée « usages »*", tandis que la deuxième partie cherche à questionner les problématiques connexes, telles celles du design ou de l'étude des usages.

Les trois premiers chapitres s'attaquent aux fondations de la démarche, à travers les significations des usages et l'articulation entre les caractéristiques et les fonctions du produit d'une part et la manière dont les utilisateurs vont intégrer, voire déformer, le changement dans leurs pratiques quotidiennes. Pour Céline Vercher et Julien Soler, qui signent le premier chapitre sur les significations par les usages, l'innovation par les usages n'est plus seulement fondée sur des "retours d'expérience" mais se situe en amont des processus d'innovation, lorsque "*« les possibles » sont plus ouverts et plus négociables*". S'appuyant très largement sur les travaux du sociologue Philippe Mallein, dont on retrouvera en fin d'ouvrage le témoignage sur les paradoxes de l'innovation, les auteurs insistent sur la logique d'hybridation et de négociation qui interagit avec la plus classique logique d'imposition de révolution. Ainsi, "*l'individu et l'innovation s'ajustent en permanence l'un à l'autre*" et leur rencontre n'est pas nécessairement une "*adoption*" ou un "*rejet*" mais peut être une "*négociation ou un ajustement*", tandis que le "*détournement par les usages*" offrira des surprises. Comme le soulignent Pascal Pizelle et Jonas Hoffmann, le sens de l'usage questionne la création de valeur dans la mesure où l'innovation n'acquiert de valeur que dans son utilisation. D'où l'intérêt de distinguer valeurs fonctionnelles et valeurs "*communication*" que l'on peut rapprocher des classiques valeurs d'usage et valeurs d'estime, en s'adressant non seulement à des problèmes mais aussi à des désirs ou des émotions ("*l'innovation sous le coup de l'émotion*" étant développée dans le chapitre 18 par Naoil Sbai, Michel Dubois et Dongo Rémi Kouabenan).

Au-delà des outils et des méthodes, l'ouvrage questionne les usages futurs de l'innovation selon une perspective temporelle. Tout d'abord, il s'agit de s'intéresser à *"l'ancrage"* avec des usages existants. Dans un second temps, l'approche cherche à mettre en évidence la transformation des usages existants selon un processus *"d'actualisation"*, passant de pratiques actuelles à des pratiques nouvelles. Enfin, elle explore le devenir de l'innovation en cherchant à évaluer son potentiel d'adoption par l'utilisateur sur la durée. Assimilation, affiliation, appropriation, adaptation sont ici autant de critères qui permettront d'évaluer l'acceptabilité de l'innovation selon un principe d'hybridation : *"l'innovation va s'hybrider à des techniques, des pratiques existantes, à l'évolution sociale et enfin à l'identité de l'utilisateur"*.

La scénarisation des usages, développée par Pascal Pizelle et Christine Thomas dans le chapitre 8, cherche à raconter *"des expériences concrètes, illustrées, de l'usager en relation avec le concept innovant"*. Délibérément narrative, la scénarisation a pour objectif d'anticiper les usages et d'évaluer les *"conditions d'acceptabilité"* de l'innovation. Ainsi, le scénario permettra de mettre en scène l'innovation dans un lieu, avec des personnages, des accessoires, *"une situation de départ qui évolue peu à peu"*... D'un point de vue prospectif, c'est cette transformation qui sera la source de l'innovation, même si les organisations ont tendance à rechercher une fin à l'histoire en vue de développer et de diffuser des produits standardisés. Comme le souligne l'entretien avec Philippe Mallein, *"toute innovation met en scène un paradoxe qu'elle résout dans le même mouvement"*. Et Philippe Mallein de citer Georges Bataille : *"toute vie profonde est lourde d'impossibles"*. Avant de préciser le sens à donner à l'innovation : *"ce sont ces impossibilités qu'il s'agit de repérer, pour les rendre, d'une certaine nouvelle manière, possibles"*. Dépasser les frontières de l'impossible par la recherche de ce que font ou feront les acteurs : la proximité de l'innovation par les usages avec les problématiques des scénarios prospectifs est une invitation à poursuivre et approfondir les recherches sur l'innovation prospective. Et de lever dans le mouvement les paradoxes des transformations de l'innovation.

Fabrice ROUBELAT

Achevé d'imprimer par les soins de Pulsio.net
en janvier 2015
Union Européenne